総合判例研究叢書

商　法（6）

有　斐　閣

商法・編集委員

鈴木竹雄
大隅健一郎

序

フランスにおいて、自由法学の名とともに判例の研究が異常な発達を遂げているのは、その民法典が百五十余年の齢を重ねたからだといわれている。それに比較すると、わが国の諸法典は、まだ若い。最も古いものでも、六、七十年の年月を経たに過ぎない。しかし、わが国の諸法典は、いずれも、近代的法制を全く知らなかつたところに輸入されたものである。そのことを思えば、この六十年の間に極めて重要な判例の変遷があつたであろうことは、容易に想像がつく。事実、わが国の諸法典は、それに関連する判例の研究でこれを補充しなければ、その正確な意味を理解し得ないようになつている。

判例が法源であるかどうかの理論については、今日なお議論の余地があろう。しかし、実際問題として、多くの条項が判例によつてその具体的な意義を明かにされているばかりでなく、判例によつて特殊の制度が創造されている例も、決して少くはない。判例研究の重要なことについては、何人も異議のないことであろう。

判例の創造した特殊の制度の内容を明かにするためにはもちろんのこと、判例によつて明かにされた条項の意義を探るためにも、判例の総合的な研究が必要である。同一の事項についてのすべての判決を探り、取り扱われた事実の微妙な差異に注意しながら、総合的・発展的に研究するのでなければ、判例の研究は、決して終局の目的を達することはできない。そしてそれには、時間をかけた克明な努力を必要とする。

幸なことには、わが国でも、十数年来、そうした研究の必要が感じられ、優れた成果も少くないようになつた。いまや、この成果を集め、足らざるを補ない、欠けたるを充たし、全分野にわたる研究を完成すべき時期に際会している。

かようにして、われわれは、全国の学者を動員し、すでに優れた研究のできているものについては、その補訂を乞い、まだ研究の尽されていないものについては、新たに適任者にお願いして、ここに「総合判例研究叢書」を編むことにした。第一回に発表したものは、各法域に亘る重要な問題のうち、研究成果の比較的早くでき上ると予想されるものである。これに洩れた事項でさらに重要なもののあることは、われわれもよく知つている。やがて、第二回、第三回と編集を継続して、完全な総合判例法の完成を期するつもりである。ここに、編集に当つての所信を述べ、協力される諸学者に深甚の謝意を表するとともに、同学の士の援助を願う次第である。

昭和三十一年五月

編集代表

小野清一郎　宮沢俊義
末川博　我妻栄
中川善之助

凡例

一　判例の重要なものについては、判旨、事実、上告論旨等を引用し、各件毎に一連番号を附した。

二　判例年月日、巻数、頁数等を示すには、おおむね左の略号を用いた。

大判大五・一一・八民録二二・二〇七七　（大審院判決録）
（大正五年十一月八日、大審院判決、大審院民事判決録二十二輯二〇七七頁）
大判大一四・四・二三刑集四・二六二　（大審院判例集）
最判昭二二・一二・一五刑集一・一・八〇　（最高裁判所判例集）
（昭和二十二年十二月十五日、最高裁判所判決、最高裁判所刑事判例集一巻一号八〇頁）
大判昭二・一二・六新聞二七九一・一五　（法律新聞）
大判昭三・九・二〇評論一八民法五七五　（法律評論）
大判昭四・五・二三裁判例三刑法五五　（大審院裁判例）
福岡高判昭二六・一二・一四刑集四・一四・二二一四　（高等裁判所判例集）
大阪高判昭二八・七・四下級民集四・七・九七一　（下級裁判所民事裁判例集）
最判昭二八・二・二〇行政例集四・二・二三一　（行政事件裁判例集）
名古屋高判昭二五・五・八特一〇・七〇　（高等裁判所刑事判決特報）
東京高判昭三〇・一〇・二四東京高時報六・二民二四九　（東京高等裁判所判決時報）

札幌高決昭二九・七・二三高裁特報一・二・七一　（高等裁判所刑事裁判特報）
前橋地決昭三〇・六・三〇労民集六・四・三八九　（労働関係民事裁判例集）

その他に、例えば次のような略語を用いた。

裁判所時報＝裁　時　　家庭裁判所月報＝家裁月報
判例時報＝判　時　　判例タイムズ＝判　タ

目次

白地手形

河本一郎

手形小切手の実質関係　河本一郎

利得償還請求権　河本一郎

白地手形

河本一郎

はしがき

白地手形をめぐる問題は理論的にも実際的にも非常に重要である。ことに、理論的には、手形理論の海における一つの暗礁ともいうべく、完成手形のみを眼中においての理論構成に腐心していると、知らぬ間にこれに乗り上げて難破してしまうというようなものである。私などには、いまだとうていこれをうまく説明する理論の構成が不可能なことはもちろんである。しかし理論を構成する際には出来る限り多くの事実を資料としてもつているのが、有利であると思つたので、将来の研究にそなえて、この分野の判例の整理を引受けたわけである。なお判例は出来る限り忠実にこれを引用し、必要な事実関係も述べることに努めた。

主な引用文献は次のとおりである。

伊沢孝平「手形法・小切手法」（昭和二四年有斐閣）、石井照久「改訂商法（保険法・有価証券法）」（昭和二八年勁草書房）、烏賀陽然良「手形法」（昭和九年弘文堂）、大隅健一郎「手形法小切手法講義」（昭和一八年有斐閣）、大隅健一郎・河本一郎「手形法・小切手法」（ポケット註釈全書）」（昭和三四年有斐閣）、大橋光雄「手形法」（昭和一二年弘文堂）、竹田省「手形法小切手法」（昭和三一年有斐閣）、田中耕太郎「手形法小切手法概論」（昭和一〇年有斐閣）、田中誠二「手形法小切手法」（昭和三〇年千倉書房）、田中誠二・並木俊守「手形小切手ハンドブック」（昭和三三年中央経済社）、納富義光「手形法小切手法論」（昭和一六年有斐閣）升本喜兵衛「手形法小切手法論」（昭和一〇年巖松堂）、松本烝治「手形法」（大正七年中央大学）。

一　白地手形の意義

白地手形とは、後日他人をして手形要件の全部または一部を補充せしめる意思をもつて、ことさらにこれを記載しない紙片に署名して発行する未完成の手形のことである、とするのが通説であり(松本・二三三頁、竹田・九四頁、田中耕・三〇六頁、田中誠・八一頁、伊沢・三五六頁、石井・二〇二頁、大隅・一〇〇頁)、判例も同様である【1】。

【1】「白地手形トハ行為者ガ手形行為ヲ為ス意思ヲ以テ手形ト成ルヘキ紙片ニ署名シ其ノ要件ノ全部又ハ一部ヲ補充スルコトヲ他人ニ委任シタルモノヲ指称スル」(大判昭五・一〇・二三民集九・九七六、大判昭七・五・三民集一一・一〇四五も全く同様の定義をしている)。

白地手形は、完成はしたが要件の欠けている不完全な従つて無効な手形とは異なり、白地が補充されることによつて完成手形となり、署名者は文言通りの責任を負うに至るものである。ところで、右の通説判例による白地手形の定義によれば、白地手形と不完全手形との区別は、署名者が、後日他人をして白地を補充せしめる意思でもつて手形となるべき書面を流通においた、という署名者の主観的要素の存否にかからしめられている。これに対し、右の区別を署名者の具体的意図にかからしめずに、証券の外観上署名者が補充を予定して署名したものと見ることができれば、すなわち白地手形であると解する立場がある(この学説の争については後述)。この立場からは、白地手形の定義をなすに当つても、右の通説判例のそれとは異なり、意思的要素を除かねばならない。すなわち、白地手形とは、手形としてはまだ要件を具備していないが、欠缺要件が後日補充されることの予定されている証券であつて、振出またはその他の手形的署名のなされているものをいう、と定義されることになる(升本・有価証券法一三三頁)。

白地手形がいかなる権利を表章する有価証券であるかについては後述する（三九頁参照）。

二　白地手形の要件

一　少なくとも一つの署名のあること

通常は、約束手形の振出人が白地手形に署名して流通におくか、あるいは自己宛で振出した白地の為替手形に支払人（振出人）が引受署名をして発行する【2】。

【2】「為替手形ノ支払人カ受取人ノ氏名又ハ商号ノ記載ナキ所謂白地手形ニ引受署名ヲ為シテ手形所持人ニ交付シタル場合ニハ該引受人ハ後日該手形ニ受取人ノ氏名又ハ商号ガ記入セラレ手形ノ要件完備シタルトキ該手形記載ノ内容ニ従ヒ手形債務ヲ負担スル意思ヲ以テ引受ヲ為シタルモノナレハ斯ル手形ノ所持人ハ後日引受人ヲシテ手形債務ヲ負担セシムルニ必要ナル手形要件ヲ補充シ得ヘキ権利ヲ引受人ニ対シテモ之ヲ有スルモノト解スルヲ妥当トス」（大判大九・一二・二七民録二六・二一一九、同旨大判大一〇・一〇・一民録二七・一六九三、大判大一五・一二・一六民集五・八四四）。

法文に「振出シタル」となつており、しかも紙片に手形としての生命を与え得るのは振出人のみであるとの理由から、白地手形が成立するためには振出人の署名がなければならないとの説もある（薬師寺・志林三七巻一〇号一三八〇頁、矢部・一三七頁）が、通説判例は、少なくとも一つの手形署名があれば足るとする。従つて要件の全部を欠く為替手形用紙に引受人が署名する白地引受も可能である【3】。これを純粋白地引受という。

【3】「原審ハ被上告人ニ於テ訴外加藤清八ノ依頼ニ因リ同人ノ金融ヲ図ルカ為ニ同人ニ対シ手形金額ヲ最高限度五万円ト定メ且右金額ノ記入並手形ノ使用ニ関シテハ予メ被上告人ノ承諾ヲ受クヘキコトヲ約シ引受ヲ為ス意思ヲ以テ金額其ノ他ノ手形要件ヲ具備セサル本件為替手形ノ引受欄ニ引受ノ署名ヲ為シテ之ヲ交付シタル事実ヲ確定シタルモノナレハ被上告人ハ白地為替手形ノ引受ヲ為シタルモノト謂ハサルヘカラス従テ後日手形ノ振出要件完備シタル手形ノ成立スルニ至リタルトキハ該手

形ノ所持人ニ対シ引受人トシテ手形上ノ責任ヲ負ハサルヘカラサルモノニシテ」（大判昭三・七・一六新聞二九〇二・一六）。

また、要件欠缺の手形用紙に先ず裏書人が裏書署名をなし、これを振出人に交付して、補充と処分を委ねることによつても白地手形行為は成立する【4】【5】。これを白地裏書と一般によんでいる（田中誠・八一頁）。もつとも白地裏書という用語は、白地式裏書（手一三Ⅱ）の略称としても使われることが多く、まぎらわしいので、いまの場合を特に、裏書人の白地署名とよぶ説もある（鈴木二〇二頁註四）。

【4】「手形用紙ニ何等手形要件ノ記載ナキ以前予メ裏書ヲ為シタル者カ振出人タルヘキ者ニ之ヲ交付シテ手形要件ノ記載ヲ一任シタル場合ト雖モ後日其振出人タルヘキ者カ手形要件ヲ記載シ振出行為ノ形式ヲ完備シテ之ヲ他人ニ交付シタルトキハ茲ニ其振出行為完成シ之ト同時ニ右裏書行為モ亦完全ニ其効力ヲ発生スルモノトス」（大判明四五・四・一九民録一八・四二二）。

【5】「成立前予メ手形用紙ニ裏書ヲナシタル場合ト雖モ後日振出人ガ振出ノ要件ヲ記載スル所ニ従ヒ手形上ノ債務ヲ負担スル意思ヲ以テ其手形用紙ヲ振出人ニ交付シタルトキハ爾後振出人ニ於テ該手形成立ニ必要ナル事項ノ記入及ヒ手形ノ交付ヲ為シ振出行為完成スルトキハ其裏書ハ之ト同時ニ其効力ヲ生スヘキモノナルコトハ本院従来ノ判例ノ認ムル所ナリ」（大判大五・五・一八民録二二・九八九）。

同様に白地保証も有効に成立し得る【6】。

【6】「後日手形要件ノ完備スヘキコトヲ予期シテ支払保証ノ為其ノ手形ノ補箋ニ署名シタル者ハ後日手形要件ノ完備スルト同時ニ保証責任ヲ負担スル意思ヲ以テ署名シタルモノニシテ手形要件完備ノ時ニ保証ノ効力ヲ生スルモノト解スルヲ当然トス」（大判昭九・一・二七法学三・六七二）。

なお、これらの白地手形にその後署名した者についても、それぞれ白地手形行為が成立する（五一頁参照）。

二　要件の欠缺

手形要件の欠缺の程度を問わないのが通説である。学説中には、手形文句や支払委託ないし支払約束の記載がないときは白地手形としての効力を生じないとするものもある（鳥賀陽・一二三頁）が、これは白地手形の成否につき客観説の立場に立つからであつて、主観説の立場に立つ通説はかかることを要求しない（伊沢・三五八頁、鈴木・二〇三頁）。また満期の記載のない手形は一覧払のものとみなすとの規定はあつても（手二Ⅱ、七六Ⅱ）、それは満期白地の白地手形の成立を許さない趣旨と解すべきでない（通説、但し大橋・一六六頁は疑問とする）。判例も満期白地の白地手形の成立を認める（一七頁以下参照）。

またある要件につき、その一部を記載し、残部について白地補充権を与えることもできる（竹田・九四頁、鈴木・二〇三頁）。この問題は、金額（例えば金拾万……とのみ記載してそれ以下の補充権を与える）についても生じ得るであろうが、判例では主として満期の記載について起つている。判例の立場も分れ、あるいは年と月のみの満期記載の手形は全然無効とするもの【7】もあり、同様に解する学説もある（田中耕・三〇七頁）。

【7】「手形成立ノ要件タル満期日ハ商法第四百五十条（現三三）ニ規定シタル日ノ一タルコトヲ要ス然ルニ本件ノ手形ニ於テハ支払期日ヲ単ニ明治三十四年十二月ト記載シタルヲ以テ其記載ハ不適法ニシテ右手形ハ全然無効タルヘキモノナリ従ツテ右手形ニ基ク本件請求亦理由ナキモノニ属ス而シテ商法第四百五十一条（現二Ⅱ）ニ所謂手形ニ満期日ヲ記載セサリシトキトハ初ヨリ全然其記載ナキ場合ノミニ限ル法意ニシテ不適法ナル記載ノ場合ヲ包含セスト解スルヲ相当トス」（東京地判明三五・四・八新聞一三八・八）。

あるいは年号のみの記載を無用の記載とみ、従つて満期の記載のないところより一覧払と認めたものもある【8】【9】。

【8】「手形中満期ヲ表示ス可キ場所ニ年号ノミヲ記シ月日ノ記載ナキトキハ其満期日ヲ一覧ノ日ト見ル可キハ相当ナルカ故ニ原院カ本件ノ手形ニ単ニ満期日ヲ記ス可キ場所ニ明治三十五年トノミアリテ月日ノ記載ナキヨリ之ヲ一覧払ノモノト認メ

タルハ相当ニシテ」（大判明三七・一二・九民録一〇・一五七八）。

【9】「単ニ明治三十七年トノミノ記載ニテハ満期日トシテ効力ナキカ故ニ畢竟無益ノ記載ヲ為シタルニ止マリ結局満期日ノ記載ナキト一般ナルヲ以テ本件手形ハ其振出ノ当時ニアリテハ一覧払ノ約束手形ナリシモノト認ムルヲ相当ナリトスル然ルニ被控訴人両名ハ前段説示ノ如ク之ヲ満期日アル手形ニ変造シタルモノナルヲ以テ其変造者タル被控訴人ハ自己ノ行為ニ付其拘束ヲ受クベキハ当然ナレバ其変造ノ情ヲ知ラザル善意ノ取得者ニ対シ其変造シタル文言ニ従ヒ各自之レカ責任ヲ負担スベキハ勿論ナリトス」（大阪控判明三九・二・一五新聞三八二・八、債務者等はこのような手形は適法の満期の記載のない無効の手形と主張した）。

以上に対し、このような手形を白地手形と認める判例もある【10】【11】。

【10】「被告ハ本件手形ノ満期日ハ後ニ振出人ニ於テ補充スル意思ヲ以テ単ニ大正十五年月日ト記載シタル白地ノママ振出シタルニ拘ハラス濫ニ原告ニ於テ一覧ノ日ト記入シタルモノニシテ右補充ハ振出人ノ意思ニ反スル不適法ノモノナリト主張スレトモ凡ソ約束手形ノ振出人カ満期日トシテ単ニ年号ノ記載ノミニテ月日ノ記載ヲ為ササリシトキハ満期日ノ記載ナキ手形ト解センヨリハ寧ロ後日手形取得者ヲシテ満期日ヲ補充セシムル意思ノ下ニ白地振出ヲ為シタルモノト推定スルヲ相当トスヘク而シテ斯ル手形ノ取得者ハ手形ノ取得ト共ニ其補充権ヲ取得スヘキモノナルヲ以テ本件手形所持人タル原告カ其補充権ニ基キ右手形ノ満期日ヲ一覧ノ日ト記入シタルハ反証ナキ限リ適法ニ補充シタルモノト推定スベキモノナレバ」（東京地判大一五・七・二六評論一五商四三四）。

【11】「満期を、昭和二十九年月日とのみ記載しその他を空白とする約束手形は白地手形と認めるのが相当である」（大分地判昭三二・五・三〇金融法務一四三・九）。

思うに、年号または年月のみの記載をなし、以下の記載については明示的に補充権が与えられた場合に、所持人が月日または日を記載して手形を完成せしめ得ることはもちろん、明示的な補充権の授与がなくとも、これらの手形は白地手形と推定すべきである。この点では、前掲最後の二判例【10】【11】の立場に賛成すべきであると思う。もつともそのうちの前者【10】の判例の趣旨については明確でない点もある。なぜならば、そこで問題になつた事案は、年号のみを記載して月日の記載をなさない手形に、「一覧ノ日」と記入した場合であつて、月日を補充した場合ではないからである。かかる補充を適法としているということは、年号のみによる満期の記載を無用の記載とみ、従つて満期の記載のない場合と同視して、法上一覧払いとみなすという立場（【8】【9】）と結局において同じ考え方に立つているのではないかとも思われる。これに対し最後の判例（【11】）は、明らかに月日を補充して訴求した事案に関するものであるから、前述のわれわれの立場に立つ判例と解してよいであろう。

三　補充権授与のあつたこと

（一）補充権授与　前述の如く（三頁参照）、白地手形とは、後日、要件を補充して手形を完成せしめ得る権限を取得者に与えて、流通においた手形のことであるから、白地手形として効力を生ずるためには、右の権限すなわち補充権の授与のあつたことを要する。このように外観上は同じく要件欠缺の手形でありながら、不完全な従つて無効な手形と、白地手形とを区別する基準は、補充権の授与の有無に求められる。ところが補充権授与の有無の認定をめぐつて、従来、二つの学説が対立している。すなわち主観説、客観説のそれである。しかしこの学説の対立の解説に入るまでに、右学説の対立がどのような実益をもつているかを知るために、この点に関する具体的な判例を検討することにしよう。その際、判例を二つの群に分けて、少なくとも当事者間では補充権を授与しないことが明示されていた場合と、補充権授与の有無が明示されていなかつた場合とに分けて考察するのが適当と思われる。

(1)　第一群　補充権を授与していないことが当事者間で明示されていた場合。

例えば、白地署名者が、手形によつて金融を得るために、要件白地の手形用紙を周旋者に交付する際に、金融を得られることが確定したときには、署名者がみずから補充するとの約束がなされていたのに、この約束に反して周旋者が勝手に補充して、手形を流通せしめ、対価を領得した場合に、その手形の善意取得者に対する白地署名者の責任を肯定した判例がある【12】。

【12】「原審ノ確定シタル事実ニ依レハ被上告人ハ為替手形用紙ニ手形金額ヲ記載シ支払期日等ノ他ノ要件ハ之ヲ記入セス振出人並引受人トシテ署名シテ該手形ニ因リテ金融ヲ試ムル目的ヲ以テ之ヲ中村万之助ニ交付シ其ノ金融即割引可能ナル場合ニ被上告人自ラ他ノ手形要件ヲ記入スヘキコトヲ約シタルモノトス故ニ被上告人ハ自己宛為替手形ノ支払人トシテ手形要件完備セサル振出署名アル為替手形用紙ニ引受署名ヲ為シタルモノニ外ナラサルモノナレハ該引受ハ白地手形ノ引受トシテ其ノ効力ヲ生スヘキモノトス殊ニ其ノ署名ハ該手形ニ依リテ割引ノ可能ナルヤヲ試ムル目的ノ下ニ為サレタルコトノ当然ノ結果トシテ後日振出要件完備シタル場合其ノ文言ニ従ヒ引受人トシテ手形上ノ責任ヲ負担スル意思ヲ以テ振出人ヲシテ要件ヲ記入セシムル趣旨ノ下ニ之ヲ為シタルモノナレハ其ノ引受署名ヲ以テ手形ノ引受ヲ為ス意思ナカリシモノト云フヘカラス果シテ然ラハ原審認定ノ如ク被上告人カ中村万之助ニ対シ該手形ノ要件補充権ヲ与ヘタルモノニ非ストスルモ既ニ被上告人ニ於テ叙上ノ如キ手形金額ヲ記載シ振出人並引受人トシテ自己ノ署名セル白地手形ヲ同人ニ交付シタル以上ハ中村万之助ニ於テ被上告人トノ間ニ於ケル委託ノ趣旨ニ反シ自ラ支払期日支払場所等ヲ記入シ之ヲ流通セシムルヤモ計ラレサル危険ヲ予想シ居リタルモノト認ムルヲ妥当トスヘキニ因リ中村万之助ニ依リテ要件ヲ補充セラレタリトスルモ被上告人ハ引受人トシテ善意取得者ニ対シテ手形上ノ責任ヲ負ハサルヘカラサルモノトス蓋手形所持人ニシテ要件ノ補充カ不法ニ為サレタルコトヲ知リテ手形ヲ取得シタルモノナル場合ニハ白地手形ノ署名者ハ斯ル悪意ノ手形取得者ニ対シテ之ヲ対抗シ得ヘシト雖善意取得者ニ対シテ之ヲ対抗シ得サルヘケレハナリ是手形ノ流通証券ニシテ転輾性ヲ有スルヲ以テ其ノ機能ヲ発揮セシムル為ニ善意取得者ヲ保護スル必要アレハナリ」(大判大一五・一二・一六民集五・八四四、田中誠・判民大正一五年度一一六事件)。

右判旨に見るように、この判例は、白地署名者が直接の相手方に対し「該手形ノ要件補充権ヲ与ヘタルモノニ非」ざることを認定しながらも、「該引受ハ白地手形ノ引受トシテ其ノ効力ヲ生スヘキモノト」の結論を認めているのである。

なお詳しい事情は不明であるが、振出人が受取人を記載せずに、Bに交付し、その際Bには右白地を補充する権限を与えないとの約束であつたのに、BがAを受取人として補充の上、流通せしめた場合につき、右判旨と同様の立場に立つて、これを白地手形とした下級審判決が戦後にもでている【13】。

【13】「受取人を除くその他の手形要件を記載し署名捺印して他人に交付するごときは、その真意が手形を振出す意思に出でたものではなかつたとしても、手形にこれを振出す意思のあることを表示したものといわねばならぬから、善意の取得者に対しては、これを白地手形として取得者に補充権を附与した手形として振出したものとするほかはない」(東京地判昭二九・一二・七金融法務六九・七)。

その後の下級審判決においても、満期、振出日、名宛人欄を空白とし、会社専務の名で振出署名のなされた約束手形を乙に交付する際に、もし甲によつてこの手形の割引が受けられるようであれば、正式の代表取締役名義の手形に書直すことにして、さし当り、ひな形見本兼信用調査資料として利用することとの約束がなされていたのに、乙はこれを他に流通せしめた事案につき、手形行為が成立するためには、それが手形であることを認識し、または認識すべくしてその上に署名したことをもつて足る、との理論によつて、善意取得者に対する署名者の責任を認めたものがある【14】。

【14】「かように、約束手形の見本とするつもりで、かかる書面を他人に作成交付した行為が手形行為といえるかどうかについて考えてみる。手形行為は行為者の瑕疵なき意思によつてなされることを要するから、意思の欠缺又は瑕疵のある場合の効果については従来議論の存するところである。この点については手形法に特則がないので、意思表示に関する民法第九三条

以下の一般規定をそのまま適用するほかないように思われるが、手形行為の特性を考えると、そのまま適用することはできない。民法の一般規定は、例えば売買、消費貸借のような固定的な特定の当事者間の法律関係を予定して、その間における公平な解決をはかつたものなので、意思主義に立脚しつつ、相手方又は第三者の利益を考えて若干表示主義を導入するにすぎないが、手形行為は不特定人間を転輾流通する証券上の行為であるから、不用意な行為者の利益よりも何ら非難すべき点のない手形取得者の利益を重視しなければならず、従つて表示主義の優位を認めることが必要である。かように考えると、手形行為が成立するためには、それが手形であることを認識し、又認識すべくして、その上に署名したことを要するとともに、それをもつて足ると解すべきである。そして本件につきこれをみるに、郡川（署名せる取締役にして会社より専務取締役の名称の使用を許されていたもの）において、右書面作成にあたり、書面上に見本又はひな形なるものなることが、一見明瞭なる表示をして署名捺印したのであれば手形行為とならない。しかし、かかる何らの表示又は表識を施すことなく漫然署名捺印し、それは恰も、空白欄部分を白地として補充することを他人に許した真正の白地手形と、外形上何らの区別がない。郡川専務取締役としては、かかる書面に、署名捺印する場合、これに署名捺印し他人に交付すれば、これが不特定人間を転輾すれば手形と誤認されて他人に不測の損害を与えることあるべきを認識すべき義務があるというべきである。かような点から、右書面の作成交付はかような認識義務を怠つたことにより手形振出と同様の責任を負うべきである。しかるときは、被告会社は、郡川専務取締役の振出行為につき商法二六二条に基く株式会社として振出人としての責任を負うべきである」（大阪地判昭三二・四・三〇金融法務一四六・七、ジュリスト一三七・七六）。

この判旨は、手形たり得べき用紙の上に、それと認識し、または認識し得べくして署名した以上、それでもつて白地手形行為が成立するに充分であるとの立場に立つものである。しかし、この一般理論を貫けば、手形用紙に署名さえすれば、その後、署名者の意思に反してその用紙が流通せしめられたときにも、署名者は白地手形行為者として、善意取得者に対して責任を負わねばならないとの結論を認めざるを得ないことになるだろう。果して右判決がそこまで認める積りであるかどうかは、そこで問題になつた事案が、署名者が任意に手形を交付した場合であるだけに、どちらとも断定できない。現に判決中には、署名者による任意の交付がなかつた場合につき、署名者の責任を否定したものもあることに注意しなければならない。それは、約束手形の振出署名者が、出張中立寄つた先で、宴会に出席するために、手形用紙（必要に応じていつでも振出せるように振出地・支払地・支払場所・振出人署名を記載しその外は白地のもの）を入れた紙袋を預けたところが、預つた者が、金に困つたあげく、勝手に右手形用紙に補充して、銀行で割引を受けた事案に関する【15】。

【15】「控訴人はたんに将来必要があつて振出すための用意として振出人らんに記名捺印し、支払場所等を記載した手形用紙を所持していたに過ぎないものであつて、未完成の白地手形を振出したものではなく、また自ら流通においたものでもなく、いわんやこれを使用して控訴人名義の手形を作成する権限を右日本産紙株式会社に与えたものでもない。控訴人の全く知らない間に右会社が勝手に右手形用紙を利用し、控訴人名義を不正に使用して控訴人が手形を振出したような外観を作り出したものである。控訴人が右のような手形用紙を他人に預けるときはこのように利用される危険があることは当然予知すべきものであるとしても、そのためにこれを自ら流通においたものと同視すべき理由はない。およそ手形取引においてはその外観が尊重され、これを信頼したものが保護されることは当然のことながら、他人が権限なく勝手に振出人の名義を偽造した偽造手形にあつては、振出名義人が手形上の債務を負担することのないのも当然のことであつて、この場合にまで手形の外観を保護すべしとする原則は適用がないことは多言をまたないところである。一般に偽造手形にあつては偽造者が自ら権限なく、振出人名義の署名もしくは記名捺印をして手形を作成することが多いが、たまたま真正に成立した名義人の記名捺印を不正に使用して手形を作成する場合も、名義人の意思にもとずかないでその名義の手形が作成されるものであつて、その実質においてなんら異なるところはなく、これを手形偽造の一体様と解して差し支えはない」（東京高判昭二八・六・二二下級民集六・九〇五）。

以上の諸判例（【15】は除く）は、何れも、補充権授与のなかつた諸事案につき、それにもかかわらずこれを白地手形と解することによつて、署名者に責任を認めた例である。ところが【12】と同様の事案につき、そのような手形を白地手形と呼ぶことの当否はこれを保留するとしながら、しかも署名者の責任を認めた最高裁判所の判例がある【16】。

【16】「右の場合、手形の交付を受ける手形振出の相手方その他の他人に対して、手形の白地要件の補充権を与えたものでない点において、通常の白地手形の振出とは異ること論旨指摘のとおりであるけれども（かかる手形の振出をも、白地手形の振出を以て呼称することの当否はしばらく措き）、振出人たる上告会社においては、他日約旨に従つて手形要件の補充された場合にその文言に従つて振出人として手形上の責任を負担する意思をもつて本件手形に記名捺印したものであることは明らかであり、又、本件手形が金融依頼の目的をもつて木村秀則に交付されたことは、前示のとおりであつて、本件手形は振出人の意思にもとずいて流通におかれたものと解すべきであるから、振出人たる上告会社は、たとえ、手形の白地要件が上告会社と木村秀則との約旨に反し、手形転々の途上において右約旨と異る補充がせられたとしても、手形の所持人が悪意又は重大な過失で手形を取得したものでない限り、その違約の故を以て所持人に対抗することのできないことは、手形法七七条二項、一〇条の法意に照し、明らかであるとしなければならない」（最判昭三一・七・二〇民集一〇・一〇二四、山口・民商法三九巻二号）。

また同様の手形につき、それは白地手形とはいえないということを認めた上で、手形法一〇条の趣旨を類推適用して、善意取得者に対する署名者の責任を認めたものもある【17】。

【17】「これによつてみれば、被告は、後日割引が可能となつた場合には本件手形の文言に従い、振出人としての手形上の責任を負担する意思を以つて本件手形に前記の記入並びに署名捺印をなし、これを右訴外人に交付したものであるから、そこに振出行為はあつたものであり、本件手形は振出人の意思に基いて流通におかれたものと認めるのが相当である。

ただ一般に、白地手形とは、要件の欠缺補充を他人に委託して振り出された手形と解すべきところ、本件手形は右のようにその補充権を振出人たる被告みずからに留保する合意の下に振り出された点において、いわゆる白地手形とはいえないにしても、右認定のような事情の下においては、そのような趣旨の下に振出を受けた右和田が、被告との間の右合意に反してみずから受取人名を記入し、これを流通におくかもしれないという危険は被告において当然予想できたものと認めるのが相当であり、従つて、白地手形の流通を図ると同時に、その善意の取得者を保護せんとする手形法第一〇条の趣旨は、本件のような場合においても類推適用されるものといわなければならない」（東京地判昭三二・六・一三金融法務一四四・七、判例時報一二一・三三五）。

あるいは、同様の手形につき、別に理論的根拠を示すことなく、同様の結論のみを認めたものもある【18】。

【18】「手形要件の一部だけを記載して振出の署名をなし、割引可能の場合は自らその他の手形要件を記載すべき約旨のもとに手形を交付して金融方を依頼した者は、受任者が委託の趣旨に反して自ら手形金額その他の要件を補充しこれを流通においたとしても、善意取得者に対しては責任を免れ得ない」（大阪地判昭三二・五・二四金融法務一五一・一五六）。

以上の諸判例の考察を通じていえることは、手形用紙に署名して、少なくとも自らの意思に基いて他人に交付した事実のある以上は、その直接の交付先との関係がどうあろうとも、署名者は、手形の善意にして重過失のない取得者に対しては責任を負わねばならない、との結論は、諸判例によつて一致して認められているということである。そしてこの結論の妥当なことについては学説上も争はない（田中誠・判民大正一五年度一一六事件、伊沢・三六〇頁、鈴木・二〇七頁、山口・民商法三五巻二号）。

しかし、これらの諸事案では、どう見ても、白地署名者が他人に白地の補充を委ねたとの事実は認められない。そして、他方、白地署名者が責任を負う根拠は、その者が要件の補充を他人に委ね、将来それが補充されたことによつて発生すべき手形債務を負担するとの意思にある【19】、とした場合、この前提と右諸判例の結論とをどうして調和さすか。これが残された理論的問題である（二七頁参照）。

【19】　「手形上ノ債務ヲ負担スル目的ヲ以テ紙面ニ署名シタル者カ手形ニ記載スヘキ法定ノ要件ヲ故ラニ記載セスシテ他人ニ之ヲ記入セシムル意思ヲ以テ其書面ヲ交付シタルトキハ手形トシテハ未タ其効力ヲ有スルモノ存セスト雖モ其署名者ノ意思ハ将来他人カ手形ノ要件ヲ補充スルニ因リテ発生スヘキ手形債務ヲ負フニ在ル（中略）而シテ他人カ手形記載要件ヲ補充シ手形ノ効力ヲ有セシムルモノハ白紙署名者ノ意思ニ因ルモノニ外ナラサレハ」（大判明四〇・五・三一民録一三・六一七）。

なお以上の諸判例では、白地署名者は、白地の補充権限を自己に留保していて、他の誰にもこれを与えていない。これに対し判例に現われた事案の中には、白地署名者は補充権限を他人に与えはしたが、普通の白地手形と異なり、右補充権につき、その他人が自己固有の利益を有していないことがある。例えば、上告人甲乙両名が、手形金額その他を白地とした約束手形に振出署名をして丙に交付し、これを割引いて約二千円の金融を受けることを依頼し、割引の場合における手形の補充権をも与えた。しかし丙がまだ手形要件を補充せずに手形を持つている間に、振出人は丙に対し金策の依頼を取消し、かつ白地手形の返還を請求し、補充権を消滅せしめた。しかるに丙はこれに応ぜず、勝手に補充した上、割引のため白地裏書によつて丁に譲渡し、その対価を領得した。その後手形はさらに転じて善意の被上告人戊によつて取得された。戊による右手形の請求に対し、原審は、手形法一〇条を適用して振出人の責任を認めた。これに対し、上告人は、同法一〇条は、補充をなした者が補充権を有するも、その範囲を超えた場合に適用があるものであつて、本件のように全然補充権のない者が手形要件を書き入れた場合には適用がない、と主張したのに対し、次の如き判断がなされた【20】。

【20】　「然レトモ手形法第十条ハ未完成ニテ振出シタル為替手形―約束手形ニ付テモ同法第七十七条ニヨリ同様トス―ニ予メ為シタル合意ト異ル補充ヲ為シタル場合ノ規定ナレトモ、コノ規定ハ一旦未完成ノ手形ヲ振出シ受取人ニソノ補充権ヲ与ヘ

タル後ニ於テ受取人ニ対スル関係ニ於テハ有効ニソノ補充ニ関スル合意カ変更セラレ右補充権カ制限又ハ消滅セシメラレタルニ拘ラス、受取人ニ於テ擅ニ補充ヲ為シタル場合ニモ亦適用サルヘキモノト解スルヲ相当トス」（大判昭一五・一〇・一五民集一九・一八一二、竹田・民商法一三巻四号、田中耕・判民昭和一五年度一〇二事件）。

この事案には、補充権撤回の能否の問題（四四頁参照）、補充権消滅後の補充による白地署名の責任の問題（七八頁参照）が含まれているが、まずこの手形が白地手形かどうか、すなわち補充権の授与があつたのかどうかが問題である（判例は白地手形として何の疑ももつていないようである）。

受取人白地の手形を他で割引くことの依頼のもとに補充権を与えられた丙は、固有の意味での補充権を与えられたのではない。すなわち、丙自身が、後日に手形要件を補充することによつて、白地署名者甲乙に対し手形権利を取得し得る地位にあるのではなく、丙は、単に、甲乙の使者ないし代理人として、残りの手形要件を記載して手形を完成させ、それを割引先に交付する権限を与えられているにすぎないとみるべきである（竹田・民商法一三巻四号、田中耕・判民昭和一五年度一〇二事件）。従つて丙が手形を完成させ割引先に交付したときに、振出人の手形行為が成立するのであつて、それまでは、振出人の手形行為の準備段階にすぎない。そして右の丙の権限が撤回されれば（右のような権限であれば、これを一方的に撤回しうる。四四頁参照）、手形は準備段階でとどまつてしまい、その手形用紙には補充権による裏付が全くなく、白地手形ではないということになる。しかし、丙が手もとに残つているこのような手形用紙を悪用した場合の署名者の責任は、いわゆる外観主義によつてこれを認めることができ、手形法一〇条をこの場合にも類推適用することになる（竹田・前掲書、もつとも博士は手形法一〇条にいわゆる白地手形はかくの如き白地手形をも含むと解してよいとの表現をとる）。これに対し、本件の場合、丙は甲乙の委任を受け、その手足となつて手形を補充し、他方それを換価する権限すなわち委任による代理権を与えられていたにすぎず、それが撤回されたとみる点では同じであるが、善意者の保護には、手形法一〇条でなく、同一七条でこれをはかるべきだとの説がある（田中・前掲書）。しかし、一七条は手形上の権利が存在することを前提にして、その行使を拒みうる場合に関し、権利そのものが全然存在しない場合の善意取得者の保護に関しては、むしろ、手形法一六条二項したがつてまた一〇条の精神によるべきであろう。もつとも、手形法一七条但書の適用においても、重過失のないことを要するとの立場に立てば、右の点は実際上論議の必要をみなくなるであろう。

なお、白地手形が他人の資産状態をかくす目的で貸与されることがある。これはいわゆる「見せ手形」として、白地手形に限らず、手形一般について問題になることである（最判昭二五・二・一〇民集四・二三、鈴木・判研四巻一号、なおこの事件では問題になつていないが、これもあるいは受取人白地の手形の事件ではなかつたかの疑問がある）。このような手形も完全な白地手形であり、ただ当事者間で人的抗弁が成立しているとみるか【21】、それとも心裡留保による手形行為とみ、善意の第三者にはその無効を対抗できない（民九三）とするか、手形行為の一般理論との関係で問題になる。

【21】「控訴人は中井証券株式会社が財務局の検査に際して小切手として使用するものとして振出日を白地として作成交付したものであるから、控訴人は有効な白地小切手を振出したものと言うべきである」（大阪高判昭三三・五・一九下級民集九・八五五）。

(2) 第二群　白地補充権の授与の有無が明確でない場合。

（イ）　支払期日に関するもの　まず満期記載欄（「支払期日」あるいは「支払期日年月日」の印刷のある欄）が空白の手形につき、これが白地手形か、それとも満期の記載のない手形か、という問題が生ずる。ただ他の要件と異なり、満期の欠缺の場合は、たとい白地手形でないということになつても、その手形は無効にはならず、一覧払とみなされることになる（手二Ⅱ、七六・Ⅱ）。

満期記載欄が空白の手形については、右白地を補充する権限が与えられていると推定するのが多数の判例である【22】【23】【24】【25】。

【22】「凡ソ満期日ニ関スル定メヲ手形ニ明記スルコトハ手形振出ノ一要件ニシテ而モ現行法ハ之ヲ四種ニ限定セリ故ニ若シ孰カ其一ナルコトヲ明示セサル限リ振出ノ要件ヲ欠クモノトシテ無効ノ手形タルヲ免レサル道理ナリト雖モ斯カル場合之ヲ一覧払ノ手形トシテ有効ナラシムルハ蓋取引ヲシテ可成無効ニ了ラシメサル法意ニ外ナラス然ラハ則チ手形面上満期日ヲ記載スヘキ場所トシテ設ケラレタル部分ニ何等塗抹刪削ヲ施シタル痕ノ見ルヘキ無ク単ニ之ヲ空白ニシタル儘ノ手形ニアリテハ之ヲ前示ノ法意ト判例トニ省ルトキハ白地手形トシテ之ヲ観ルヘキモ満期日ノ記載無キ一覧払手形トシテ之ヲ遇スヘキニ非サルハ蓋疑ヲ容レサルトコロナリ」（大判大一四・一二・二三民集四・七六四、田中耕・判民大正一四年度一二二事件）。

【23】「然レトモ原審ハ手形用紙ノ不動文字支払期日ノ下部ニ年月日ノ記載ナキトキハ之ヲ白地手形ナリト解スヘシト為シタルニアラスシテ本件甲第一号証ノ手形ニ記載アル「支払期日」ノ文字ノ抹消アラサル事実ニ依リ振出人ハ後日其ノ下部ニ年月日ノ記入ヲ為シ要件ヲ完備セシムル意思ヲ以テ振出シタルモノト認定シタルコト原判文上明ニシテ白地手形ノ振出ノ有効ナルコト商慣習法上自明ナレハ満期日ヲ記載スヘキ場所ヲ空白トシタル手形ハ必スシモ一覧払ノ手形タラサルヘカラサルコトナク白地手形タルコトモアルヘキモノナレハ（大正一四年（オ）第七百八十一号同年十二月二十三日言渡当院判決参照）其ノ孰レナルヤハ各場合ニ於ケル当事者ノ意思ニ依リ之ヲ定メ得ヘキモノトス而シテ本件甲第一号証ノ手形ノ要件記載ノ状況ニ依レハ右原院認定ノ如ク振出人ノ意思ハ後日要件ヲ補充セシムルニ在リシモノト認定シ得ラレサルモノニアラス故ニ原判決ニハ所論ノ如キ違法ナク 論旨ハ畢竟スルニ 原審ノ専権ニ属スル証拠ノ判断事実ノ認定ヲ 批難スルニ帰シ 上告理由トスルニ足ラス」（大判大一五・一一・一、八新聞二六五〇・一四）。

【22】の事案（そこでは「支払期日年月日」の印刷があつた）と異なり、ここでは単に、「支払期日」とのみ印刷があつたにすぎな

いが、この差は、異なつた結論を生ぜしめる程のものではない。このことを、さらに次の判例は明言する。

【24】「為替手形カ其手形面上「支払期日」ナル不動文字ヲ存シ其下方即満期日ヲ記載スヘキ場所ヲ全然空白ノ儘トシテ振出サレタルトキハ満期日ノ記載ナキ為メ一覧払ノ手形ト為スヘキニ非スシテ後日所持人ヲシテ満期日ヲ補充セシムル意思ヲ以テ故ラニ之ヲ記載セスシテ振出シタル白地手形ナリト認ムルヲ相当トス（大正十四年（オ）第七八一号同年十二月二十三日当院判決参照）右満期日ヲ記載スヘキ場所ニ「年号年月日」ノ文字ナキモ右ノ認定ヲ妨クルモノニ非ス」（大判昭一一・六・一二新聞四〇一一・八）。

【25】「控訴人ハ本件手形ハ一覧払ノ手形トシテ振出サレタルモノナリト主張スレトモ原審証人斉藤源吉ノ証言及控訴人ノ当審及原審ニ於ケル本人訊問ノ結果ニ依ルモ右事実ヲ認メ難ク他ニ之ヲ認ムルニ足ル証左ナク却テ右認定ノ如ク満期日欄ノ設アル手形用紙ヲ用ヒテ其ノ欄ヲ空白ノ儘手形ヲ作成シテ他ニ交付シタル場合ニハ満期日ノ記載ナキ白地手形ヲ発行シタルモノト云フヘク」（大阪控判年月日不詳民集一六・四八六）。

右の諸判例は、白地手形の認定の点では、共通の立場に立つているといえるが、訴訟法的な観点からみると矛盾した点がある。それは、一つの判例は、白地手形であるかどうかの認定は原審の専権に属することである（同旨大判大一〇・一〇・一民録二七・一六九二）から、この点を争うのは上告理由にならないとしながら（【23】）、他の判例は、原審が一覧払と認定したものを破棄して白地手形と自判している（【22】）点である。これは明らかに【22】の判例の正しくない点というべきであろう。

以上に対し、満期記載欄を空白にした手形は、白地手形とは認められず、従つて一覧払とみなされるとの原審認定を妥当とした判例もある【26】。

【26】「本件約束手形ノ支払期日トアル下部ニ年月日ト順次空白ヲ残シテ不動文字ヲ存スルノミニシテ各文字ノ上ニ年号及ヒ数字ノ記載ナキハ振出人ニ於テ支払期日ヲ定ムル意思ナカリシニ因ルモノニシテソノ記入ヲ為スコトヲ手形所持人ニ許シタ

ルモノニアラスト認メ得ラレサルニアラス又原判決カ支払場所変更ノ権限付与ノ欄外押捺ノ印ナリト認メタル所謂捨印カ所論ノ如ク満期日年月日支払地岡山市支払場所ノ三項目ニ共通セル場所ニ押捺シアリタリトスルモ必スシモ反対ノ認定ヲ為スコトヲ要スルモノニアラサルカ故ニ原審カ本件約束手形ヲ以テ商法第五百二十九条同第四百五十一条（現七六Ⅱ）ノ規定セル所謂一覧払ノ手形ナリト認定シタルハ違法ナリト云フヘカラス」（大判昭七・一一・二六、法学二・七〇九）。

以上の諸判例は、満期記載欄空白の手形を、白地手形か、一覧払手形かの何れかに割り切つて解決しようとする。そのため、振出日大正九年七月二五日の約束手形の満期を、所持人が大正一四年二月一八日において、大正一四年二月二五日と補充した上、振出人および裏書人に請求した場合【22】、この手形を満期白地の白地手形と見れば、所持人は有効に権利行使ができる。しかし一覧払手形とみれば、振出日より一年以内に支払呈示がなければ、裏書人に対する権利は失われ、右一年の経過後さらに三年を徒過すれば、振出人に対する権利も時効消滅するに至る。あるいはまた一覧払手形と認定されれば、補充せずともそのままで支払呈示することによつて有効な権利行使とみなされるが、白地手形ということになれば、何らかの形で満期の白地を補充しなければ、有効な権利行使とみなされないのではないかということも考えられる。このように、白地手形と認定されるか一覧払手形と認定されるかによつて、所持人の権利は重大な影響を被る。しかもこれに関する判例が必ずしも一致していないとすれば、法的安定性の点からも好ましくない。そこで、解決方法としては、三つの方法が考えられる。一つは、このような、一覧払か白地手形か何れにも確信をもつて決することができないような手形は、無効とすることである（田中耕・判民大正一二年度一二事件）。ただしこの説は、右のように解することから生ずる所持人の不利益を、このような不完全な手形行為をした振出人その他の手形行為者は手形の無効を主張して責を免れることはできない、とすることによつて救済しようとする。二つは、このような形式の手形は、白地手形あるいは一覧払手形の何れとも解釈できるのであつて、所持人はその選択に従つて何れの手形として取扱うこともできるとすることであり（大隅・河本・二八頁）、三つは、このような手形は常に白地手形と認定してしまうが、法律上、補充規定の存在する満期の白地の如きについては、その補充は所持人の自由であつて、補充してもよいし、補充しなくてもよい。そして補充しない場合には一覧払とみなしてその手形を有効とする、という方法である。次の判例はこの立場に立つたものであつて【27】（鈴木・二〇八頁もこの立場に立つ）、控訴人が、本件手形に満期を記載してないのは、受取人たる被控訴人をして補充せしめる約旨に基いたものであつて一覧払の手形ではない、従つてこれが補充をしない以上は、満期の記載のない無効のものである、と主張したのに対し、次の如く判示した。

【27】「所謂手形ノ補充権ニ付キテハ二様ノ場合アリテ其補充権ヲ行使スルニ非サレハ手形ノ成立ヲ有効ナラシメサルモノト其補充権ヲ行使セスト雖モ手形法ノ規定ニ依リ手形要件ヲ欠缺セサルモノトアリテ前者ノ場合ニ於テハ之ヲ行使スルニ非サレハ手形法上ノ権利ヲ主張シ得スト雖モ後者ノ場合ニ於テハ補充権行使ニ関スル振出人トノ間ノ契約ニ基キ之ヲ行使セサルニ付手形法以外ノ法規ニ依ル責任ヲ負フヘキコトアルハ格別手形法上ノ権利ノ行使ニ付テハ之ヲ行使スルト否トハ全ク補充権利者ノ任意ニシテ振出人ハ手形ノ成立ニ関シ手形法上補充権ノ不行使ヲ争フヲ得ス、何トナレハ補充権ヲ行使セサル手形トシテ成立ニ付毫モ法律上瑕疵ナケレハナリ加之商法第一条ノ規定ニ従ヒ手形法カ特ニ斯ル手形ヲ有効ニ成立セシムル為メニ設ケタル規定ノ存在ヲ無視スル結果ヲ招来スヘケレハナリ、此理ハ為替手形ニ於テ支払地ノ記載ヲ空白トシタル白地手形カ商法第四百五十二条（現手二条三項）ノ規定ニ依リ有効トナリ又白地裏書ニヨリ手形ヲ取得シタル者カ被裏書人トシテ之カ補充ヲ為スコト無クシテ有効ニ手形上ノ権利行使ヲ為スコトヲ得ルト同一ノ論理ナリ。商法第四百四十条（現手一七条）ノ規定ハ前示理

由ト忏恪アルモノニアラス……本件ニ於テ満期日ノ記載ヲ為スヘキ場所トシテ設ケラレタル部分ノ年月日ノ文字ノ各間ヲ単ニ空白ト為シタル儘手形ノ振出ヲ為シタル場合ハ一応振出人ニ於テ満期日ヲ補充スヘキコトヲ受取人ニ委シタル白地手形ト観ルヘキモノナリト仮定スルモ手形取得者ニ於テ之カ補充ヲ為ササルトキハ商法第五百二十九条第四百五十一条（現手二条二項）ノ規定ニ従ヒ結局満期日ノ記載無キ一覧払ノ手形トシテ取扱フノ外ナキモノナリ」（東京控判昭五・五・一〇新聞三一三三・一〇）。

（ロ）振出日に関するもの　振出日白地の手形も、実際取引界には多く慣用されているようであるが、その理由としては、確定日を満期として記載し、他方振出日附を記載すれば、両者の対照によつて、その手形が何カ月払の手形であるかが一目瞭然に判明し、手形債務者の資金繰りの程度が暴露されるから、このことを恐れて、振出日附の記載をさけたことに端を発したといわれている（金融法務事情二八号二〇頁）。それに満期が確定日払である限り、振出日を記載しなくとも何ら差支えないことも、この慣行を助長したものと思われる。この実情に従つて、判例も、特別の事情のない限り、振出日白地の手形は白地手形と認定するとの立場をとつている。例えば、被控訴人（白地署名者）の勤務していた会社の専務Kは同会社の姉妹会社の設立を企て、被控訴人に対してもその株式の引受をすすめたので、被控訴人はそれに応じ、払込金の一部につき振出日白地の手形をKに交付し、Kはこれを白地裏書によつて控訴人に譲渡したという事案につき、まず原審は次の如く判示した【28】。

【28】「寧ロ振出日白地ノ手形ノ振出ニ付イテハ他ニ特別ノ事情ナキ限リ該手形ノ振出人ハ有効ナル手形行為ヲ為スノ意思ヲ有シ且所持人ヲシテ其振出日ヲ随意ニ補充セシムル意思ヲ以テ振出シタルモノト謂フヘキ」（東京地判昭一〇・七・六新聞三八六八・一四）。

なおこの事案については、上告審判決も公表されているが、それは、白地署名者の次のような上告理由に答えたものである。すなわち、裁判所として補充権の授与があつたと断定するためには、宜しく釈明権を行使して受取人を訊問する挙に出で、進んで特定事実を指示して、補充権を附与したりや否やを究めたる上で、なすべきであるとの上告理由に対し、次の如く判断が下された【29】。

【29】「然レトモ本件手形カ株主ノ払込ニ充ツル為振出サレタル事実及振出人受取人間ノ関係カ所論ノ如クナリシ事実ニ依リテハ必スシモ所論ノ如ク手形補充権ノ授与ナカリシモノト解セサルヘカラサルモノニ非ス故ニ原審カ所論ノ手形受取人ヲ証人トシテ訊問セス其ノ為シタル証拠調ノ結果ニ基キ反証ナキ限リ上告人ハ本件手形ノ振出日ヲ所持人ノ随意ニ補充セシムル意思ノ下ニ之ヲ白地手形トシテ振出シタルモノト認定スヘキ旨判示セルハ違法ニアラス」（大判昭一〇・一二・二一新聞三九三九・一五）。

同様の判旨は戦後においても一貫している【30】【31】。

【30】「右約束手形は振出日未記入の儘振出されているものでありそれにつき特別事情の認められるものがないから所謂白地手形でありこれが所持人は振出人に対する関係においては手形上の権利を行使し得る間何時でもその補充をなし完全なる手形として行使し得られるものと解する」（高松高判昭三〇・一一・一七下級民集六・二四〇四）。

【31】「被告（振出人）は本件手形は成立要件たる振出日の記載がなかつたのであるから、当然無効たるべきものであると抗争するが、振出人が手形振出に際し、受取人以下その後者に対し後日手形要件の記載を補充しうる権限を与え、白地のままで手形を流通におくことは、一般商取引に慣習として行われているところであり、当該手形につき特に手形の補充を禁止したと認められる事情のない限り、所持人はその白地を補充完成して手形上の権利を行使しうるものと解すべきである」（大阪地判昭三二・一一・八金融法務事情一六六・三）。

（ハ）受取人に関するもの　無記名式手形が許されていた旧法下（旧商四四九条）において、受取人記載欄を空白にした手形を白地手形と認定した判例がある【32】。

【32】「受取人トシテ一定ノ人ヲ表示セサルモノハ現行法上所謂無記名式手形トシテ有効ナルハ疑ヲ容レサルト共ニ受取人ヲ表示スヘキ場所ヲ空白トシ何等ノ記載ヲ為シアラサルモノハ他日之ヲ補充セシムル意思ヲ以テ振出シタル白地手形トシテ之ヲ観ルコト当院ノ判例（大正十年（オ）第一三一号同年七月十八日言渡）トスルトコロナリ」（大判大一四・一二・二三民集四・七六四【22】と同事件）。

なおこの判例は、右の論理を前提にして、満期記載欄空白の手形を一覧払手形とみなさず、白地手形とみるべきであるとの結論をひき出したものである(【22】参照)。

ちなみに、受取人欄を空白にして振出された手形が、無記名式手形か、白地手形かの問題は、無記名式手形を認めていた旧法下で問題になり、判例も分れていたが、学説は白地手形とみるべきことを強く主張していた(竹田・論双四巻六二四頁)。それは、手形面上に指図文句が印刷されている以上、証券上、その手形は所持人に支払わるべきものといえないという理由からであった。

受取人欄空白の手形は、白地手形と推定すべきであるとの判例は、最近の下級審にもある【33】。

【33】「控訴人が昭和三十一年七月九日金額五十万円、満期昭和三十一年九月十七日、振出地及び支払地はいずれも東京都中央区、支払場所株式会社千葉銀行東京支店と記載し、受取人欄を空白としたままの約束手形一通を作成し、これを訴外大栄漁業株式会社に交付したことは控訴人の認めるところであるが、甲第一号証(本件手形)によれば、受取人欄には現に大栄漁業株式会社と記載補充されているので手形要件に欠けるところはなく、また同号証の裏面によれば、第一裏書として同会社の白地裏書がなされているので、その所持人である被控訴人は正当な手形上の権利者と認めるべきである。

ところで控訴人は、右手形は大栄漁業株式会社に対し、いわゆる融通手形として交付したものであるが、その補充権を同会社その他何人にも与えたことはなく、従つて右は振出行為を完了しない未完成手形であると主張しているけれども、このような場合には反証のないかぎり、手形授受の相手方またはその後の所持人に手形要件を補充せしめる趣旨において振り出されたいわゆる白地手形であると認めるのを相当とすべく、本件において右推定を覆すに足る反証は一つもない。

してみると、本件手形の受取人欄の補充は現実において何人がしたかつまびらかではないけれども、この点についても反証のないかぎり右補充権に基いて正当になされたものと推定される」(東京高判昭三二・二・一五金融法務事情一六九・六)。

(二)　その他の要件に関するもの　まず、手形用紙の金額・支払場所以外の欄を空白として交付された手形につき（もつともいかなる要件が白地であつたかについては争があり、判例は一応受取人白地と認定しているが、判旨そのものはその他の要件白地の手形をも対象にして展開されている。）、白地手形と認めたものがある【34】。

【34】　「そもそも要件を完備しない約束手形を白地手形とみるべきかあるいは不完全な手形とみるべきかを決するについて何処にその基準を求めるべきであるかということに関しては従来、専ら署名者の意思に重点を置いて、署名者において後日他人をして補充せしめる意思をもつて故らに要件を完備しないまま署名したか否かにより両者を区別すべきものとする主観説と、署名者の意思の如何にかかわらず一に外観上補充の予期せられた手形と認め得るや否やにより両者を識別する基準とすべきであるとする客観説と、あるいは署名者の意思をあるいは手形の外観を基準とすべきものとする以上両説の折衷説との三説が唱えられているのであるが、手形の外観のみに準拠すべきものとする見解に従うものとすれば、（本件）の約束手形は、被告の主張するとおり金額および支払場所のみを記載して被告が振出名義人として署名押印したものであつたとしても（被告が署名した当時如何なる手形要件が欠缺していたかについては当事者間に争があるが、この点はしばらく措くとして）被告により白地手形として振出されたものと解すべきは論のないところであるばかりでなく、署名者の意思を基準とする説によるべきものとしても、叙上のごとく認める結論には何等の消長をも生ずるものではない。すなわち、およそ約束手形の振出名義人として手形用紙に署名した者は反証のない限り、手形債務負担の意思をもつてこれをしたものというべく、この理は手形要件を完備しないままで署名がなされた場合においてもその適用を二、三にするものではない。しかもこの場合には署名者において欠缺せる手形要件を補充する権限を当該手形の取得者に附与する意思を有していたものと推定するのが相当である。これを本件についてみるに、被告はその本人尋問において、本件の約束手形はいずれも訴外鳴瀬富三郎がその債権者である原告に証文代りに預けて置くだけで、その支払については右訴外自らが一切の責に任じ被告にはその責任を及ぼさないことを確約して被告にその発行を懇請したことに基いて被告において受取人欄を空白にして振出名義人として署名押印した上右訴外にこれを交付したものであつて、（中略）他に被告の前記手形用紙への署名が白地手形振出の意思をもつてなされたものでないことを認めて叙上の推定を覆すに足りる証拠はない」（東京地判昭三〇・二・二下級民集六・一七三、佐藤・ジュリスト一五三号）。

なお本件では判例は受取人欄のみが白地であつたと認定しているが、判決理由そのものは、金額および支払場所以外を白地とする手形について展開されているので、この頃に掲げたわけである。また判旨はこの先で補充権の現実の授与があつたことを認定し得るような事実をも認めているのであつて、それならば、推定というようなことはいわなくともよかつたと解される（佐藤・前掲参照）。

次に、控訴会社が、乙の商品あつせんの申出に応じてこの者に、商品の買付方の依頼をなすに際し、手形用紙に振出人署名をなし、印紙を貼付し消印をなした上でその他は全部白地のままで、乙に交付し、その手形が、丙の手を経て被控訴人に取得された。所持人たる被控訴人による手形上の権利行使に対し、控訴人は、この手形は名刺代りに交付した紙片にすぎないと抗弁したが、次のように判示された【35】。

【35】「控訴人は、右手形用紙は名刺代りとして訴外堀井庄太郎に手交したのであつて全く紙片に過ぎず、未だ振出行為は存しないのであるから、何等手形債務を負担するものでない旨主張するが、この点に関する前掲木村弥寿夫訊問の結果は前段認定の事実に照し採用し難く、却つて前段認定の如く、商取引に関し手形用紙の振出人欄を完備し、しかも印紙を貼付してこれに消印をも施した上右訴外人に交付した事実自体に徴すれば、控訴会社は白地手形を振出しその補充権も併せて授与したものと認めるのを相当とし、控訴人の右主張は理由がない」（大阪高判昭二七・七・二九下級民集三・一〇四四）。

以上の諸判例が具体的事例につき下した結論から、最大公約数的な共通点を引き出すならば、それは、一応、次のような形で要約できるであろう。すなわち手形用紙に署名し、かつそれが手形としての効用を発揮することを期待して（という意味は、融資先を探すための手段として交付された場合はさしつかえないが、単に袋に入れて保管を依頼した場合【15】の如きは除くにある）、署名者が自らの意思に基いて他人に交付した事実があれば、署名者側の手形責任発生の根拠としては充分である、と。

そして少なくとも右のような事情が署名者側にある限り、署名者の責任負担の根拠としては充分であるとの結論そのものの妥当なことについては異説はない（もつとも、さらに進んで単に保管のために預けた場合にも、あるいはさらに署名しただけで、その後署名者の意思に反してその占有をはなれた場合にも署名者側に債務負担の根拠が認められるかは、問題である。三〇頁参照）。残る問題は理論的説明である。以下においてはこれについて考察することにする。

白地手形署名者が手形上の責任を負担することの理論的説明としては、現在、大別して二つの説が行われている。第一は主観説である。すなわち、故意に要件を記載せず、後日他人をしてそれを補充せしめる意思で手形を発行した、という署名者の意思に、白地署名者の債務負担の根拠を求めるものである。現在の通説は基本的にはこの立場に立つているといつてよい（松本・二二三頁、竹田・九四頁、田中耕・三〇八頁、田中誠・八二頁、鈴木・二〇七頁、伊沢・三五九頁）。判例もそうである（【9】参照）。しかし同じく署名者の意思に根拠をおきながらも、理論の具体的適用の結果は、学説によつて必ずしも同じでない。

ある学説は、前述の署名者の意思つまり署名者が手形取得者に補充権を与えたことは、手形所持人において証明しなければならないとする。したがつてこの立場からは、不動文字で印刷した手形用紙を用い、受取人・満期等を記載すべき場所を空白に放置している場合に、これを白地手形と推定するのは正当でないことになる（石井・二〇三頁）。しかし私が前にかかげた第二群の判例（【3522】〜）は、そのような場合を、むしろ白地補充権が与えられている場合と推定している。そして学説中にも同じ立場に立つものがある（田中誠・八二頁）。補充権授与の挙証責任を手形所持人に負わすことは、その証明の困難さの故に、手形取引の安全を害する。したがつてこの点では後説の立場を正しいとすべきである。

主観説も、これに右のような推定理論を結びつけることによつて、かなり具体的に妥当な結論に近づくことができる。しかしこの説の遭遇する最大の難関は、前述の第一群の判例（【2012】〜）に現われている結論の説明である。前述のようにそこでは、署名者は何人にも白地補充権を与えなかつたことが確定している。補充権授与の推定は完全にくつがえされてしまつている。したがつて主観説の拠つて立つべき地盤が全く失われているのである。それにもかかわらず、それらの事案で認められた、署名者は手形上の責任を負うべきであるとの具体的結論の妥当なことはこれを否定し得ない。ここにおいて、主観説はもはやその理論的正当性の主張を断念するか、もしくは新たな補強策を要求することになる。

補強策として主張されるものの第一は、主観説に表見理論を結びつける方法である。すなわち、「白地手形の署名者は、その意に反して流通に置かれたる白地手形については何人に対しても補充権を与へたるものに非ず、手形上の義務を負ふべき理由はないが、手形の署名者は交付契約なきときも手形上の責任を負ふと同様、白地手形の善意の取得者に対し、表見責任を負ふと解す」るわけである（竹田・九五頁）。あるいは、主観説の立場に立ちながら、唯だ善意の取得者に対する限り、署名者は不完全手形であるとの抗弁を提出し得ない、とする立場（伊沢・三五九頁）も、本質的には右と同じであると思われる。

第二の補強策、というよりはむしろ主観説を全然別の面から構成し直す立場がある。いままでわれわれが主観説とよんできた立場において、白地署名者の債務負担の根拠とされたその者の意思とは、その者が手形受取人に欠缺せる要件を補充する権限を与えたという手形外の事実をさすのである。このことは、白地手形は「手形面にあらわれない当事者間の補充に関する協定を背景として利用される」（石井・二〇二頁）とか、「補充権授与の意思は手形上に記載せられることはなく、手形外に存在するにとどまる」（田中誠・八二頁）とか、「補充権は白地手形行為者が手形関係以外の一般私法上の契約によりて之を相手方に与うることによつて生ずる権利である」（伊沢・三六四頁）等の学者の表現から容易にこれを知ることができる。このように考えるからこそ白地署名者の責任を追究するためには、手形所持人において補充権授与の事実について挙証責任を負ふとの立場が主張されるに至るのである。もつともこの点は、手形用紙を利用している限り、補充権授与の事実を推定するとの立場をとることによつて一応妥当な結論に到達し得るとしても、補充権授与の事実が全然ないと確定されてしまつている場合（前掲第一群の判例）には、救いようがない。そこで前述のように表見理論が登場してくるのであるが、これは意思に根拠をおく主観説とは全く異質の理論である。そこで、このような異質的なものの助けを借りずに、主観説の純粋性を貫きながら、しかも第一群判例に現われた結論を充分に説明し得る理論の構成が試みられる。

それは、白地署名者の債務負担の根拠としての署名の意思を、従来のそれとは全く異なつた方向に構成しようとする。すなわち、署名者の意思を白地手形外の事実によつてのみ認定すべきものとする従来の考えを誤りとして排斥し、「その書面の外形上、欠けている記載が将来補充を予定されているものと認められる場合（手形用紙を利用した場合のごとし）には、このような書面であることを認識し又は認識すべくしてこれに署名した以上、それによつて当然補充権を与えたものと認め」る、とする（鈴木・二〇七頁）。これは一般に手形理論として採用した創造説の立場を白地手形にも適用したものである。この立場をもう少し詳しく説明するならば、それは、一般の手形行為につき、証券が作成されたならば、そこに記載された文言を内容とする債務負担の意思表示が成立し、そこから手形債権が、手形署名者自身に対して成立し、それが証券の交付によって相手方に移転せしめられる（証券の交付によってはじめて手形債権が成立するのではなく、すでに具体的に成立している手形債権が交付によって移転せしめられるのである）、と解するのであるが、これを白地手形にも応用する。すなわち、署名そのものによって、欠けている要件の補充を停止条件とする手形上の権利と、補充をして右の条件を成就せしめうる権利とを、白地署名者は自分自身に対して取得し、それが白地手形の交付によって相手方に移転する（鈴木・二〇五、二〇六頁）。したがって署名はしたが、署名者の意思に反して手形が流通せしめられた場合も、従来の説ならば、前述のように表見理論の助けを借りなければならないことになるが、この理論では善意取得（手一六Ⅱ）で説明がつく。

なおこの理論に立てば、前述の判例【15】に現われた事案のように、白地手形を紙袋に入れて他人に保管を頼んだのに、この者が勝手に抜き出して使用した場合にも、善意取得者に対しては、署名者は責任を負わねばならないとの結論を認めなければならないであろう。けだし、この場合にも署名者が、手形用紙であること（すなわち外形上欠けている記載が将来補充を予定されていると認められる書面であること）を認識して署名したとの事実は認められるからである。主観説に表見理論を加味する立場も恐らく結論的には同じことを認めるであろうと思う（田中誠・七七頁）。

ところで、右のように新しい主観説によれば、署名者が、手形たりうべき形式を有する書面の上に、かかる書面たることを認識し、または認識しうべくして署名すれば、それによって証券上の意思表示が成立し、署名者は、後日要件が補充されるところに従つて手形債務を負担するとの義務を、署名者は、自分自身に対して取得する。しかし署名のなされた書面が右のようなものでなく、単なる白紙に署名がなされたにすぎないときには、書面上に何らの記載もない故に、書面行為成立の可能性の余地がない。けだし証券的意思表示の内容たりうべきものが全然存在しないからである。そこで、この説も、この場合には、署名者が手形債務を負担するためには、署名者が、この白紙を将来手形にする意思を、具体的に有していたのでなければならないとする（鈴木・二〇七頁）。しかし、かかる具体的意思は書面上には表示され得ないのであるから、手形外におけるその存在の事実が決定力をもつことになる。しかしこうなると、折角、この立場が、白地手形署名者の責任の根拠たるべき意思を、手形外のそれでなく、証券的行為そのものの中に表示された意思におきかえた努力が、ここで無駄になつてしまいはしないだろうか。このことは次にのべる客観説が、同様の場合に、同様の困難に遭遇するのと、よく似た性質の問題であると思う。

次に、客観説とよばれるものがある。これは「署名者の具体的意思如何に関せず、外観上署名者が補充を予定して署名したるものと肯定し得れば、即ち白地手形なりと観る」とするものである（升本・二三四頁）。故に、手形用紙を用いて振出署名の為された場合には、署名者の意思の如何にかかわらず白地手形ということになる（升本・二三五頁）。結果的には、前述の鈴木説と変りはない。どこに差があるのであろうか。鈴木教授自身は、升本説を評して、署名者の意思を全く度外視するもので、成り立ちえない説であるとされる（鈴木・二〇七頁）。しかし、私には、升本説も署名者の意思を度外視してはいないと思う。なぜならば、升本説といえども、手形債務は、署名なる単なる事実行為に法律的効果が付与されるところから発生するというのでなく(升本・七四頁)、署名者の意思行為を前提として法律的効果が与えられるが故に成立するものであることを認める。ただそこで要する行為者の意思の程度が、一般法律行為における程強くなく、単に行為者が手形に署名する意思をもつて、すなわち手形的署名たることを認識して手形に署名すれば足るとするからである(升本・七五頁)。この手形の一般理論を白地手形に応用したものが、一般に升本教授の客観説とよばれているものである。もし、この説を評して、署名者の意思を度外視するものというならば、その点では鈴木説も同様の評価を受けねばならないであろう。私には両説の差は、升本説は、権利者の確定に所有権理論を採用する(升本・一二一頁)のに対し、鈴木説は署名者が自分自身に対して権利を取得するとする(鈴木・二〇五、二〇六頁)点に差があるにすぎないと思われる。そして鈴木説が白紙署名の場合に直面する困難(もつとも この点は私だけがそう思うだけで、教授がそういつておられるわけではない)に、升本説も同じく遭遇していることは、一般に指摘されているところである(伊沢・三五九頁)。

ところで、上述のところでは、補充権の問題を、もつぱら補充権の存否自体の点に限定して考察したが、権利の内容をはなれた補充権の成立などということは考えられないことであつて、常にある内容をもつた補充権の授与が問題になり得るのである。ところがこの補充権の内容の問題たるや、次にのべる如く、これまた前述の各理論の何れの立場に立つかによつて、その解決は一様でない。

(二)　補充権の内容　前述の如く、従来の主観説の立場からは、補充権は手形外において、白地署名者によつてその相手方に対し授与されるものであるから、その権利の内容も、当然、当事者間の補充権授与契約によつて決定されることになる（石井・二〇五頁）。判例もこの立場に立つていることはいうまでもない【36】。そこでまずこの点に関する判例の検討から始めることにする。その際まず問題になるのは、補充権の内容が明示的に決定されていない場合に、どのようにしてこれを決めるかという点である。ことに前節第二群の判例の事案に見られるように、補充権の授与そのものが確定されず、単にそれが推定されるにすぎないときは、その権利の内容についての明確な協定の存在が認定され得るはずもあり得ないから、これらの場合に、補充権の内容を如何に決定するかがさらに問題となる。各要件ごとに判例を検討してみよう。

(1) 満期の白地　これについては手形を呈示すべき日をもつて補充すべきであるとする【36】。

【36】「白地手形ノ補充権ハ其ノ手形ノ振出人ト受取人トノ間ニ於ケル契約ニ因リ発生スルモノナルモ其ノ権利ノ内容ハ手形ノ振出ニ必要ナル事項ヲ振出人ノ指示若ハ其ノ通常有スヘキ意思ニ従ヒ補充スヘキモノト解スルヲ相当トス（大審院大正十年(オ)第九二六号大正十一年六月十五日言渡判決参照）而シテ原審ハ挙示ノ証拠ニ依リ本件白地約束手形ノ振出ニ当リテハ振出人タル上告人ト之カ交付ヲ受ケタル訴外甲トノ間ニ補充権ニ関シ指示又ハ明示ノ契約ナク而シテ振出人タル上告人ノ通常有スベキ意思ハ満期ニ付テハ本件手形ヲ呈示スベキ日ヲ補充セシムルニアリタル事実ヲ判定シタルモノニシテ右証拠ニ依レハ斯ル認定ヲ為シ得サルニ非ス」（大判昭一八・四・二一商判集追Ⅱ補一一五）。

なお参考までに、前述の【22】―【25】の判例（何れも満期記載欄空白の手形を白地手形と認定したもの）においてどのような補充がなされたかについてのべるならば、【23】【24】はその点不明であるが、【22】では、大正一四年二月一八日に満期を大正一四年二月二五日と補充し、そしてこの日に呈示している。【25】では、裁判所の事実認定はなされていないが、原告は満期日を昭和九年一〇月一日と補充し、その日に呈示したと主張している。従つて大体において、呈示日の日附を満期日として補充しているということができる。もつともこれらの判例では、白地手形かどうかということ自体が争点になつていて、その補充権の内容まで争われていないため、その点についての判示がなされていないことはいうまでもない。

ところで、判例【36】は、白地署名者の通常有すべき意思は、「呈示すべき日」をもつて満期の白地を補充せしめるにあるというが、それではそのいわゆる「呈示すべき日」は如何にして決定されるかが、次に問題になる。商事判例集（小町谷・伊沢編）に登載されているところからはこの点についての判例の考えは知り得ない（原本は東北大学図書館蔵となつている）が、原因債権の履行期が基準になるべきものと思われる。したがつて相手方がそれより前の日附をもつて満期を補充し、支払呈示しても、白地署名者は支払を拒みうる。それでは原因債権の履行期より後の日附をもつて満期を補充することはどうか。補充が補充権そのものの時効消滅前（後述六三頁以下参照）になされる限り、日附そのものはいくら後のものでもさしつかえないだろう。

(2)　受取人の白地　まず、手形取得者は、如何なる者の氏名をも任意に記載して補充しうるとした判例がある【37】。

【37】「為替手形ノ受取人欄ヲ空白トシテ指図式ニテ振出シタル白地手形ニ於テ該空白部分ハ其手形取得者タル被裏書人ニ於テ如何ナル者ノ氏名ヲモ任意ニ記載シ之ヲ補充スルコトヲ得ルモノナルカ故ニ本件為替手形ニ於テ被裏書人タル被上告人（被控訴人原告）カ其ノ空白部分ニ受取人ノ氏名トシテ井上誠一ト記入シタルハ何等ノ不当ナク之ヲ補充権ノ不当行使トシテ無効ナリト為シ原判決ヲ非難スル論旨ハ理由ナシ」（大判昭九・九・二九法学四・二三二）。

何人の名前をも補充記載し得るということは、その時の所持人が自己を受取人として補充記載し得ることを意味する。したがつて甲が受取人欄白地で乙に振出した約束手形を乙が丙に交付し、丙が自己の名前をもつて受取人欄を補充の上、手形金の請求をすることができる【38】。

【38】「受取人ノ記載ナキ白地手形カ振出サレ転輾シタル場合ニ於テハ其所持人ハ振出人ニ対スル関係ニ於テハ消滅時効ノ完成セサル限リ何時ニテモ該手形ニ自己ヲ受取人トシテ補充シ得ヘキコト勿論ナルカ故ニ」（大判昭六・五・一五新聞三二七三・一四）。

もつともこれらの事案は詳細を明らかにし得ない。ことに当事者間で特定人をもつて受取人の白地を補充すべき特約があつたかどうか認定されていない。これがもし、右の白地補充に関し何らの定めもなかつた場合に関するものであれば、右等判旨は問題なく正当である。

しかし、特定人をもつて受取人とするとの特約の下に、受取人欄を白地にして交付された場合には問題が生ずる。

例えば、ある事案では、甲乙両人は、丙会社に対する損害賠償として千円を弁償することを承諾し、共同して現金で百円を支払い、残金九百円については同会社を受取人とする約定の下に、受取人欄を白地にして本件約束手形を振出し、右会社に交付した。ところが、これを受取つた同会社常務取締役丁は、右受取人欄に同会社名義を補充すべきにかかわらず、漫然と、上告人たる社長の氏名のみを補充記載した。そしてこの者による手形金の請求に対し、判例は、補充権の濫用についての悪意の所持人であるとして、右請求を許さなかつた【39】。

【39】「受取人白地ナル約束手形ヲ振出シタル場合ニ於テ何人ヲ受取人トシテ記載スルヤハ最初ノ手形取得者ノ自由ナル補

充権ノ範囲ニ属スルモノナリト雖予メ為シタル当事者間ノ合意ニ因リ補充スヘキ受取人ヲ特定シタル本件ノ如キ場合ニ於テ右ノ合意ニ違反シ合意ト異ナル他ノ者ヲ受取人トシテ補充シタルトキハ其ノ違反ハ之ヲ以テ悪意ノ手形所持人ニ対抗シ得ヘキモノト解スヘキヲ以テ縦令本件約束手形ノ受取人欄ニ上告人ノ個人氏名ヲ記載シタリトスルモ之カ為悪意ナル上告人ニ於テ本件手形ノ受取人タル権利ヲ取得スルニ由ナキモノト謂フヘク」（大判昭一三・一一・一九新聞四三五五・七）。

ところが同様の事案につき反対の結論に達している判例がある。

すなわち、被上告人が、窪田なる者を受取人と定めて、受取人欄白地の約束手形を窪田に振出交付したが、窪田は直ちに右手形を上告人に交付し、上告人が自己を受取人と補充の上請求したのに対し、原審は、本件白地手形が窪田を受取人と定めて振出されたことは当事者間に争がないと認定した後、「然らば右窪田に於て該手形に裏書したる後、後者に交付し、その後者に於て補充するは格別、その事なくして直ちに上告人に於て之が交付を受け補充をなしたるは明らかに補充権を不当に行使したるのみならず、右補充も又無効なり」と判示した。もっとも右原審は、所持人たる上告人が、窪田を受取人と定めた振出人と右窪田との間の協定について、認識を有していたとは明確に認定していない。しかしこの点について認識を有していなければ、とうてい前述の原審のような結論はでてこないであろうから、恐らく所持人は右認識を有していたものと思われる。

右原審判決に対し、上告審は、受取人の補充について右のような限定があり、そのことを所持人が認識していた場合の問題についてふれることなく、ただ次のように判示して原審を破棄した【40】。

【40】　「白地手形ニ於ケル白地補充権ハ手形ニ追随シテ転輾シ手形ヲ取得シタルモノカ同時ニ之ヲ取得スルモノト解スルモノナルヲ相当トス而シテ本件手形ハ昭和三年四月十日被上告人等カ共同シテ金額四百円満期日同年五月二十日支払地振出地ヲ

共ニ高知市支払場所ヲ被上告人瀬治宅トシテ受取人ノ氏名ヲ記入セサル白地式ノ約束手形ヲ訴外窪田八馬ニ対シ振出シ上告人カ窪田八馬ヨリ右手形ノ交付ヲ受ケ之ニ自己ヲ受取人トシテ補充シタルコトハ当事者間ニ争ナキ事実ナルヲ以テ被上告人等ハ上告人ニ対シ本件手形上ノ義務ヲ負担セサルヘカラサルコト論ヲ俟タサル所ナリ然ルニ原判決ハ論旨摘録ノ如ク判示シ上告人ノ補充ヲ以テ無効ナリトシ本訴請求ヲ排斥シタルハ白地手形補充権ノ行使ニ関スル法則ノ適用ヲ誤リタル違法アルモノニシテ」（大判昭五・六・二七、新聞三一四一・七）。

以上の判例を手がかりにして、受取人の補充権の内容の限定の意味を考えてみるに、特定人を受取人として補充すべしとの限定は、補充権の内容を定めたというより、その手形の最初の権利者は誰であるかを定めたものと解すべきであろう。したがつて【39】の事案で、丙会社を受取人とするとの約定があつたということは、その手形の最初の権利者を同会社にするという意味である。故に、その手形にたとえ社長個人の氏名が受取人として補充記載されたとしても、同会社から社長個人に手形の譲渡があつたとでも見られない限り（本件ではこの事実は認定されていない）、依然として手形の実質的権利者は会社である。つまり、その氏名を受取人として記載された社長個人は形式的資格を有するに過ぎず、他方において会社は実質的権利を有するも、形式的資格を有していないことになる。したがつて手形債務者は社長個人による請求に対しては、その実質的無権利を立証して支払を拒み得、会社はその実質的権利を証明すれば権利の行使ができる。

【40】の事案も右と同様にして説明することができる。すなわちここでは窪田なる者を受取人と定めて振出したというのであるから、この者がこの手形の最初の権利者となる。そして【39】の事案と異なり、ここでは、右窪田が本件手形を上告人に引渡によつて譲渡し、この譲受によつて権利者となつ

た上告人が自分の名を受取人として記載したのである。事実が右のとおりである以上、上告人は実質的権利者で、しかも形式的資格をも備えている。この者の権利行使を妨ぐべき何の理由もあり得ない。【39】と【40】の両判決は一見矛盾しているような感じを与えるが、それは後者においては第一権利者から次へ手形の譲渡があつたのに対し、前者においてはそれが存在しないという事案の相異によるものである。

要するに私は、受取人白地の補充権については、補充権の内容の限定ということはあり得ないものと思う。それは無限定の内容をもつた補充権であると思う。振出の当事者間でこれを限定するような約定があつたとしても、それは手形の第一権利者を定める意味を有するに過ぎないと解すべきである。そしてその後において手形権利を取得した者は、誰でもその氏名を受取人として記載することができる。【40】の判例は正にこの趣旨を宣明したものとして理解すべきである。このように受取人の白地補充権は、その性質上、内容的には無限定なものということになれば、白地手形の正当な所持人が補充したのでさえあれば、補充権の内容についての濫用ということはあり得ないことになる。【39】の判例がこれを補充権の濫用としてとらえたのは正しくないというべきである（田中耕・判民昭和五年度九四事件参照）。

(3)　その他の要件の白地　　振出人署名および印紙の貼布の外はすべて白地の手形を取扱つた【35】の判例が、その補充権の内容をいかに決すべきものとしているかは、その点が問題になつていないために、これを知ることができない。恐らく原因関係たる取引関係を顧慮して決定すべきことになるだろう。

次に以上各判例に現われた補充権の内容の問題の理論的検討に移ろう。

判例は、通説と同様に、補充権は、手形外における白地署名者とその相手方との間の契約によつて与えられるものと解している以上、補充権の内容も、当然、右手形外の契約によつて決定されるべきことになる。それが明示的に示されていないときは、白地署名者の通常有すべき意思によつて決定すべきことになる【36】。何れにしても、この立場では、補充権の存否ならびに内容は手形外の事実によつて決定されることになる。そこで白地手形とは、右のような内容補充がなされることを停止条件とする手形上の権利（この権利も補充権の内容をもつてその内容とする）と、右の条件を成就せしめうる権利すなわち補充権とをあわせ表象する有価証券であるといわれる（二）。

（一）　補充前の白地手形がいかなる性質の有価証券で、いかなる権利を表章しているかについては学説は一致していない。あるいは補充権すなわち、白地手形における欠缺要件を補充して白地手形を手形に完成することを目的とする権利を化体するとするもの（升本・一三六頁）、もあるが、最近の有力説は、補充を停止条件とする条件附の権利とこの条件を成就せしめうる権利すなわち補充権とをあわせ表章しているとみている（田中誠・八四頁、伊沢・三六二頁、鈴木・二〇六頁）。補充権のみをとりあげるのであれば、本体を逸する嫌いがあるというのがその理由である（鈴木・田中誠・前掲書）。しかし補充権というものは、事実上手形要件を補充してこれを完成せしめうるというだけの権利でなく、所持人は、いつでも一定の内容（鈴木説では手形上は無限定）の補充をなすことになつて、署名者に対してそのような内容の手形上の権利を取得しうるという、そういう権利のことなのである。この補充権によつて生み出される対象たる権利の側に着眼すれば、それが条件付の手形権利であるにすぎない。だから私は白地手形にあつては、やはり補充権が本体であると思う。白地手形とは、右のような意味での補充権を表章する有価証券といえば足りると思う。なお、従来の通説のように、補充権は手形外の契約によつて成立するとの立場に立てば、それを表章する白地手形は非設権証券ということになる。ただし鈴木説、升本説からはやはり設権証券である。また手形ではなくとも、商業証券（商五〇一④）であることには変りはない（竹田・民商法六巻四号）。

したがつて従来の主観説の立場からすれば、白地手形という有価証券は、その表象する権利の内容が全く証券外の事実によつて決定されるという点で、手形とは著しい差を示している。すなわち手形にあつては、その表象する権利は、手形行為の書面行為性よりして、全く手形の記載文言によつて決定される。直接の当事者間でもそうである。もし履行を拒みうる原因関係上の事由があるとしても、それは抗弁として手形権利に附着しうるにすぎない。そして手形の裏書もこれを債権譲渡と考える限り、本来は、かかる抗弁の附着したまま、手形権利は移転すべきはずであるが、手形取引の安全のために特に抗弁を切断するというのが、手形の基本的な考え方である。これに対し、従来の主観説の立場から白地手形を考えるならば、白地手形上の権利は、手形外の事実によつてその存在ならびに内容を決定され、それが白地手形と共に譲渡されて行く。そして、もし当初の協定と異なつた補充がなされたときには、白地署名者は、善意にして重過失のない取得者に対しては、自己の負担した債務はそれとは異なるものであると主張することを許されない。ということは結果的には、善意の取得者の許で、当初の債権債務とは異なつた内容の債権債務が新に成立することを意味する。この点は手形の場合と大いに異なる。なぜならば、手形にあつては、当初成立した権利がそのまま譲渡されて行き、善意者の手許では附着している抗弁が洗い流されるにすぎず、そこで当初の手形権利と別の内容の手形権利が成立するわけではないからである。

右のように考えてくると、従来の主観説の立場が白地手形について与えている説明は、それが手形について与えている説明と、必ずしも理論的統一性を有しているとはいえない。新たな主観説の立場はこの点を統一して考えようとするものである。すなわち、補充権の授与の説明のところでのべたように、この立場は、補充権の授与を手形外の行為の中にではなく、手形署名行為そのものの中に見ようとする。いいかえれば、署名者が、欠けている部分が補充されたならば手形となりうる書面に、このような書面であることを認識しまたは認識すべくして署名した以上、署名者は、自分自身に対し、要件の補充を停止条件とする条件附の手形権利と、かかる条件を成就せしめ得る権利とを具体的に取得し、それが手形の交付によつて相手方に移転せしめられると解するのである。しかし右のような権利が署名そのものによつて発生するとしても、証券面には権利の内容については何らの記載もないのであるから、その権利は内容的には無限定といわざるを得ない。そこでこの説は、「補充権自体は本来何らの制限をも付しえない権利であつて、制限を付しても単に当事者間においてのみ効力を生ずるにすぎないと考えるべきか」、さらには「補充権は、それ自体としては、いかなる補充であれ補充がなされればその補充された文言に従つて手形上の効力を生じうるような権利であつて、補充の範囲の限定は単に白地手形外における当事者間の関係としてなされるにすぎないと解すべきではなかろうか」という（鈴木・二〇九、二一〇頁）。これは強い理論的一貫性を有する説明であると思う。しかし、いかなる補充がなされようと自分はそれに対して債務を負担するというような意思表示が、果してなお意思表示という名で呼ばれるにたえうるだろうかという、素朴といえば素朴な疑問が感じられないではない。そして主観説もここまでくれば、次にのべるいわゆる客観説と、その差はほとんどないこととなつてくる。

すなわち補充権授与のところで説明したように(三二頁)。いわゆる客観説も、手形債務が意思表示によつて成立するものであることはこれを認めているのであつて、ただその意思表示が、一般の法律行為におけるそれとは異なり、外見上手形となり得べき書面に、かかる書面なることを認識して署名したことをもつて有効に成立するとする。手形意思表示をこのように解する以上、白地手形行為にあつては、その意思表示に内容的限定のあり得ないことは当然の結果といわねばならない。現にこの立場に立つ学者は、「補充権は、補充すべき欠缺要件に付き如何なる内容の補充を為すべきかに付き、直接の制限を帯有すること無きも」といつて、白地補充権が内容的に無限定なることを認める。そして補充権に加えられた限定はこれを抗弁事由としてとらえる点でも同様である(升本・一三六、一三七頁)。

(三)　補充権の成立時期と撤回

(1)　補充権の成立時期　従来からの主観説の立場に立てば、補充権は白地署名のなされた手形が相手方に交付されたときに成立し、したがつてそれ以後において署名者が死亡しまたは無能力となつても、補充権の効力には影響がない。判例も、受取人白地の手形の所持人が、白地署名者が準禁治産宣告を受けた後に補充した事案につき、この趣旨を宣明した【41】。

【41】　「手形上ノ債務ヲ負担スル目的ヲ以テ紙面ニ署名シタル者カ手形ニ記載スヘキ法定ノ要件ヲ故ラニ記載セスシテ他人ニ之ヲ記入セシムル意思ヲ以テ其書面ヲ交付シタルトキハ手形トシテハ未タ其効力ヲ有スルモノ存セスト雖モ其署名者ノ意思ハ将来他人カ手形ノ要件ヲ補充スルニ因リテ発生スヘキ手形債務ヲ負フニ在ルヲ以テ其署名ハ署名ノ当時完成シ手形行為トシテ有効ナルモノト謂ハサルヘカラス蓋シ手形ハ之ニ記載スヘキ法定ノ要件ヲ完備スルニ非サレハ其効力ヲ生スルコトナシト雖

其要件ヲ記載スルノ順序ハ必スシモ時ノ先後ヲ問フノ要ナキヲ以テ如上ノ場合ニ於テモ署名者ノ署名ハ他人カ後日手形ノ要件ヲ補充スルニ於テハ手形茲ニ完成シ直チニ手形上ノ債務ヲ発生セシムヘキ効力ヲ有スルヤ疑ヲ容レス故ニ其署名者ノ行為ハ苟モ他人ヲシテ手形ノ要件ヲ補充セシメ以テ手形上ノ債務ヲ負担スルノ意思ニ出テタル以上ハ署名シタル書面ヲ他人ニ交付シタル当時既ニ完了ス而シテ他人カ手形記載要件ヲ補充シ手形ノ効力ヲ有セシムルモノハ白地署名者ノ意思ニ因ルモノニ外ナラサレハ署名者ハ其手形上ノ責任ヲ免ルルコトヲ得サルナリ上来説明セル如ク前示署名者ノ行為ハ署名シタル書面交付ノ当時既ニ完成シ手形行為トシテ其効力ヲ有スルモノナルヲ以テ書面交付ノ後手形要件補充ノ当時ニ至ルマテニ署名者カ死亡シ又ハ無能力者ト為ル等ノ事故生スルコトアルモ原則トシテ署名ノ効力ニ影響ヲ及ホスコトナク従テ後日他人カ手形ノ要件ヲ補充スルトキハ完全ニ手形ノ効力ヲ発生スルモノト謂ハサル可カラス」（大判明四〇・五・三一民録一三・六一七）。

このように白地手形行為は白地手形交付の時に完成するとみる以上、白地手形行為をなすにつき代理権を有したかどうかも、交付の時を基準にして決定すべきことになる。故に、甲株式会社代表取締役乙として白地手形を振出し、後に甲会社が解散によつて消滅した後に（昭和二六年八月三〇日解散、同年九月一五日登記、同年一〇月三一日清算結了、同年一二月三〇日白地補充）白地補充がなされた事件につき、乙に無権代理人としての責任を負わせた下級審判例には賛成できない【42】（鈴木・二〇四頁）。

【42】　「被告が右広瀬弘に補充権限を賦与して本件手形に署名し、之を同人に交付したのは昭和二十六年四、五月頃であるが、右手形の各記載が補充完成されたのは同年十二月末であり、而して手形の振出行為は手形の署名並にその交付行為のみを謂うものではなく、その他各手形要件の記載を包括指称するものであつて、白地手形はその要件補充完成の時手形の振出行為ありと解するを相当とするので結局被告は振出人たる株式会社木村織布工場の解散による清算結了後、本件約束手形を振出したものと謂わざるを得ない。従つて会社の解散により代理権を持たない被告がその専務取締役社長として本件手形に記名捺印したものであつて被告は自ら本件手形の振出による義務を負うべく」（和歌山地判昭二八・六・六下級民集四・八二三）。

創造説的主観説（鈴木説）によれば、白地署名者が署名した時に、署名者の自分自身に対する補充権が成立する。したがつて能力や代理権は署名の時に存在すれば足りる。交付の時にこれらを有していなくともさしつかえない。ただこの時は直接の相手方に対しては、その者との間の権利移転行為を取消し、この者による請求は拒み得る（鈴木・一四七頁参照）。客観説（升本説）の立場でも結果的には同様になる（升本・七八頁参照）。

(2)　補充権の撤回　いつたん与えられた補充権を撤回するためには白地手形自体を回収しなければならないといわれる（伊沢・三六八頁）。このことが白地署名者による一方的な撤回が許されないということを意味するのであれば、それは至極当然のことをいつたにすぎない（鈴木・二一一頁）。しかし権利者との間に合意が成り立ち得る限り、その合意によつて、補充権を消滅せしめたり、その内容を変更することは可能である。そして、この効力を生ずるために、必ずしも手形の返還を必要としないことは、手形債務の弁済、免除に必ずしも手形の受戻を必要としない（通説）のと同様である。ただ何れの場合にも、署名者が善意の第三者に対し、外観に基く責任を負担せねばならない危険が残るだけである（竹田・民商法一三巻四号）。もつとも後者の場合について手形の受戻を必要とするとの立場に立つならば、前者の場合にも同様に解すべきことになるであろう。判例中にも、いつたん受取人に補充権を与えた後に、白地手形の返還なしに、この者に対する関係では有効にその補充に関する合意が変更されて、補充権を制限しまたは消滅せしめうることを認めるかのような表現をとつているものがある【20】。もつともこの事案では、周旋者に金融の周旋を依頼して、振出人署名のみのなされた手形を交付し、これに他の要件の補充権限を与えたというのであるから、いわゆる白地手形の補充権の授与があつたのでなく、むしろ周旋者に対して振出人の代理人として手形を完成して他人に交付する権限を与えていたとみるべきことは前述したとおりである。そしてこのような意味における権限ならば、委任者において一方的に撤回し得ることはいうまでもない。要するにこの事案では、本当の意味での補充権の撤回が問題になつているのではない(一六頁)。

三 白地手形の流通

上述の如く、通説的表現によれば、白地手形は、要件の補充を停止条件とする条件附の手形債権と、右条件を成就せしめ得る権利すなわち補充権とを表象している有価証券であると解する以上、白地手形の転々によつて、右二つの権利が移転せしめられることは当然である。もつとも判例は右二つの権利のうち補充権の面のみをとらえて、このことを判示している【43】【44】。

【43】 「白地手形トハ後日他人ヲシテ手形ノ要件ノ全部又ハ一部ヲ補充セシムル意思ヲ以テ之ヲ記載セサル紙片ニ署名シテ発行シタルモノヲ指称スルモノニシテ其ノ白地補充権ハ手形ニ追随シテ転輾シ手形ヲ取得シタル者カ同時ニ之ヲ取得スルモノト解スルヲ相当トス」(大判大一〇・一〇・一民録二七・一六九七)。

【44】 「白地手形ノ振出アリタル場合ニハ其補充権ハ振出人又ハ引受人ト受取人トノ間ノ契約ニ因リ生スルモ爾後手形ト共ニ転輾シ白地手形ヲ取得シタル者ハ法律上当然其補充権ヲ取得スルモノトス(大正十年(オ)第九二六号同十一年六月十五日当院判決参照)」(大判昭一一・六・一二新聞四〇一一・九)。

一 白地手形の流通方法

前述の如く、白地手形も有価証券ではあるが、それは手形ではない。しかし商慣習法によつて手形と同様の流通方法によって移転せしめられる（竹田・九五頁、田中誠・八三頁、升本・一三五一三六頁、伊沢・三六三頁、鈴木・二一三頁）。したがって裏書の方法によることができる。しかし、受取人欄が白地のときは、単なる引渡によって譲渡し得る【45】【46】【47】。

【45】「白地手形ノ交付ヲ受ケタル者ハ其手形ニ署名スルコトナクシテ之ヲ他人ニ譲渡シ譲渡ヲ受ケタル者ハ之ニ白地裏書ヲナシ更ニ他人ニ譲渡シ得ヘク此ノ如クニシテ手形ノ所持人トナリタル者ハ其ノ白地ヲ補充シテ引受人又ハ前者ニ対シテ手形上ノ権利ヲ行使スルコトヲ得ヘシ」（大判大一〇・一〇・一民録二七・一六九四）。

【46】「白地手形ノ交付ヲ受ケタル者ハ其ノ手形ニ署名スルコトナク之ヲ交付ニヨリテ他人ニ譲渡シ得ヘク斯ル譲渡ニ依リテ白地手形ノ所持人トナリタル者ハ手形要件ノ全部又ハ一部ヲ補充シ得ルコトハ白地手形ノ性質上当然ノコトニ属スル」（大判昭七・三・一八民集一一・三三二、鈴木・判民昭和七年度八二事件）。

【47】「本件手形が受取人空欄のまま振出された事実の認定せられる以上、手形上の権利は手形の引渡のみによって移転せられるものと解すべきは勿論である」（最判昭三一・七・二〇民集一〇・一〇二五、山口・民商法三五巻二号）。

なお、受取人欄白地の手形を、右白地を補充することなしに、裏書によって譲渡することもできる【48】。

【48】「白地手形ノ交付ヲ受ケタル者ハ白地ヲ補充セスシテ裏書ニ依リ之ヲ他人ニ譲渡スコトヲ得ルト共ニ其ノ譲受人ハ手形ト共ニ白地補充権ヲモ取得スルモノニシテ此ノ事ハ受取人欄ヲ空白トセル白地手形ニ付テモ亦同一ナリトス商法第四百六十四条（現手一六参照）ノ規定ハ裏書アル為替手形ノ所持人ハ其ノ裏書カ連続スルニ非サレハ適法ノ所持人ト看做サルルコトナク従テ手形債権ヲ行フコトヲ得ストノ趣旨ヲ定メタルノミニシテ受取人ノ記載欄ヲ空白トセル白地手形ノ裏書譲渡ヲ是認スルノ妨ケトナルモノニ非ス」（大判昭一〇・三・二七新聞三八三〇・一八）。

右判決は、受取人欄空白のままで裏書することは商法四六四条（裏書アル為替手形ノ所持人ハ其裏書カ連続スルニ非サレハ其権利ヲ行フコトヲ得ス—現手一六参照）

に反するとの上告理由に答えたものである。

また受取人欄白地の手形を他人に譲渡するに当り、その他人の名称を記載して、その者に譲渡することもできる【49】。

【49】「白地手形ノ交付ヲ受ケタル者ハ白地手形ニ手形要件ヲ記載シテ完全ナル手形トナス補充権ヲ有スルカ故ニ振出人タル被告ノ反対ノ意思表示ナキ限リ補充権者タル木村ハ白地手形ノ所有権ヲ原告ニ譲渡スルニ当リ補充権ニ基キ原告ヲ其手形ノ名宛人トナスコトヲ得」（宇都宮地判大一二・五・五評論一二商三〇六、【34】の事案でも同様の譲渡方法がとられている）。

右の判決中には、「振出人ノ反対ノ意思表示ナキ限リ」との限定が見出されるが、かかる限定は無意味である。このことは、受取人白地の補充権の内容は本来無限定なものであるとの前述のところ（三七頁参照）からそう考える。その点では譲渡に当り譲渡人が補充すると、あるいは譲受人が補充するとで何ら変りはない。

ところが、上告人甲が乙に対する売買代金支払のために受取人白地の約束手形を振出し、乙が右白地を丙と補充して、これを被上告人丙に譲渡した。丙の右手形による請求に対し、甲は、甲乙間の売買契約に基く抗弁を主張して履行を拒んだのに対し、乙丙間の手形の授受に流通的効力を認めなかつた判例がある【50】。

【50】「然レトモ上告人カ原審ニ於テ抗弁セル如ク訴外大亜公司（乙）ト上告人（甲）間ノ売買カ要素ノ錯誤ニ因リテ無効ナルモノトセハ上告人ハ其ノ代金支払ノ義務ナキモノト謂フ可ク又若シ其ノ抗弁カ上告人ノ送付ヲ受ケタル物品ハ品質ニ於テ売買ノ目的物ト甚シク相違シ其ノ送付ハ履行ノ効力ヲ生セサルカ故ニ代金支払ノ要ナシトノ趣旨ヲ含ムモノトセハ上告人ハ猶ホ右訴外人ニ対シテ履行ノ請求権ヲ有シ随テ特別ノ事情ナキ限リ同時履行ノ抗弁権ヲ有スヘキ筋合ナルヲ以テ其ノ抗弁ハ畢竟

同時履行ノ抗弁ヲ含ムモノト解シ得サルニ非ス而シテ被上告人（丙）ノ本件約束手形取得ノ関係カ原審認定ノ如クナル以上被上告人ハ該手形ノ受取人ニシテ右訴外人ヨリ其ノ裏書ヲ受ケタルモノニ非サルカ故ニ手形法第七七条ニヨリ同法第一六条ノ準用ヲ受クヘキ場合ニ非ス被上告人ハ唯手形取得ノ形式ヲ以テ実質上右訴外人ヨリ代金債権ノ譲渡ヲ受ケタルモノニ他ナラサルカ故ニ債務者タル上告人カ異議ヲ留メスシテ右譲渡ノ承諾ヲ為シタルモノニ非サル限リ譲受人タル被上告人ノ善意ナリシ場合ト雖上告人ハ右訴外人ト上告人間ノ売買ノ無効又ハ同時履行ノ抗弁ヲ以テ被上告人ニ対抗シ仍テ本訴請求ヲ排斥シ得ヘキモノナリ」（大判昭一八・九・二八民集二二・九九七、小町谷・判民昭和一八年度五八事件）。

これは受取人白地の手形の譲渡方法として、譲受人の名を補充してこの者に引渡す方法を否定したものであって、その誤りなることはいうまでもない（小町谷・前掲判批、田中誠・八五頁）。

要するに、受取人白地の手形は手形法一四条二項の方法で譲渡することができるといってよい（田中耕・判民昭和五年度九四事件参照）。

二　白地手形の善意取得

白地手形には善意取得も認められるとするのが定説である。判例もこれを認める。すなわち、被上告人甲銀行が乙に対する預金債務の利息金の支払方法として、受取人および支払地白地の自己引受為替手形を乙の代理人丙に交付した。この手形を丙が上告人丁に譲渡した事案につき、原審は、たとえ上告人丁が丙より右手形を善意で取得したとしていても、丁は補充権を取得しない、と判示したのに対し、大審院は次の如く判示して、上告人丁の善意悪意を審究すべしとして破棄差戻した【51】。

【51】「白地手形トハ行為者カ手形行為ヲ為ス意思ヲ以テ手形ト成ルヘキ紙片ニ署名シ其ノ要件ノ全部又ハ一部ヲ補充スルコトヲ他人ニ委任シタルモノヲ指称スルモノニ係リ単ニ之ヲ一箇ノ紙片トシテ目スヘキモノニ非スシテ商法上白地補充権ノ附着シタル一種ノ手形トシテ有効ナルコトハ本院判例ノ夙ニ認ムル所ナリ従テ之カ取得ニ付テハ商法手形編ノ規定ニ基キ律スヘ

キモノト為スヲ相当トス蓋斯クノ如ク為スニ非サレハ白地手形ヲ有効ト認メタル趣旨ヲ貫徹スルコトヲ得サレハナリ故ニ悪意又ハ重大ナル過失ナクシテ白地手形ヲ取得シタル者ハ縦令之ヲ譲渡シタル者カ正当ナル権利者ニ非ストスルモ同法第四百四十一条（現手一六1）ノ規定ニ準拠シ該手形ト共ニ白地補充権ヲ取得シ之ニ基キ白地ヲ補充シ白地振出又ハ引受ヲ為シタル者ニ対シテ手形上ノ權利ヲ行使スルコトヲ得ルモノト謂ハサル可カラス」（大判昭五・一〇・二三民集九・九七六、田中耕・判民昭和五年度九四事件）。

三　白地手形と人的抗弁の切断

白地手形に原因関係上の抗弁等が附着していても、それは善意の取得者に対する関係では切断されることは通説の認めるところである。ただ抗弁の切断を考えるに当り、直接の当事者であるかどうかは、白地手形の現実の授受の当事者であるかどうかによって決定すべきである。したがって受取人白地の手形を転々譲受けた最後の取得者が、自己の名をもって受取人の白地を補充したとしても、この者と白地振出人との間には直接の関係はない。例えば甲が受取人白地で振出した手形を乙、丙を経て取得した丁が、自己の名をもって受取人欄を補充して甲に請求したのに対し、甲は、本件手形の当事者は甲と丁の二者のみで、しかもこの二者は手形上直接の当事者であり、この直接の当事者間には一金の対価の授受もないとの理由で、その責を免れようとしたのに対し、判例は次の如く判示して、右両者間の直接関係の存在を否定した【52】。

【52】　「白地手形ハ手形行為ヲ為ス意思ヲ以テ手形トナルヘキ紙片ニ署名シ後日其ノ要件ノ全部又ハ一部ヲ補充スルコトヲ他人ニ委任シタルモノニ係リ白地補充権ノ附着シタル一種ノ手形ナレハ之カ譲渡ニ付テハ商法手形編ノ規定ニ依リテ律スヘキモノナルコトハ当院判例ノ認ムル所ナリトス（昭和五年（オ）第九二七号同年十月二十三日当院判決参照）故ニ最後ノ所持人タル被上告人カ其ノ補充権ニ基キ該手形ノ受取人欄ニ自己ノ氏名ヲ記入シテ手形上ノ権利ヲ行使シタリトテ上告人ト被上告人

間ニ直接ニ手形ヲ授受シタルモノト謂フヲ得ス即上告人ニ対スル手形授受ノ直接当事者ハ前示ノ浅野国次郎ナリト謂ハサルヲ得ス従テ上告人ト被上告人間ニ手形ノ対価カ授受セラレタルヤ否ハ被上告人ノ手形上ノ権利ノ行使ニ何等ノ影響ヲ及ホスコトナシ然ラハ原院カ対価ニ関スル審究ヲナサスシテ被上告人ノ請求ヲ容認シタルハ不法ニ非ス上告人カ白地手形ハ補充セラレタル時ヨリ手形上ノ効力ヲ生スルモノニシテ被上告人ハ手形授受ノ直接当事者ナリト論スルハ当ヲ得ス」（大判昭七・五・三〇民集一一・一〇四五、鈴木・判民昭和七年度八二事件）。

同様の趣旨の判例は最近の下級審判例にも出ている。すなわち、甲乙間の売買契約に基く代金支払を確保する目的で、甲がその引受をなした為替手形（受取人、振出人、支払人、振出日共白地であつた）を乙に交付し、それを乙がさらに自己の債権者丙に交付し、丙において受取人、振出人を丙、支払人を甲として補充の上、引受人甲に請求した。なお甲乙間の売買契約は未履行に終つている。右請求に対し、甲は、丙は直接の当事者と見るべきであるから、前述の手形授受の原因関係上の抗弁を、丙に対抗しうると主張した。これに対し次の如く判示された【53】。

【53】　「被控訴人甲の抗弁につき審究するに、右抗弁は本件手形が白地手形であつた当時の所持人である訴外乙に対するものであるところ、同人は本件手形の当事者として手形上には現れていない。従つて形式的には手形法第一七条の前者にあたらないけれども、白地手形が白地のままで流通することを考えると、これを白地手形の裏書人と同様にみて、その善意取得者の保護を図ることはその円満な流通を助長することとなり、手形法第一〇条を設けた趣旨にそうものというべきであるから、右訴外人は実質上手形の裏書人と同様の立場にあるものと解するのを相当とする」（広島高岡山支判昭三〇・二・二六民集八・七五四、石井・ジュリスト一七四号）。

四　白地手形による権利の行使

一　補充の効果

白地手形は、その欠けている要件が補充されてはじめて手形となる。したがつて、すでに白地手形上になされていた振出、引受、裏書および保証等の署名も、補充のときにおいてはじめて手形行為としての効力を生じ、それぞれ手形債務を発生せしめる。補充の時まではまだ手形債務は成立していないから、後述の如く、未補充の手形を呈示しても、遡求権保全の効果を生ぜず、履行遅滞や時効中断の効力も生じない。したがつて未補充の手形によつて訴訟を提起しても敗訴判決を受けざるを得ない。もつともその後適当な補充をなした手形による訴は、先の敗訴判決の既判力によつて妨げられることはないとの判例がある【54】。しかしこれには有力な反対説がある(村松・金融法務事情二一二号)。

【54】　「凡ソ手形ハ法定ノ要件ヲ具備スルニ因リテ手形トシテノ存在及ヒ効力ヲ有スルニ至ルモノナレハ所持人ヲシテ其ノ要件ノ一部ヲ補充セシムル目的ヲ以テ発行セラレシ所謂白地手形ハ之カ補充アリテ初メテ手形トシテノ存在ヲ有スルニ至ルモノナリト謂フヘク其ノ補充以前ニ於テハ実ハ真ノ手形ナルモノハ存在セサルノ理ナリ従テ控訴人カ前訴ニ於テ受取人ノ記載ヲ補充セスシテ手形金ノ請求ヲ為シ敗訴ノ判決ヲ受ケタリトスルモ該判決タルヤ真ノ手形ト称スヘカラサルモノノ請求ニ対シ為サレシモノナレハ本訴ニ於テ受取人ノ補充ヲ為シ真ノ手形トシテ請求スル以上該請求ト前訴ノ訴求トハ同一ニ非スト謂ハサルヘカラス而モ前訴ニ在リテモ右ノ補充ハ其補充アリテ初テ請求ヲ理由アラシムヘキ事由トナルモノナレハ其ノ補充カ前訴ノ判決言渡後ニ為サレシモノナリト(ノ)控訴人ノ主張ヲ是ナリトセハ前訴ニ於テハ其ノ請求ヲ理由アラシムヘキ事由トシテ当然補充ニ関スル主張ヲ為シ得ヘカリシモノニモ非サルヤ自明タリ旁々以テ控訴人ハ其補充セラレシ真ノ手形ニ基キ本訴ノ請求ヲ為スニ何等ノ妨ケナシ　然ラハ被控訴人ノ既判力ノ抗弁モ　亦其当ヲ得サルモノトシテ　排斥セサル可カラス」(東京控判大一三・七・二九新聞二二九六・二二)。

補充の効果は遡及しないとするのが判例通説である(【58】参照、竹田・九六頁、松本・二二六頁、田中誠・八五頁、伊沢・三六九頁、鈴木・二〇四頁、石井・二〇四頁)。もつとも、補充のときから署名者が手形上の債務を負うに至るということは、白地手形行為自体が署名のときに有効に成立していることを否定するものではない。したがつて署名者の能力や代理権の有無等は白地署名のときを基準として決定される（四三頁参照）。

以上に対し、白地手形になされた各手形署名は、補充によつて遡及的に効力を生ずるとするものがある（田中耕・三一五頁、大橋・一八八頁）。しかし遡及的に効力を生ずるとする説も、補充前にすでに手形権利が発生していたというのではない。その証拠には、これらの説といえども、遡求権保全のためには、拒絶証書作成期間経過前に補充しなければならないことは、これを認めているからである。故に遡及力といつても、それは、補充前に手形債務が発生していたことになるという意味ではなく、手形債務そのものは補充の時に発生するのであるが、手形債務の文言性より、手形上に記載された文言どおりの内容をもつた債務（すなわち手形記載の満期を満期とし、手形記載の振出日付を振出日付として）として、補充の時に発生するという意味に理解すべきである（竹田・論双九巻一一六頁）。

二　補充の時期

補充すべき時期について署名者が限定しておれば、これに従わねばならない。その期間を過ぎてなされた補充は補充権消滅後の補充となる（七八頁参照）。署名者による限定は明示的でなくとも、手形振出の事情からそれが認定されることがある。例えば、既存の手形債務の消滅時効の完成を妨げる目的で切換手形を振出したが、当時、振出人の支払能力が薄弱で短期間には回復しがたい事情であつたので、何度も書換える煩をさけるために、満期を白地にし、手形取得者において何時でも補充できる旨の合意があつたときは、右補充権は、既存の手形債務の消滅時効が完成するまでに行使すべき定めであると解した判例がある【55】。

【55】 「本件手形ハ既存ノ手形債務ノ消滅時効ノ完成ヲ妨クルヲ目的トシテ其ノ切換ノ必要上振出サレタル所謂切換手形ニシテ満期日ヲ白地トシ補充権ヲ与ヘタルモノナルコト原審認定ノ如クナル以上ハ別段ノ事情ノ存セサル限リ新手形振出ノ目的ニ副フ趣旨ヲ以テ補充権行使ノ時期ニ関スル協定アリタルモノト解ス可キハ理ノ当然トスル所ナレハ本件手形ノ補充権ハ少クトモ既存ノ手形債務カ手形法所定ノ消滅時効ヲ完成スル迄ニ行使ス可キ定メナリト解ス可キモノナリ而シテ原審ハ他方ニ於テ上告人等ハ支払能力薄弱ナリシ関係上度々ノ手形切換ノ煩ヲ避クル為メ満期日ヲ白地トシテ振出シ本件手形取得者ニ於テ何時ニテモ之レカ補充ヲ為シ得可キ旨上告人ト訴外銀行トノ間ニ合意アリタル事実ヲ確定シタリ然レトモ此ノ確定ニ依レハ本件手形ノ補充権ハ二十年ノ消滅時効ヲ完成セサル限リ何時ニテモ之レヲ行使シ得ルコトトナリ既存ノ手形債務ノ消滅時効ノ完成ヲ妨クル目的トスル為メニ切換ノ必要上本件手形カ振出サレタルモノナリトノ前段ノ認定ト相牴触スルニ至ル可シ然ラハ原審ハ其ノ趣旨ニ於テ相牴触スル二個ノ事実ヲ認定シ之レニ基キ上告人ノ抗弁ヲ排斥シタルハ理由不備ノ不法アルモノニシテ原判決ハ全部破棄ヲ免レス」(大判昭一三・四・一六民集一七・七二〇、大浜・民商法八巻四号、石井・判民昭和一三年度四六事件)。

この判決には賛成説もあるが(石井・前掲書、伊沢・三六六頁)、私はむしろ反対説にくみしたい(大浜・前掲書)。旧手形債務の時効中断の目的で白地手形を振出した場合に、その補充権を旧手形債務の時効期間経過前に行使しなければならないというように解釈しなければならないのか、その理由が理解できない。旧手形の切替の時期(すなわち代物弁済の時期)は、白地手形振出の時でなく、その補充の時であり、切替は旧手形の消滅前に行われねばならないからということを理由にあげる説もある(伊沢・三六七頁)。しかし白地手形は無価値な紙片でなく、所持人においていつでも補充して手形債権を発生せしめるという権利を表章しているものであるから、これの授受によつて、どうして手形切替の効力を発生せしめることができないのか、これまた理解できないところである。要するに原審認定の事実に何等矛盾はないと思う。

右のような署名者による限定がないときの補充期間については、まず、満期の記載がある場合とない場合とに分けて考えなければならない。

（一）　満期の記載がある場合　この場合はさらに分れて、遡求義務者に対する場合と、主たる債務者に対する場合とで補充すべき期間は異なる。

まず、遡求義務者に対し遡求権を保全するためには、確定日払の手形にあつては、支払をなすべき日およびそれに次ぐ二取引日の間に補充の上呈示しなければならない【56】【57】【58】。けだし、適法な呈示であるためには、右期間内に完全な手形を呈示しなければならないからである。従つて、これは補充権自体の行使期間の制限というよりも、償還請求権保全の必要上生ずる結果である（竹田・論双七巻一五四頁）。

【56】　「本訴為替手形ハ大正八年二月八日ヲ満期日トシ受取人ノ氏名ヲ記入セサル儘振出サレタルモノニシテ振出人タル上告人ニ於テ受取人又ハ其後ノ所持人カ支払ヲ請求スル迄ニ補充スルトキハ初メヨリ補充アリタル手形ニ署名シタルト同様ノ責任ヲ負担スヘキ意思ヲ以テ振出シタルコト原院ノ確定スル所ナリ果シテ然ラハ其補充ハ満期日以前又ハ遅クモ其後二日ノ期間内ニ為サルヘキモノトスルヲ当然トス蓋シ斯カル手形ハ其補充ヲ為シテ始メテ権利関係ヲ発生スルモノナルヲ以テ苟シ満期日後ニ於テ補充スルヲ得ルモノトセハ未タ権利関係ノ発生セサルニ先タチ弁済期ノ到来スルカ如キ不条理ニ陥ルノミナラス手形所持人ハ満期日又ハ其後二日ノ期間内ニ支払ヲ求ムル為メノ呈示ヲ為ササルトキハ振出人ニ対スル手形上ノ権利ヲ失フモノナレハ其期間経過後ニ於テ補充ノ上呈示ヲ為スモ手形上ノ権利ヲ得ヘキ謂レナク従テ振出人ニ手形上ノ責任アルヘキニ非サルカ故ニ振出人カ手形上ノ責任ヲ負担スル意思ヲ以テ振出シタル以上ハ満期日以前又ハ遅クモ其後二日ノ期間内ニ補充ノ上支払ヲ求ムル為ノ呈示アルヘキコトヲ予期シタルモノト為ササル可カラサレハナリ」（大判大九・四・五民録二六・四四九、竹田・論双七巻一五二頁）。

この事件は後掲【59】と同一事件である。【59】は右判決による差戻控訴審に対する上告審である。

本件為替手形は自己宛為替手形であつて、振出人と引受人とが同一人である。そして原審では、為替手形の振出人としての責任が追求されているものとの認定の上に立ちながら、しかも満期日およびそれに次ぐ二取引日経過後に補充された手形による呈示を有効とした。そこでこれを破棄すべきものとして下されたのが右判決である。したがつて、一般に遡求義務者に対する関係での補充の時期を取扱つた判決としてこれを見れば、その結論は正当というべきである。しかしその論理は全く賛成しがたいものである。すなわち右判決は、「若シ満期日後ニ於テ補充スルヲ得ルモノトセハ未タ権利関係ノ発生セサルニ先タチ弁済期ノ到来スルカ如キ不条理ニ陥ル」ということを一つの理由にするが、この不条理は、ただ振出人等に対する関係においてのみ認められるのみでなく、引受人に対する関係でも同一でなければならない。したがつてこの論理でいけば、引受人に対する関係でも、右期間内に補充しなければならないことになる。これは明らかに不当である。要するに、右判決の誤りは、償還請求権保全の必要上生ずるにすぎない結果の問題を、補充権自体の行使時期の制限と誤解したこと、および、手形上の債権はその補充の時にはじめて発生するにかかわらず、すでに満期を経過していることは、実は、補充によつて発生する権利の内容が、すでに満期日を経過したものとして取扱われることを意味するにすぎないのに、これを、補充によつて発生する権利が、事実として、満期日を経過したことを意味すると誤解したことにある（竹田・前掲書一五二頁、なお五二、六〇頁参照）。

【57】「債権ノ内容ニシテ未確定ナル点アルモ之ヲ確定スル方法タニ確定セラレアレハ斯ル債権ハソレ自体取引ノ目的タルヲ妨ケス補充権行使以前ノ白地手形ノ如キ即是ナク然レトモ裁判上若ハ裁判外ニ其ノ権利自体ヲ行使セムトスルニ当リテハ権

利ノ内容ハ已ニ確定シ居ラサルヘカラス之ヲ白地手形ニ付テ云ヘハ則チ補充権ハ已ニ適法ニ行使セラレタルコトヲ要スルハ言ヲ俟タス蓋内容ノ未確定ナル権利ハ之ヲ行使スルニ由ナキコト殆ント自明ノ道理ナレハナリ然リ而シテ手形ノ主債務者ニ対シテハ時効ノ完成セサル限リ其ノ権利行使ノ時期ニ関シ何等ノ制限ナキト共ニ償還義務者ニ対シテハ斯ル制限アルノ結果償還請求権行使ノ為有効ニ手形ヲ呈示シ得ムカ為ニハ勢拒絶証書作成期間ノ満了前ニ補充権ノ行使セラルルコトヲ要スルハ当然ノ帰結ト云ハサルヘカラス」（大判大一四・五・二民集四・五九六、田中誠・判民大正一四年度九六事件、同旨大判昭七・三・一六新聞三三九六・八）。

【58】　「いわゆる白地手形は、後日手形要件の記載が補充されてはじめて完全な手形となるにとどまり、その補充があるまでは未完成の手形にすぎないのであるから、それによつて手形上の権利を行使してもその効力を生ずるものではないし、また後日要件の記載が補充されても、署名者が手形上の責任を負うに至るのは補充の時からであつて、白地手形行為の時まで遡るものではないと解すべきである。したがつて、本件為替手形につき受取人（指図人）欄の白地の儘なされた支払のための呈示は無効であり、その呈示期間経過後になされた補充によつて右呈示が遡つて有効になるいわれはないから、被上告会社に対する遡求権行使としての本件手形金請求を排斥すべきものとした原審の判断は正当である」（最判昭三三・三・七民集一二・三・五一三、高田・民商法三八巻四号）。

一覧払および一覧後定期払手形にあつては、振出日附より一年内に補充の上呈示しなければならない。

これに反し主たる債務者に対する関係では、この者に対する手形債権の消滅時効期間の経過前に補充すればよい。すなわち確定日の満期の記載ある白地手形にあつては、その満期より三年内に補充の上呈示すればよい【59】【60】【61】。

【59】　「白地手形ノ引受人ノ手形債務ハ要件補充セラレタルトキ初テ成立スルニ至ルヘキハ勿論ナリト雖モ該手形債務ノ内容ハ手形ノ記載ニ依リテ定マルモノナルヲ以テ其要件ノ補充カ満期日経過後ニ為サレタリトスルモ猶ホ該手形記載ノ満期日ニ於テ支払ヲ為スヘキ内容ヲ有スル手形債務ヲ負担スルコト振出年月日及満期日ヲ手形授受ノ年月日以前ニ遡記シテ振出シタル約束手形振出人又ハ満期日経過後ニ為替手形ニ引受ヲ為シタル引受人ノ手形債務ト異ル所ナキモノナレハ該要件ヲ補充シテ手

形ノ支払ヲ求メタル場合ニハ引受人ハ手形債務ノ時効ニ因リテ消滅セサル間ハ何時ニテモ其支払請求ニ応セサルヘカラサルモノニシテ引受人ノ債務ハ満期日後三年ヲ経過シタルトキ時効ニ因リ消滅スルモノナルヲ以テ満期日後三年ヲ経過セサル間ニ為シタル白地手形ノ補充ハ有効ナリト為ササルヘカラス」（大判大九・一二・二七民録二六・二一二〇（竹田・論双九巻一一頁）、同旨大判昭二・七・六新聞二七三六・一五、大判昭七・三・一八民集一一・三二〇（石井・判民昭和七年度二九事件）、大判昭九・六・一二新聞三七一二・九）。

【60】「凡ソ白地手形ノ手形行為者ハ其ノ取得者ヲシテ手形要件ノ全部又ハ一部ヲ補充セシムル意思ヲ以テ故ラニ要件ヲ欠ク手形ニ付手形行為ヲ為シタルモノニシテ後日白地手形カ要件ノ補充ニ因リ完全手形ト為リタルトキハ手形行為者ハ其ノ内容ニ従フ手形上ノ責任ヲ負フモノナルコト商慣習法上認メラルル所ナリ白地手形カ要件ノ補充ニ因リ完全手形ト為リタルトキハ手形行為者ハ最初ヨリ完全手形ノ振出アリタル場合ニ於ケルト全ク同一ノ手形上ノ責任ヲ負フモノナルカ故ニ完全手形ノ所持人ニシテ手形上ノ権利ヲ行使シ得ル期間内ハ白地手形ノ所持人モ亦要件ヲ補充シテ之ヲ完全手形ト為シ以テ手形上ノ権利ヲ行使シ得ルモノト為スヘキハ洵ニ睹易キノ道理ニシテ右ノ期間内ハ白地手形ノ補充権存続スルモノト解スルヲ至当ナリトス今之ヲ白地約束手形ノ振出アリタル場合ニ就キ考フルニ其ノ所持人ハ支払拒絶証書作成期間内ニ支払ヲ求ムル為完全手形ヲ振出人ニ呈示スルニ非サレハ償還請求権ヲ失フヘキヲ以テ償還義務者ニ対スル関係ニ於テハ拒絶証書作成期間内ニ要件ノ補充ヲ為スヲ要スルコト勿論ナルモ振出人ノ支払義務ハ拒絶証書作成期間ノ経過ニ因リ消滅スルコトナク其ノ後ト雖消滅時効ノ完成セサル限リ完全手形ノ呈示ヲ受クルトキハ支払ヲ為スコトヲ要スルモノナルヲ以テ支払義務者タル振出人ニ対スル関係ニ於テハ支払拒絶証書作成期間経過後ト雖苟消滅時効ノ完成セサル限リ要件ノ補充ヲ為シ得ヘキモノナリト謂ハサルヘカラス」（大判昭五・三・四民集九・二三五（鈴木・判民昭和五年度二〇事件）、同旨大判昭六・五・一五新聞三二七三・一四）。

【61】「控訴会社は手形の白地補充は該手形の呈示期間内になさねばならぬものであつて、該期間経過後になされた本件手形の白地補充は無効である旨抗争するに付按ずるに白地約束手形の白地補充はその手形の主たる債務者である振出人との関係に於ては、其の権利者である所持人によりなされる限り、その手形の時効期間内は口頭弁論の終結に至るまで何時でも有効になし得るものと解すべきである」（大阪高判昭三〇・一・二八民集八・五一）。

右の補充は訴訟係属中でも、これをなし得る。すなわち提訴の時に未補充でも、口頭弁論終結の時までに補充し、かつそれが前述の手形債務の消滅時効完成前である限り、所持人は勝訴判決を受けることができる【62】【63】【64】。

【62】「手形金請求ノ訴ヲ提起シタルトキハ手形ノ呈示ナキモ債務者ハ遅滞ニ付セラルルコトハ夙ニ当院ノ判示スル所ニシテ其ノ趣旨ハ訴ノ提起ニ手形ノ呈示ト同一ノ効力ヲ生セシムルニアルモノトス本件ニ付テ之ヲ観ルニ白地手形ノ所持人タル被上告人ハ白地ヲ補充スルコトナクシテ手形金請求ノ訴ヲ提起シタルモ其ノ後白地ヲ補充シ且昭和九年五月三十日ノ口頭弁論ニ於テ当該手形ヲ証拠トシテ提出ノ上既ニ完成セル手形所持ノ事実ヲ主張シ依然手形金ノ請求ヲ維持シタルコト記録上明白ニシテ爾後本訴ハ白地ノ補充アリ既ニ完成セル手形ニ基ク請求トシテ原審ニ係属シタルモノナレハ冒頭説明ノ解釈ヨリ推シテ原審ニ於ケル本訴ノ係属ハ手形ノ呈示ト同一ノ効力ヲ生シ右口頭弁論後上告人ハ本訴手形上ノ債務ニ付遅滞ニ付セラレタルモノト解スヘク且被上告人（控訴人）ノ訴訟代理人ニ於テ本訴ニ付訴訟代理権ヲ有スル以上弁済受領ノ権限ヲ有スルハ勿論本訴ノ維持ハ弁済請求ノ継続ニ外ナラサルコト論ヲ俟タス然ラハ原審ニ於テ論旨摘録ノ如ク説明シ本件手形金並ニ之ニ対スル右五月三十日ノ後ナル同年七月十三日以降ノ損害金ノ請求ヲ是認シタルハ相当ニシテ論旨ハ理由ナシ」（大判昭一〇・三・二七新聞三八三〇・一六）。

【63】「白地手形を振出した控訴会社の手形上の責任並に之が遅滞の責が何時発生したかに付考へて見るに、凡そ白地手形につき手形行為をした者は、後日白地手形が要件の補充により完全な手形となつたときは、其の手形の内容に従い手形上の責任を負うものであつて白地手形は要件の補充される迄の間は完全な手形ではないから、白地手形の手形行為は白地の要件が後日補充せられることを停止条件として成立し、要件の補充により条件が成就したとき初めて手形行為として完全な効力を生ずるものと解すべきであり、右補充の効果が手形行為のときに遡求するものと解すべき理由は少しもない。従つて白地手形の手形行為者は白地の補充あるときは爾後其の手形行為に基く責任を負担することになるのは当然である。併しながら白地手形の要件補充前の手形上の権利行使は手形行為の場合と異り全く無効であつて、其の後に白地の補充がなされても先の権利行使の効力が追完されるものではないから、白地手形については要件の補充により完全な手形となつた後、若くは少くとも之に同時に、あらためて権利行使をしなければならないと解する。

そこで本件につき之を観るに、本件白地手形はその手形金請求訴訟の係属中である昭和二十九年十月七日の当審口頭弁論期日に被控訴人等により白地の補充がなされたことは前示認定の通りであるから、この時初めて控訴会社が該手形につき先になした振出行為は其の効力を生じ、控訴会社は之に基く手形上の責任を負うこととなると同時に、訴訟による手形上の権利行使の効力を生じたものと謂うことが出来るから、之により爾後控訴会社は遅滞の責を負うものと謂うべく、その補充前満期日に被控訴人等に於て支払の為右手形を呈示したことは控訴会社の明らかに争はないところであるけれども、之により何等手形の呈示としての効力を生じないことは前段説示の通りである」（大阪高判昭三〇・一・二八民集八・五一）。

【64】「ところで、白地手形は、白地とされた手形要件の補充を停止条件として手形上の権利を発生させる未完成手形であると解すべきであるが、原告が本件手形を、その振出日欄白地のまま支払のために呈示したことは証拠により明らかである。従つて原告主張の日時になされた本件手形の呈示は無効であるが、原告がこれを補充した昭和三二年五月二七日（訴訟係属中）に本件手形は完成され、その旨を記載した原告の準備書面が被告に送達されることによつて、本件手形の振出人である被告は、本件手形の支払につき遅滞に陥つたものといわなければならない。従つて被告は原告に対し、本件約束手形金及びこれに対する右準備書面送達の日の翌日からの遅延損害金を支払う義務がある」（東京地判昭三二・六・二〇金融法務事情一四六・八）。

ところで、以上の各判例における如く、訴訟係属中に補充があつた場合に問題になるのは、手形債務者が履行遅滞に陥る時点は何時かということである。ある判例は、現実の補充の日が判明しているにもかかわらず、補充された手形が証拠として提出された口頭弁論期日をもつて付遅滞の効力発生の時点とした【61】。ある判例は、訴訟係属中に補充がなされた旨を記載した準備書面が被告に送達された日をもつて基準とする【64】。これに対し現実の補充日を基準にしたものもある【30】。思うに、手形債務者をして遅滞に陥らしめるためには、裁判上の請求たると裁判外の請求たるとを問わず、手形の呈示を必要とする通説の立場からは、補充後に債務者に対し現実に手形が呈示された時が付遅滞の効力発生の時点になることはいうまでもない。しかし裁判上の請求にあつては債務者を遅滞に付するには手形の呈示を必要としないとの判例の立場に立つても、当初の訴提起の時点や（大隅・河本・註釈手形法小切手法一〇四頁では大判昭七・三・一八民集一一・三二をかかる例として引用したが、これは河本の誤解であつた）、単に現実に補充された日でなく、完成手形を口頭弁論に提出して、それによる手形金の請求を維持することが明白になつた時点、あるいは補充の旨を記載した準備書面の送達のあつた時を基準にすべきであろう。もつとも口頭弁論において補充のなされたときは、その日より付遅滞の効力の生ずべきことは問題ない【63】。

日附後定期払の満期の記載ある白地手形についても、確定日払手形と同様に満期より三年内に補充すればよい。

一覧払手形にあつては一年の呈示期間経過後三年内に補充すればよい。

一覧後定期払手形にあつては手形法三五条ならびに七八条二項によつて定まる満期より三年内に補充しなければならない。

このように、白地の補充は、手形債権そのものの時効消滅期間によつて制約されるが、これは、手形債務は補充の時にはじめて成立するとしても、手形行為の書面行為としての性質上、債務の内容は記載文言によつて定まる。すなわち手形記載の満期日を満期日とする手形上の債務が、白地補充のときにはじめて発生する。そして時効は記載の満期より進行するから（手七〇I）、右期間経過後に補充しても、それによつて成立せる債権は、すでに時効にかかつたものとして取扱われるからである（竹田・論双九巻一一六頁、鈴木・二一二頁）。

そして、補充前の白地手形による権利の行使があつても、それによつては、右時効の中断の効力を生じないとするのが判例である。満期昭和三年四月二五日、受取人白地の手形により、昭和六年四月二四日に未補充のまま訴を提起し、同年九月二日に補充のなされた事案につき、右訴の提起は時効中断の効力を生じないと判示された【65】。

【65】「然レトモ所謂白地手形ノ引受ヲ為シタル者ニ対スル手形所持人ノ手形債権ハ其ノ欠缺セル記載事項カ手形ニ補充セラレタルトキ始メテ発生シ其ノ補充セラレサル間ハ未タ権利ノ発生ヲ見サルモノナルカ故ニ斯ル手形ノ所持人カ其ノ欠缺セル記載事項ヲ補充スルコトナク之ニ基キ支払請求ノ訴ヲ提起シタレハトテ固ヨリ該手形上ノ債権ニ対スル時効中断ノ効力ヲ生スヘキニアラサルト同時ニ原判決確定ノ事実ニ依レハ本件為替手形ハ被上告人カ之ニ受取人ノ記載ヲ為サスシテ振出シ且其ノ引受ヲ為シタル白地手形ニシテ上告人ハ之カ所持人ナレトモ其ノ欠缺セル記載事項ヲ補充セサル儘本訴ヲ提起シ手形満期日ヨリ三年ヲ経過シ後右ノ補充ヲ為スニ至リタルモノナルカ故ニ斯ル訴訟ノ提起ニ因リテ該手形上ノ債権ニ対スル時効中断ノ効力ヲ生シタルモノト認ムヘカラサルハ言ヲ竢タス」(大判昭八・五・二六民集一二・一三四七、小町谷・判民昭和八年度九三事件)。

右判決についての批判は後述する(七四頁参照)。

債務者により補充前になされた承認についても同様である【66】【67】。

【66】「手形要件ヲ白地ニセル白地手形ハ其ノ補充ニ因リテ手形行為ノ完成ヲ見手形上ノ権利義務ヲ生セシムルモノナレハ手形義務者タルヘキモノト雖其ノ補充前ニハ其ノ手形義務ヲ承認スルコト難キノミナラス又仮令其ノ義務ヲ錯覚シ有之モノトシテ承認スルモ之カ為メ白地タル手形要件カ補充セラレタルモノト看做サレ手形義務ノ発生ヲ見ルコト無キヤ多言ヲ要セス」(大判昭一〇・三・二五法学四・一四六〇)。

時効期間経過後の補充の効力については二つの考え方があり得る。そしてこの二つの考え方を、原審および上告審が対照的に表現しているのが次の判例である【67】。

【67】「然レトモ受取人ノ記載ナキ白地約束手形振出人ノ手形債務ハ要件補充セラレタルトキ初メテ成立シ該手形債務ノ内

容ハ手形ノ記載ニ依リ定マルモノニシテ振出人ノ手形債務ハ満期日後三年ヲ経過シタルトキ時効ニ因リ消滅スルモノナルカ故ニカカル白地手形ノ所持人カ振出人ニ対シ手形上ノ権利ヲ主張セントスルニハ満期日ヨリ三年以内ニ右白地ヲ補充スルコトヲ要シ該期間経過後ニ至リテハ之ヲ補充スルモ其ノ効ナキモノトス（昭和四年（オ）第一六一二号同五年三月四日言渡及昭和六年（オ）第二三七七号同七年三月十八日言渡当院判決参照）然ルニ原審ノ認定スル所ニ依レハ受取人ヲ白地トセル本件約束手形ノ満期日ハ昭和五年二月二十日ナル処上告人（被控訴人）カ手形所持人トシテ右白地ヲ補充シタルハ昭和十年三月十五日ナルカ故ニ満期日ヨリ三年ノ期間経過後ニ係リ該補充ニ因リテハ手形上ノ権利義務ヲ生セシムルニ由ナキモノト云ハサルヘカラス尚白地手形ノ所持人ハ其ノ補充前ニハ手形上ノ権利ヲ行使スルニ由ナキモノナルヲ以テ手形上ノ債務者タルヘキ者カ所持人ニ対シ其ノ補充前ニ於テ債務ヲ承認スル旨ノ意思ヲ表示スルモ時効中断ノ効力ヲ生スル承認トハナラサルモノトス果シテ然ラハ原審カ所論ノ如ク本件手形ハ上告人（被控訴人）ニ於テ受取人ヲ補充シタルトキ手形トシテ効力ヲ生シタルモ本件手形債務ハ時効ニ因リ消滅シタル旨判示シタルハ文詞妥当ニ非ルモ結局原審カ本件手形所持人タル上告人ニ於テ手形上ノ権利ヲ有セサルモノトシテ其ノ請求ヲ棄却シタルハ相当ニシテ」（大判昭一五・三・一九評論商一七八）。

この判決中、問題になるのは、「受取人ヲ補充シタルトキ手形トシテノ効力ヲ生シタルモ本件手形債務ハ時効ニ因リ消滅シタリ」という原審の表現を、妥当でないとしている点である。すなわち、原審は、手形の時効期間経過後も補充をすることができるが、手形上の債務は発生すると同時に時効によつて消滅するものと解しているのに対し、上告審は、手形時効期間経過後は補充することができないとの立場に立つているものと思われる。竹田博士も右の二つの考え方のありうることを指摘されるが、前者の考え方は無用の概念論であるとしてこれをしりぞけ、後者の考え方をとるべきであるとされる（竹田・論双九・巻一一九頁）。しかし、時効は援用のない限り裁判の資料となすことができず、また時効利益の放棄ができるから、手形の時効期間経過後はもはや補充ができないと解すべきではないように思う（伊沢・三六六頁、鈴木・三二二頁）。右期間経過後も補充によつて、時効にかかつたものとしての手形権利が、補充の時に発生すると解してよいと思う。時効にかかつた権利が補充の時に成立するというのは無意味のようであるが、時効にかかつた権利も、右に述べたような援用、放棄の制度のあることを考えると、全然無になつたわけではないから、さしつかえないと思われる。

（二）　満期の記載がない場合　　この場合は、補充権そのものが時効消滅するまでに補充すればよい。ところで補充権の時効に関しては、判例はこれを財産権たる形成権とみて、民法一六七条二項により、その時効期間は二〇年とみる【68】【69】【70】【71】。

【68】　「白地手形ノ補充権ハ之ニ署名シタル振出人又ハ引受人ト受取人トノ契約ニヨリ発生スルモノニシテ其ノ権利ノ内容ハ所持人ニ於テ白地手形ノ手形要件ヲ記載シテ完全ナル手形トシテノ効力ヲ発生セシムルコトヲ得ルニ在リ故ニ補充権ハ性質上財産権タル形成権ニ属スルモノニシテ其ノ存続期間ハ発生原因タル契約ノ定ムル所ニ従フヘク該契約ニ別段ノ定メナキ場合ニ於テハ補充権ハ債権又ハ所有権ニ非サル財産権トシテ民法第百六十七条第二項ニ従ヒ之ヲ行使シ得ヘキ時（即通常ノ場合ニ受取人カ交付ヲ受ケタル時）ヨリ二十年ノ経過ニ依リ時効ニ因リ消滅スヘキモノトス手形上ノ債権ニ関スル商法第四百四十三条（現手七〇）及一般商行為ニ因ル債権ニ関スル商法第二百八十五条（現商五二二）ノ規定ハ形成権タル補充権ニ直接適用スヘカラサルコト論ヲ俟タス若シ夫レ満期日ノ記載アル白地手形ノ引受人ニ対スル債権ハ商法第四百四十三条（現手七〇）ニ依リ満期日ヨリ三年ノ消滅時効ニ罹ルカ故ニ其後所持人ニ於テ補充ヲ為スモ引受人ニ対スル手形上ノ債権ヲ取得スルニ由無キ場合アルヘシト雖之レ所持人ノ補充権カ同条ノ消滅時効ニ罹ルガ為メニ非スシテ其ノ補充権ヲ行使スルモ引受人ニ対スル手形上ノ債権カ既ニ同条ノ消滅時効ニ罹レル結果ニ外ナラス反之満期日ノ記載ナキ白地手形ニ在リテハ振出人又ハ引受人ニ於テ補充ヲシテ（消滅時効ニ罹ラサル限リ）無限ニ存続セシムル意思ヲ以テ手形ヲ交付スルカ如キハ通常有リ得サル所ナルカ故ニ受取人トノ契約ニ於テ明示ニ補充権ノ存続期間ヲ限定セルモノト解スヘキ場合居多ナルヘシト雖若シ斯カル明示又ハ黙示ノ定メナキ場合ニ於テハ所持人ハ補充権カ民法第百六十七条第二項ノ時効ニ因リテ消滅スル迄何時ニテモ白地手形ヲ補充シテ引受人ニ

対スル手形上ノ債権ヲ取得シ而モ其ノ債権カ商法第四百四十三条（現手七〇）ノ時効ニ因リ消滅セサル限リ何時ニテモ之カ請求ヲ為シ得ルモノト謂ハサルヘカラス故ニ商法第四百四十三条（現手七〇）ノ規定ハ毫モ以テ補充権ノ消滅時効ニ付キ民法第百六十七条第二項ノ適用ヲ妨クルノ理タルヲ得サルヤ殆ント明カナリ又補充権ハ振出人又ハ引受人ト受取人トノ契約ニヨリテ発生スルモノナリト雖之カ為メニ補充権ヲ商行為ニ因ル債権ト同視シ之カ消滅時効ニ付商法第二百八十五条（現商五二二）ヲ類推適用スベキモノト解スルハ相当ナラス当院ノ判例（大正五年（オ）第二百四十五号同年五月十日判決及大正六年（オ）第五百四十六号同年十一月十四日判決）ニハ商行為タル契約ノ解除権ヲ以テ商法第二百八十五条（現商五二二）ニ所謂商行為ニ因リ生シタル債権ト同視シ五年ノ時効ニ因リ消滅スヘキ旨判示シタルモノアレトモ之レ解除権ハ商行為ニ因ル債権ノ効果トシテ生スル形成権ナレハ其基本タル債権ト同様ノ消滅時効ニ罹ルモノト解スヘシト云フニ外ナラス然ルニ補充権ハ契約ニヨル形成権ニハ相違ナキモ債権ノ効果トシテ生スルモノニ非スシテ却リテ其行使ニ依リテ手形債権カ始メテ発生スルモノナルカ故ニ姑ク右ノ判例ヲ正シトスルモ之ヨリ推論シテ補充権ヲ以テ商法第二百八十五条（現商五二二）ニ所謂商行為ニ因ル債権ト同視シ五年ノ時効ニ因リ消滅スヘキモノト解スルノ誤レルヤ又明ナリ然レハ原判決カ補充権ノ消滅時効ニ付民法第百六十七条第二項ヲ閑却シ商法第二百八十五条（現商五二二）ノ類推適用ニ依リテ上告人ノ請求ヲ排斥シタルハ違法ナリ」（大判昭八・一一・七裁判例7民二六〇、商判集追I三六八）。

【69】「然レトモ白地手形ノ補充権ハ之ヲ商行為ニ因ル債権ト同視シ商法第二百八十五条（現商五二二）ヲ類推適用シテ其ノ消滅時効期間ヲ五年ニ限定スルヲ得ス該期間ハ民法第百六十七条第二項ノ規定ニ従ヒ之ヲ二十年ト解スヘキモノナルコトハ当院判例ノ示ストコロニシテ（昭和八年（オ）第千八百四十五号同年十一月七日言渡）振出人ノ補充権授与ニ関スル行為カ商法第二百六十三条第四号（現商五〇一4）ニ該当ストスルモ右判例ヲ変更スルニ足ラサルカ故ニ右時効期間カ五年ヲ超ヘスト為ス論旨ハ結局採用シ難シ」（大判昭一〇・一二・二一新聞三九三九・一五）。

【70】「然レトモ白地手形ノ補充権ノ存続スヘキ期間ハ之ヲ発生セシメタル振出人又ハ引受人ト受取人トノ間ノ契約ノ定ムル所ニ従フヘク満期日ノ記載ナキ白地手形ノ振出ニ当リテ右ノ当事者間ニ明示又ハ黙示ニ其補充期間ヲ定ムルコト多カルヘシト雖モ之ニ付何等ノ定ナキ以上補充権ハ債権又ハ所有権ニ非サル財産権トシテ民法第百六十七条第二項ニ依リ二十年ノ消滅時効完成スル迄存続スルモノト為ササルヘカラス」（大判昭一一・六・一二新聞四〇一一・九）。

【71】「然レトモ満期日ノ記載ナキ白地手形ノ補充権ハ手形ニ署名シタル振出人ト受取人トノ間ノ契約ノ定ムルトコロニ従ヒ其ノ存続スヘキ期間ヲ定ムヘキモ当該契約ニ別段ノ定ナキ場合ニ於テハ該権利カ時効ニ因リ消滅スルニ至ル迄存続スヘキモノナルコト多言ヲ要セス而シテ右ノ補充権ハ振出人ト受取人トノ間ノ一般私法上ノ契約ニ因リ発生シ手形債務ノ負担ヲ目的トスル手形行為自体ヨリ発生スルモノニ非サルヲ以テ其ノ発生原因タル契約ハ固ヨリ商法第二百六十三条第四号（現商五〇一4）ノ手形ニ関スル行為ニ該当セサルノミナラス其ノ権利ハ手形要件ノ一タル満期日ノ記載ヲ補充スルコトニ依リ其ノ要件ヲ完備セシメ以テ完全ナル手形トシテノ効力ヲ発生セシムルニ在ルヲ以テ所謂形成権ノ一種ニ属シ債権ニ非ス而モ此ノ権利ハ受取人若ハ爾後ノ手形取得者ニ於テ手形ニ其ノ記載ヲ補充スルニ依リテ行使セラレ其ノ権利ノ行使ニハ特定人ニ対スル意思表示ヲ必要トスルモノニ非サルヲ以テ之ヲ債権ニ準スヘキモノト謂フヲ得ス従テ補充権ハ債権又ハ所有権ニ非サル財産権トシテ民法第百六十七条第二項ニ依リ二十年ノ消滅時効完成スル迄存続スルモノト為ササルヘカラス是レ既ニ当院ノ判例（昭和八年（オ）第一八四五号 同年十一月七日判決）トスルトコロニシテ 未タ之ヲ変更スルノ要アルヲ見ス」（大判昭一二・四・一六民集一六・四八一、竹田・民商法六巻四号、石井・判民昭和一二年度三三事件）。

以上の各判例の理由は完全には同じではないが、その論拠を挙げてみると、(1) 補充権は手形債権ではないから手形法所定の時効期間の適用はない【68】。(2) 補充権は振出人と受取人との一般私法上の契約によつて発生する権利であるから、補充権授与行為は商法五〇一条四項の行為に該当しない【71】。ただし【69】は右行為に該当すると認めながらも商事時効の適用を否定している。それは、(3) 補充権は債権でなくて形成権であるから、商行為による債権と同視することができない、との理由による【68】。

以上に対し下級審中には、一〇年で時効にかかるとするものや【72】、

【72】「白地手形ノ補充権ハ其ノ白地手形ヲ補充シテ完全ナル手形タラシムル一種ノ形成権ト解スヘキモ該権利ハ特定ノ人ニ対シテ存スル権利ナレハ之レヲ債権ト同視シ民法第百六十七条第一項ノ規定ニ従ヒ十年ノ消滅時効ニ依ルヘキモノト解スル

ヲ相当トシ」（東京地判昭一〇・七・六新聞三八六八・一四）。五年で時効にかかるとするものがある【73】【74】。

【73】「白地手形補充権ハ手形ニ関スル当事者間ノ行為ニヨリ当事者ノ一方ヨリ他ノ一方ニ対シ附与セラルルモノニシテ商法第二百六十三条第四号（現商五〇一4）ニ所謂手形ニ関スル行為ニ因リテ生シタルモノト謂フヘキヲ以テ同法第二百八十五条（現商五二二）ヲ準用シテ五年間之ヲ行ハサルトキハ時効ニ因リテ消滅スルモノト解スヘキ」（東京地判昭九・六・三〇新報三七一・二七、評論二三商六二八、商判集追I三六九）。

【74】「白地小切手の補充権は一種の形成権と解せられるが右補充権はその行使によつて当該未完成の小切手を完成させ小切手上の権利を有効に発生させるものであることを考えれば通常の形成権と異り商行為によつて生じた債権に準じ商法第五百二十二条を準用して五年の時効によつて消滅するものと解するを妥当にする。小切手法は小切手が専ら支払手段たる金銭と同様の経済的機能を有することに着目して所持人の裏書人振出人その他の小切手上の債務者に対する小切手上の権利の消滅時効を六ケ月と定めているが、これは完成した小切手上の権利の消滅時効であつて、補充権は未完成の小切手を完成せしめる権利であるからすでに完成した小切手に基く小切手上の権利と同日に論ずるをえないし、その時効期間を完成した小切手上の権利の消滅時効期間より長期の五年と解しても彼是均衡を失するものとは考えられない。まして補充権の消滅時効期間を三年と解することは小切手の場合何等の根拠がない」（大阪高判昭三三・五・一九下級民集九・八五七）。

学説も右判例と同様に、二十年説（升本・一三八頁）、五年説（伊沢・三六五頁、鈴木・二二二頁、田中誠・並木・一八七頁、石井・二〇五頁）、さらに三年説（竹田・九七頁、大隅・一〇四頁）等に分れる。

このうち五年説が近時有力になりつつある。五年説の根拠は、要するに、補充権をもつて、商行為によつて生じた債権（商五二二）と認めることができるとするにある。そして、補充権成立の根拠たる契約が一般私法上の契約であつて、商行為ではないという判例の主張（前段参照）に対しては、なるほど補充権は手形関係外の一般私法上の契約によつて生じるとしても（伊沢・三六四頁）、「補充権は商行為によりて生じたる期待権と不可分的一体をなして居り、この期待権は手形上の権利に代るものであるから無限に存続せしむべきものでなく、商行為によりて生じたる債権と同列に置いてよいと考へ得る」（伊沢・三六五頁）と主張する。この説は、補充権の成立の根拠と、期待権すなわち補充を法定条件とする条件附の権利の成立の根拠とを別個のものとみるものかと思われる（補充権は手形外の一段私法上の契約によつて生じ、期待権は商行為によつて生じるといつているところからこれを推論することができる）。そして商行為によつて生じた権利であるところの期待権が五年の時効で消滅することに伴つて、それと不可分の関係にある補充権も時効消滅するとするようである。しかし補充権と右にいわゆる期待権の成立原因とがそれぞれ別個の行為であるというのは納得できない。なぜならば、白地手形の所持人は、いつでも補充することによつて補充された内容どおりの手形権利を成立せしめうるという権利を、白地手形署名者に対して有しているのであり、これが補充権である。そしていわゆる期待権とは、そのようにして後日生み出される対象たる権利のよび名にすぎない。補充権の成立原因以外に右の期待権の成立原因はありえないと思うからである。

あるいはまた補充権授与契約を商業証券に関する行為（商五〇一条四号）として、それから生じた補充権に商事時効を適用しうるとの説もあるが（竹田・民商法六巻四号）、補充権授与契約を手形外の契約とする以上、これを証券に関する行為すなわち証券上の行為ということはできないから、厳密には右のような推理も困難と思われる。

これに対し、補充権は証券外の行為を原因としてでなく、白地手形に署名するという証券的行為そのものによつて成立するという立場（鈴木説・升本説、前掲　頁参照）に立てば、五年の短期時効を認めることは比較的容易であると思う。けだし、このような白地手形行為は、厳密には、「手形ニ関スル行為」といえないにしても、それは明らかに「商業証券ニ関スル行為」といえるだろうし、それに補充権は債権ではなく形成権だという理論に対しては、「形成権でもその行使によつて債権が発生する場合は債権として時効を考えるべきである」（鈴木・二一二頁）との理論をかぶせることによつて、商法五二二条を適用することが可能である（升本教授は形成権であるとの理由で二〇年説をとられる、一三八頁）。

最後に三年説は、満期が白地の白地手形の所持人は何時でも白地を補充して支払を求めることができる点より見て、満期の到来せる手形と同じく、主たる債務者に対しては三年の時効にかかり、補充権もこれにより消滅すると説明する（竹田・九七頁、大隅・一〇四頁）。この説は補充権そのものに独立の時効を認めるのは根本的に間違いであるとの立場から出発する。すなわち、補充権に独立の時効を認め五年説をとつたとする。手形の満期が三年後に定めてあれば、手形債権は振出の時から六年間は時効にかかわらず、従つてそれまでは補充できてよいはずであるのに、補充権の方が時効にかかるため、これができないことになる。これは明らかに不都合な結果である。二十年説をとつても理論的には同じことであつて、実際上右の不都合が生じないだけである。この不都合な結果は、補充権に独立の時効を認めるからこそ生ずるのである。故に、一般には、形成権は時効にかからないとはいえないが、補充権の如く、手形債権の為にのみ存在する形成権は、その従属性の故に、手形の時効によつて制約されるのみで、それ自体は独立の時効にかからないというべきであるとする（竹田・民商法六巻四号）。ところが、基準となるべき手形債権の時効期間は、満期の記載のある手形にあつては、満期から三年と確定することができるが、満期が白地の手形にあつてはこれが不可能である。そこでこの場合には、補充によつて生ずべき手形債権の時効は、補充権を行使しうべき時すなわち振出の即日から進行する。いいかえれば満期白地の手形は、所持人が何時でも白地を補充して支払を求めうる点よりして、満期の到来している手形と同じく、主たる債務者に対しては三年の時効にかかるとみるべきであるから、補充権の行使も右の期間に制約される、とする(竹田・九七頁)。

しかしこの説にもまた難点のあることが指摘されている。それは、満期白地の手形を満期が到来している手形と同視する以上、振出人の責任は、三年内に補充しなければもちろん、たとい補充しても、振出から三年を経過すれば(補充された満期から三年の経過によつてでなく)、当然消滅すると考えないと一貫しないのではないか、という点である(鈴木・二一二頁)。これは、手形時効期間経過前に補充権の時効が完成することがありうる、という通説の不都合な結果を除くためにたてられた竹田説のはらむより大きい難点というべきであろう。それに竹田説では、未引受の満期白地の為替手形や、振出日白地の小切手【81】の補充は何時までになすべきことになるのか、一寸想像もつかない。

三　補充の訂正

いつたん補充をした後に、これを訂正することができるか。補充される要件が権利の内容に関係がないときは、問題なく許される。例えば受取人白地の手形を甲の裏書を経て取得した乙が、受取人欄を甲名義で補充すべきところを、誤つて自己名義で補充したが、裏書の連続を欠くに至つたことに気付き、自己の名を抹消して、さらに正当な受取人の氏名甲をもつて補充することができる【75】。これは実質的権利者による形式的資格整備の問題にすぎず、その許されることは当然である。従つて、次に掲げる判決は、結論は妥当でも、その理由に納得しがたいものがある（田中耕・判民大正一二年度九一事件）。

【75】「白地為替手形ノ裏書譲受人カ其ノ受取人ノ氏名ヲ補充スルニ当リ手形上其ノ受取人ノ何人ナルヤ明白ニシテ之カ補充ニ付何等問題ヲ生スヘキモノニ非サルトキハ其ノ裏書譲受人カ其ノ補充ヲ為スニ際シ仮令其ノ記入ヲ誤ルコトアルモ固ヨリ既定ノ事実ヲ没却スルコトヲ得ヘキモノニ非サルヲ以テ之ヲ抹消シテ更ニ正当受取人ノ氏名ヲ記載シ以テ適法ニ其ノ補充ヲ完結スルコトヲ妨ケサルモノトス」（大判大一二・七・一三民集二・四八四、田中耕・判民大正一二年度九一事件）。

右のような権利の内容に関係のない補充の訂正は、いつたん補充のなされた手形によつて権利の行使がなされた後でも、これを訂正できる。例えば、上告人甲が自己宛の為替手形に引受をなし、受取人白地のままで乙に交付し、乙は白地裏書によつて丙に譲渡し、被上告人丁はこれを丙より引渡によつて取得した。丁は当初自己の名をもつて受取人を補充の上提訴したが、裏書の連続を欠くとの理由で敗訴した。そこで右補充を乙に訂正して控訴し、今度は勝訴した。上告人甲は、所持人がいつたん補充権を行使した以上、それを抹消して再補充する権利はもはや有しないとの理由で上告したのに対し、次の如く判示された【76】。

【76】「白地手形ノ所持人ノ補充権ハ其ノ手形ノ正当ナル受取人ノ氏名ヲ記入シタル場合ニ於テ始メテ完全ニ行使セラレ従テ爾後其ノ権利ハ消滅ニ帰スル者ナリト雖其ノ記入シタル者ノ氏名ニシテ正当ナル受取人ノ者ニアラサル以上ハ其ノ記入カ誤記ナルト将又所持人ノ誤解ニ出タルトヲ問ハス補充権ハ未タ完全ニ行使セラレタルモノト謂フヲ得サルニヨリ引受人ニ対シテハ苟モ時効期間ヲ経過セサル間ハ所持人ハ何時ニテモ其ノ記入ヲ抹消シ更ニ正当ナル受取人ノ氏名ヲ記入シ該手形ヲシテ完全

ナル効力ヲ発生セシムルコトヲ得ヘキモノトス」（大判大一三・四・四・新聞二二六二・二一）。

この事案における補充も、権利の内容に無関係な要件の補充であつて、単に形式的資格の整備の問題に関するにすぎない。したがつて右判決の結論の正当なことはいうまでもない。ただ本判決理由中に、補充の訂正は、「苟モ時効期間ヲ経過セサル間ハ」これをなしうるとしている点は問題である。このような限定を加えることは理由がないのではないかと思われる。けだし、たとえ裏書の連続を欠く結果を生ずるような補充であつても、補充がなされた以上、手形としてはそれで完成する。このことと裏書の連続とは別問題である。そして完成した手形によつて、実質的権利者（この点も裏書の連続の有無とは無関係である）が訴訟を提起した以上、それによつてすでに時効は中断されているとみるべきであるからである。

それにまた、正当な受取人の補充がなされるまでは、補充権の完全な行使がなされたのではないというのもおかしい。大体受取人の補充権の内容には限定がないと解すべきであるから（三七頁参照）、どのような記載がなされようと、正当な手形所持人によつてそれがなされる限り、その時に手形権利は完全に成立する。所持人は手形上の権利者となる。もし裏書の連続を欠くような補充がなされても、それは形式的資格の問題にすぎず、所持人の実質的権利には何の影響もない。

補充の訂正が、右二判例の事案におけるように、権利の内容に関係のない、形式的資格に関係するにすぎないものと異なり、金額満期等権利の内容に関するものであるときは、どうであろうか。補充したが、その手形によつてまだ権利の行使をせず、他に譲渡もしない間であれば、たとい権利の内容に関する事項であつても、いつたんなした補充を正しい記載に訂正することができるとの結論は是認されてよい。けだしこの場合は、右補充の訂正によって何人の利益をも害するおそれがないからである。しかしいったん補充のなされた手形によって権利行使がなされたときは、債務者が補充された記載による権利内容に信頼するという関係が生ずる。この信頼利益に対する考慮が払われねばならない。そこで、いったん手形権利が行使された場合には、もはや訂正できないとの立場もある【77】。しかし白地手形所持人が過誤によって正しくない補充をしたことによって、白地署名者が本来負担していた手形債務を免れたり（一〇万円と補充すべきところを五万円と補充した場合）、あるいは支払の猶予を受けたり（満期を二月一〇日と補充すべきところを三月一〇日と補充した場合）する結果になるのも妥当とは思えない。そのような補充のなされた手形の呈示によって、免除や猶予の意思表示が当然に成立するとはいえないであろう。したがって、呈示された手形の権利内容に対する債務者の信頼ということもあり得るかと思うが、債務者の方でも、自己の与えた補充権の内容については知っているはずであるから、右の信頼もそれほど保護に値するものとは思われない。したがって、私は、たといいったん補充された手形による権利行使があっても、その後において補充を本来の補充権の内容に従って訂正することは何等さしつかえないと思う。したがって次にかかげる判例【77】の立場には賛成できず、ましてそこでは振出日の補充の訂正が問題になっているにおいておやである。けだし確定日払手形にあっては振出日は権利の内容に何の関係もないからである。事案の概要は、原告は振出日を昭和二九年二月三〇日と補充して支払呈示したが、支払拒絶された。ところが原告は昭和三二年四月一一日の口頭弁論期日に至って、右振出日を二月三〇日と記載したのは錯誤であったとして、「弐」を「参」に訂正したというのである。

【77】「およそ白地手形の補充権者はその白地に補充すべき事項を決定してこれが記載を完了したときでも、右手形を流通におくか又はこれが権利行使をする以前であれば補充権の範囲内において自由に右記載事項を変更することができるが右手形を流通におき又はこれが権利行使をしたときは補充権の行使はこれにより完了し、白地が消滅するから補充権者といえどもその後は右記載を訂正して補充の内容を変更することは許されないものと解すべきである。従つて権利行使をした後に補充権者たりし所持人がさきの補充内容を訂正により変更したときは権限なきものによる手形の記載事項の変更即ち手形の変造となるものであるから、右変更前の手形の署名者は変更前の記載内容により手形上の債務を負担することとなるわけである。本件では原告（所持人）が手形の振出日の白地に昭和二九年二月三〇日の記載をして、これを呈示し、かつこれが請求の訴訟の係属中に右二月を三月と変更したものであるから、被告は右変更前の署名者である振出人として、振出日を昭和二九年二月三〇日とする手形につき責に任ずべく、右が必要的記載事項を欠く手形ということになればこれが支払義務を負担しないものといわなければならない。原告はさきの補充は錯誤に基くと主張するが、昭和二九年三月三〇日と記載すべきところを錯誤により同年二月三〇日と記載したものであることを認めるに足る証拠はなく、かえつて右手形の記載自体より昭和二九年二月末日の日を記載せんとして誤つて二月三〇日と記載したものであることが認められるから、右事由によつては前記変更を正当化することができない」（大阪地判昭三二・九・九金融法務事情一五八・六）。

右のように補充訂正が無効ということになると、本件手形は依然として昭和二九年二月三〇日という振出日の記載ある手形ということになり、このような暦にない日を振出日とする手形の効力が問題になる。判例は、これを、社会通念上、二月の末日を振出日として表示した有効な手形と解釈することができるとして、結局原告の請求を認めた。

四　未補充手形の呈示に関する問題

前述した如く、遡求義務者に対する権利を保全するためには、白地手形の所持人は満期（これの記載のある場合）より二取引日内に補充の上呈示しなければならない【56】【57】【58】。したがつて未補充のまま満期に支払呈示をしたとしても、かかる呈示によつては遡求権を保全できない（ことに【58】参照）。これが判例の立場である。ところがこれに対しては、学説により疑問が投じられている。すなわち未補充白地手形の呈示であることを援用して遡求義務を免れる者が、その白地手形を振出した振出人である場合には、白地手形のままの呈示という理由で、機械的に遡求義務を免れしめるのは、正義の原則に反するとの感情を抑制し得ない、との主張がなされる（高田・民商法三八巻四号一三四頁）。しかしこの議論には賛成できない。白地手形の利用によつて利益を得るのは振出人のみでなく、受取人も同様である。そしてお互いに白地手形であることを認識して授受したのである。その後の取得者についても同様である。そして白地手形であることを認識して取得している以上、補充しなければ権利行使ができないことは最初から納得ずくのはずである。それにもかかわらず、補充せずに権利行使した者に対し、振出人が未補充を理由にその呈示の無効を主張することが、何故に正義の感情に反するのであろうか。私には理解できない。むしろこの説のあげるもう一つの理由、すなわち、受取人の記載は、手形要件の中でも軽く解してよいのではないかとの主張の方が傾聴に値する。そしてこの考え方は、他にも、未補充手形の呈示による時効中断の効力に関し、これを採用する説がある。すなわち、これも前述したように、未補充手形によつて権利を行使しても時効中断の効力を生じないとするのが判例であるが【65】、これに対する批判として、受取人の記載のように、権利の内容に関せず、単に権利者の指定に関するものにすぎないときは、そう厳格に考えないでよいのではないかと主張する（鈴木・二〇四頁）。この説が、遡求権保全に関しても同様の論法を適用するかどうか明らかでないが、恐らく同様に論ずるであろうと思われる。しかし受取人の記載は権利の内容に関しないから、これについては軽く考えてよいということになると、確定日払手形における振出日の如きも、全く同様に考えなければならないのではないかと思う。さらに振出地についても同様である。満期も、補充しないときは一覧払とみるとの論法をとれば（一七頁）、これまた問題にならないことになる。残るのは金額の白地ぐらいのものであろう。そしてまさか金額を補充せずに呈示するものもないであろうから、現実にはこれが問題になることは少ないであろう。

このように考えてくると、私としては、右の議論には魅力を感ずるが、なおしばらくは、判例の立場にとどまつておきたく思う。それは、もしこのような立場を認めるならば、それは受取人、振出日あるいは振出地の記載の欠けている証券をも、手形として有効とするのと、結局において同じ結論を認めることになり、それは手形法二条一項の明文に反することになると思うからである。むしろ時効中断に限つていえば、時効制度の精神から、未補充の手形とはいえ、それによる権利行使によつて、中断の効力を認めようとの立場に賛成してもよいのではないかと思う（小町谷・判民昭和八年度九三事件、伊沢・三六三頁）。

五　補充権の濫用

補充権に関する予めなされた合意と異なる補充がなされた場合にも、善意にして重過失のない取得者に対しては、右の違反をもつて対抗することができない（手一〇）。この規定は旧法にはなかつたが、判例によつて同様の結果が認められていた。以下にこの問題に関する判例について考察するに当り、これを二つに分けることにする。

一　指定の内容どおりに補充権が行使されなかつた場合

まず典型的な場合は指定の金額を超過して補充がなされた場合である。この場合、白地署名者は善意にして重過失のない所持人に対しては、補充どおりの金額について責任を負う【78】。

【78】「手形用紙ニ予メ裏書ヲ為シタル者カ振出人タルヘキ者ニ手形要件ノ記載ヲ一任スルニ当リ本件事実ノ如ク手形金額ニ付キ制限ヲ加ヘ其制限内ニ於テ之ヲ補充スヘキコトヲ承諾シタルニ拘ラス振出人カ其補充権ヲ濫用シテ制限ヲ超過スル手形金額ヲ記載シタルトキト雖モ裏書人ハ悪意又ハ重大ナル過失ナクシテ適法ニ手形ヲ取得シタル第三者ニ対シテハ補充権ノ濫用ヲ主張シ以テ其手形ニ表示セラレタル責任ヲ免ルルコトヲ得サルモノトス蓋商法ノ規定ニ於テ務メテ手形ノ流通力ヲ尊重シ手形ノ署名者ヲシテ専ラ手形ニ記載シタル文言ニ従ヒ責任ヲ負ハシメ偽造ノ手形ニ署名シタル者ニ対シテモ尚且同一ノ責ニ任セシメ又何人ト雖モ悪意又ハ重大ナル過失ナクシテ手形ヲ取得シタル者ニ対シ其手形ノ返還ヲ請求スルコトヲ得サラシメタル等特ニ手形署名者ノ責任ヲ厳ニシ善意ナル手形取得者ノ保護ヲ厚クシタル立法ノ趣旨ニ鑑ミルトキハ如上白地ノ手形用紙ニ予メ裏書ヲ為シ他人ニ之ヲ交付シテ手形要件ノ補充ヲ一任シタル者ハ後日之ニ記載セラルヘキ文言ニ従ヒ責任ヲ負フヘキコトヲ予期シタルモノニシテ偶々其他人ニ補充権ヲ濫用セラルルコトアルモ是レ畢竟自ラ甘ンシテ斯ノ如キ危険ナキヲ必スヘカラサル地位ニ之ヲ置キタルニ因ルモノナレハ其補充権濫用ノ結果ニ付テモ善意ノ第三取得者ニ対シテハ予メ裏書ヲ為シタル者ニ於テ責任ヲ負フ可キハ当然ノ事ニシテ之カ為メニ寸毫モ善意ナル第三取得者ノ害セラルヘキ謂レナケレハナリ」(大判明四五・四・九民録一八・四一一二、同旨大判昭三・七・一六新聞二九〇二・一六)。

あるいは指定の満期と異なつた補充のなされる場合がある【79】。

【79】「所謂白地手形ノ補充権ノ性質ニ付キテハ法理上多少ノ疑問ナキニ非サレトモ当院ノ解スル所ニ依レハ其ノ補充権ハ振出人ト受取人トノ間ニ於ケル一種ノ契約ニ因リテ発生シ其ノ権利ノ内容ハ手形ノ振出ニ必要ナル事項ヲ振出人ノ指定若ハ其ノ通常有スヘキ意思ニ従ヒ補充スヘキモノニシテ受取人ハ契約ニ因リテ最初ニ補充権ヲ取得シ以後ノ所持人ハ唯其ノ権利ヲ承

継シテ更ニ之ヲ第三者ニ讓渡シ得ルニ過キサルヲ原則トス故ニ此等ノ者カ白地手形ノ裏書ヲ為スニ方リ被裏書人タルヘキ者ニ対シ補充事項ニ付キ何等ノ指定ヲ為ササルトキハ其ノ補充権ハ振出人指定ノ内容ヲ有スル状態ニ於テ被裏書人ニ讓渡セラレタルモノト解スヘク被裏書人カ振出人ノ意思ニ反シテ故意ニ別異ノ事項ヲ補充シタルトキハ之ニ因リテ生シタル手形ハ偽造手形ナリト謂フヘク第三者カ悪意ヲ以テ其ノ手形ヲ取得シタリトセハ白地手形ノ振出人ハ勿論補充以前ニ手形行為ヲ為シタル者ハ悪意取得ノ抗弁ヲ提出シテ手形債務ノ履行ヲ拒絶スルコトヲ得ヘシ然レトモ第三者カ重過失ナク善意ヲ以テ其ノ手形ヲ取得シタリトセハ振出人其ノ他ノ手形行為者ハ従テ手形上ノ債務ヲ負担セサルヘカラス何トナレハ此等ノ者ハ白地手形カ不当ニ補充セラレテ善意ノ第三者ニ讓渡セラルルコトアルヘキヲ予想シタルモノト認メ得ヘキノミナラス善意ノ第三者ヨリ看レハ手形ハ振出ノ当初ヨリ適法ニ成立シタルモノト認ムヘク斯ク認メテ手形ヲ取得シタル第三者ヲ保護スルハ手形法ノ精神ニ適合スルモノト解スルヲ相当トスレハナリ」（大判大一一・六・一五民集一・三三〇、田中耕・判民大正一一年度四六事件）。

右判例の事案は、振出人甲が、金額、受取人の他は白地の手形を、満期は大正八年一一月末日とせよと指定して、乙をして、上告人丙方に持参せしめて白地裏書を求めた。丙は、補充事項に関しては、何らの指定もせず、そのまま白地裏書をして乙に渡した。然るに乙は振出人の指定に反して、故意に満期を大正九年六月二三日と補充して、上告人丁に引渡によつて讓渡した、という場合である。丁は満期に振出人甲に支払呈示したが拒絶されたので、裏書人乙に対し遡求し、本訴を提起した。原審は、白地手形の裏書人が補充事項に付き、何らの指定もしないときは、所持人は振出人の指定に反するると否とを問わず、如何なる事項をも補充し得べく、その補充をなすに当り、善意悪意の区別なく、裏書人に対して手形上の権利を取得するものであるから、裏書人丙が提出した、丁が悪意の取得者であるとの抗弁は判断する必要がないと判示した。これに対し上告審は右の如き判断の下に、所持人の善意悪意を判断すべきものとして破棄差戻した。

この判例ではまず第一に、振出人の指定違反の補充をした乙の資格が問題である。判例集掲載の事実からは充分明らかでないが、乙自身は手形上の権利者でなく、振出人甲および裏書人丙の使者ないし代理人にすぎなかつたのではないかと思われる。そうだとすれば、本件の場合は、固有の補充権濫用の問題でなく、使者ないし代理人がその与えられた権限を正しく行使しなかつた場合における本人の責任の問題ということになる。そしてこの場合にも、手形法一〇条を類推適用して、本人の責任を認めることができるであろう。また乙が自己が代理人ないし使者であることを表示して、丁に手形を譲渡していたときには（本件の場合はどうであつたか不明である）、民法一一〇条の適用も問題になると思われる。

次に、受取人の白地補充に関し、特定人をもつて補充すべきことの協定があつた場合、これに反して補充がなされた場合はどうか。前述の如く（三七頁参照）、私は、受取人白地の補充権については、補充権の内容の限定ということはあり得ないと思うので、したがつてそれの補充権の濫用ということもあり得ないと思う。

右のことは振出地や確定日払手形における振出地についても同様に考えてよいと思う。

二　補充権の消滅後に補充がなされた場合

いつたん与えられた補充権が消滅したにもかかわらず、手もとに残つた白地手形を利用して完成手形として流通せしめた場合にも、手形法一〇条の適用があるか。もつとも手形を回収せずには補充権は消滅せしめることができないとの立場に立てば、このような問題は起らない。しかしいつたん与えた補充権を授与者が一方的に消滅せしめることはもちろんできないとしても、補充権者との合意によつてこれを消滅せしめることは、手形の回収を伴わずともできると解すべきである（四四頁）。判例もこのことを認め、そして補充権消滅後の補充にも本条を適用していることは前述した【20】。そしてそこでのべられていた判例の理論は、一般に補充権が合意によつて消滅したにもかかわらず、その後になされた補充によつて、白地署名者が手形法一〇条によつて責任を負うべきことを認めたものである。しかし、対象となつた具体的事案は、不当補充をした者が、固有の意味での補充権を有していた場合でなく、むしろ白地振出人の代理人ないし使者として、手形を完成して割引先に交付する権限を有していたにすぎなかつた場合であつた。故にこの場合は、実は最初から固有の意味での補充権の存在しなかつた場合、すなわち白地手形ではなかつた場合であるが、手形法一〇条を類推適用して白地署名者の責任を認めるべきである（もつとも補充権濫用者が他人の代理人であることを表示していたときは、民法一一二条適用の問題が生ずるであろう）。最近の下級審判例の中にも、同様の事案につき、手形法一〇条によつて白地署名者の責任を認めたものがある。すなわち、被告会社甲が金融のあつせんを依頼して受取人白地の手形を乙に交付し、割引のなされるときには甲乙何れかが補充すること、乙は五六日以内に割引現金を甲に交付することを約束していたが、割引ができなかつたので、甲よりの請求に対して、現金を交付するか手形を返還するかする旨約束した。しかしその約束は守られず、むしろ右約束後、本件手形はさらに割引あつせんの依頼を受けた丙丁の手を経て原告戊によつて取得された。戊は、補充権の消滅をしらずに、売買契約代金の支払として右手形を取得したが、取得に当り、支払場所たる第一銀行およびその他で被告の記名印、印章の照合、信用調査をした。そして自己の名を受取人として補充し、振出人に請求した。これに対する判示は次の如くである【80】。

【80】　「右に認定したように、原告は本件手形の所持人の補充権が消滅し又は消滅すること明白な事情にあつたことを知らなかつたのであるが、認定した事実関係からすれば、原告（戊）は本件手形取得の当時、被告が振出したものであることの調査をしており、丁は相当期間にわたつて原告の信用をかちうるため種々の手段を講じ原告に疑念を起させないことに努めて来た末のことでもあり、又いわゆる商業手形に受取人欄空白のものが絶無といえない以上原告が補充権の有無について被告（甲）に直接照会しなかつたからといつて、必ずしも重大な過失があつたとはいえない。（補充権の有無その他手形所持人の手形上の権利の存否につき必ず振出人その他手形上の前者に照会すべきことを要求することは、敏速簡易な流通移転を趣旨とする手形制度の精神に副わないものというべきである。）要するに原告が被告に照会しなかつたことは、それ自体直ちに重大な過失を意味するものでなく、他の事実と合せて重過失の存否を判断すべき事項たるに止まることは言をまたないところであり、認定のような事情から原告が丁に補充権ありと信じたことは無理からぬところというべく、その間重過失をもつて責むべきものがあるとは考えられない」（東京地判昭二七・八・八下級民集三・一一一一）。

さらに、白地手形交付の目的がなくなつた場合に、補充権も当然消滅し、したがつてその後に不当に補充がなされたときは、補充権消滅後の不当補充の問題と考えるか、それとも、かかる交付の目的の消滅は、いつたん与えられた補充権の存在には影響を与えず、単に抗弁の問題として考えるのか、困難な問題である。例えば、控訴会社甲が、乙の商品あつせんの申出に応じて、この者に商品の買付方の依頼をなすに当り、白地手形を交付し、その手形が丙の手を経て被控訴人丁に取得された。しかしそれまでに右取引は不成立に終つた。そして補充はその後になされたという事案につき、判例はいつたん与えられた補充権が当事者間の原因関係によつて消滅したとしても、善意にして重大な過失のない所持人には対抗できないとして、次の如く判示した【81】。

【81】「白地手形の補充権が一旦授与せられた後に当事者間の原因関係によつて消滅に帰し、又はその補充が当事者間の授権範囲を越えてなされたとしても、これをもつて善意且つ重大なる過失なき手形所持人たる第三者に対抗し得ないものであることは勿論である」（大阪高判昭二七・七・二九下級民集三・一〇四四）。

しかし白地手形行為も手形行為に準じて、無因性を有するものと解すべきだとすれば、この場合も補充権そのものが消滅するのではなく、補充権は有効に存続し、ただ抗弁が付着するにすぎないというべきことになる。それとともに、第三取得者の保護は、手形法一〇条によつてでなく、一七条によつてこれをはかるべきことになるだろう。最近の下級審判決中には、右にのべたと同様の立場に立つのではないかを思わしめるものがある。すなわち、甲証券は財務局より資産の検査を受けるのに備えて、同社の不足資産を補う目的で、昭和二四年九月頃、乙より振出日を白地にした小切手の振出を受けた。しかし、その後、甲証券は廃業整理したので、右小切手の本来の目的はなくなつた。しかるに整理中同証券は、他の債権者に対して負担していた既存の手形債務と交換に本件小切手を交付し、その譲受人は、昭和二九年八月九日振出日を同日付をもつて補充の上、支払呈示した。振出人は、甲証券の廃業とともに補充権は消滅した。したがつてその後の取得者たる所持人は補充権を取得しないと抗弁したが、判例は、補充権そのものは消滅せず、抗弁の問題にすぎないとして処理した【82】。

【82】「控訴人は本件小切手の白地補充権は中井証券株式会社の廃業によつて当然消滅したと主張し、中井証券株式会社が昭和二十六年七月末廃業したことは前記認定の通りであるが、白地小切手の補充権は原則としてその小切手と共に取得者に移転するものであつて、これを制限する特約はその当事者間に債権的効力を有するに過ぎないものであり、従つてこの点に関する悪意又は重大な過失ある取得者には右特約を以つて対抗しうる人的抗弁たりうるに過ぎないものと解せられる。本件小切手

は前認定のように中井証券株式会社が財務局の資産検査に使用するため取得したものであるから、同社が廃業し右検査を受ける必要のなくなつた以上最早や同社は本件小切手の白地を補充して小切手として行使することはできないけれども、これがため右補充権自体が絶対的に消滅するものと解すべき根拠はなく、右補充権は本件小切手の善意にして重大な過失のない取得と共にその取得者に移転するものと解すべきである」（大阪高判昭三三・五・一九下級民集九・八五六）。

もつとも、人的抗弁事由だとしながら、悪意または重過失ある取得者には対抗しうるとしている点は、一七条の通説的解釈との関係で、問題になるところである。

なおこの事件では、振出人たる控訴人は補充権および小切手権利自壊の原則による失効を主張したが、裁判所のいれるところとならなかつた【83】。

【83】　「尚更に控訴人は本件小切手の補充権及び小切手上の権利は権利の自壊による原則によつて失効し本件小切手の補充権並に小切手上の権利の行使は許されないと主張するが、前示認定の事実からすれば、いまだ控訴人に於て本件小切手の補充権並に小切手上の権利がもはや行使されないものと信頼すべき正当の事由を有するに至り、これがため被控訴人が本件小切手の振出日を補充し且本件小切手上の権利を行使することが信義誠実に反すると認められるような特段の事由があるものと言えないから、控訴人の右主張は採用しえない」（大阪高判昭三三・五・一九下級民集九・八五八）。

なお補充権が解除条件付で与えられていた場合、例えば、受米資金調達以外の目的には使用せず、もし他で右資金を調達したときは、全然使用することを得ず、白地引受はその効力を失うべき旨の解除条件が付されていた場合に、振出人が他より資金の調達ができたにかかわらず、右手形を補充利用した場合も、補充権消滅後の補充の問題が生ずる【84】。

【84】　「縦令其ノ交付ヲ受ケタル加藤清八ニ於テ振出人トシテ之ニ五万円以上ノ金額ヲ記入シ且之ヲ使用スルコトヲ許諾シタル目的以外ニ使用シタリトスルモ為ニ手形法上所謂手形ノ偽造ナルモノ生スルコトナキモノナレハ（本院昭和二年（オ）

第九五七号同三年二月六日判決参照）該手形ノ善意ノ取得者ニ対シ手形上ノ責任ヲ免ルヘキモノニ非サルニ」（大判昭三・七・一六新聞二九〇二・一六）。

三　未補充手形の取得者の保護

手形法一〇条による保護は、補充されて完成した手形を補充権の濫用があつたことを重過失なしに知らずに取得した者に限つて与えられるとする説（鈴木・二一四頁）と、未補充の白地手形を、一定範囲の補充権が与えられているものと信じて取得した者にも与えられるとする説（伊沢・三六七頁）とがある。後説は、白地手形流通の必要上、是非ともそう解する必要があるとするが、前説は、手形金額のように範囲の限定されるのが普通である事項を白地とする手形については、みだりに信用するのが軽率であるから、このような保護を与えずともよいし、また受取人の白地の如きは限定がなされないのが普通であるから、結局、未補充手形の取得者に、本条による保護を否定しても、実際上手形取引の安全が害されることはない、という。しかし、未補充白地手形の取得者にも本条による保護を与えるとの立場に立つても、手形金額のような最重要な事項については、署名者に照会もせずに安易に取得する者には、重過失ありということで、その保護を否定することはできないではなく、他方、その他さほど重要でない事項についても例えば、満期等について限定のなされている場合もないではない【79】。この場合、善意の取得者を保護する必要を考えれば、後説の立場を是とすべきであると考える。

四　悪意重過失

取得者が補充権の濫用につき悪意または重大な過失があるときは保護されないことは、手形法一〇条但書の明らかに規定するところである。なお前章でのべた如く、未補充の白地手形の取得者にも、本条による保護を与えるべきであるが、金額の如き最も重要な、そして限定のなされているのが普通である事項の白地の手形を取得する場合には、補充権の存否、内容につき署名者に直接照会しない場合には、特別の事情のない限り、取得者に重過失があるとされても仕方がないであろう。しかしその他の事項の白地、ことに受取人欄の空白の手形の取得に当つては、直接振出人に照会しなかつたことをもつて、それ自体重過失ありとはいえない【80】。

なお所持人の悪意重過失の立証責任は、白地補充権の濫用を主張する者にあることはいうまでもない（東京高判昭二九・四・一九東京高裁時報五・三・八四）。

六　準白地手形

白地手形は要件を欠く手形であるが、所持人によるそれの補充が予定されている点で無効な手形と区別されるが、要件以外の事項についても、所持人による後日の補充が予定されていることがある。これについても、白地手形についてのべたところがそのまま適用されるべきであるが、ただ、白地手形にあつては、白地が手形要件に関する故に、補充しない限り手形としての効力を生じないが、準白地手形にあつては白地が要件に関しないから、手形が無効という問題が生じない点に差があるにすぎない。

支払場所が白地の手形につき、如何なる内容の補充をなすべきかにつき判示した判例がある【85】。

85

【85】「原判決ハ被上告人ノ大阪支店員カ故意又ハ過失ニ因リ漫然本件手形ノ支払場所ヲ山口銀行堂島支店ト補充シタル事実ヲ認定シタルコトナシ原審ノ確定シタル所ニ依レハ被上告人ノ大阪支店ハ其名古屋市幅下支店ヨリ本件手形取立ノ委任ヲ受クル際其ノ来翰ノ趣旨ニ従ヒ山口銀行堂島支店ニ対シ上告人トノ取引ノ有無ヲ確カメタル所之レ有リトノ回答ニ依リ右手形ノ支払ノ場所ヲ同支店ト補充シ其支払期日手形交換所ヲ経由シ取立ノ手続ニ及ヒタリ仍テ山口銀行堂島支店ハ上告人ニ対シ本件手形カ支払ノ為呈示セラレタル旨通知シタルモ上告人ハ僅カニ金三百円ニ過キサル該手形ノ支払ヲ為ス能ハサリシ為同支店ハ預金不足ニ付支払拒絶ノ旨ノ符箋ヲ為シテ之ヲ被上告人ニ廻送シ来リタル次第ナリトス然ラハ上告人ニシテ山口銀行堂島支店ノ通知ニ応シ遅滞ナク金三百円ヲ同行ニ払込ミタランニハ手形ノ決済ハ何等ノ支障ナク行ハレタルモノニシテ本件手形ノ不渡トナリタルハ上告人カ其ノ義務ニ属スル所ヲ履行セサリシニ因ルモノニシテ被上告人カ以上ノ如ク補充権ヲ行使シ本件手形ノ取立ヲ為シタル行為ハ何等不法行為ヲ構成セス」（大判昭一一・一・三一法学五・九五一）。

手形小切手の実質関係

河本一郎

はしがき

手形法小切法の研究に当つては、そのより実用的な理解のためには、単に、狭く、手形法小切手法の研究のみでなく、それをめぐる法律関係の研究が必要である。例えばこの一、二年来、論議の対象となつて来た、手形買戻請求権の如きも、現実の銀行取引の分野では、完全に手形法上の遡求権にとつて代つているわけである。ところが、従来、学説の上では、ほとんどこれについて論じられたことがない。むしろ実務家による研究にすぐれたものが多い。幸い、下級審ながら、この問題をとりあつかつた最近の判例が一つある。本書でも、これを中心に、他と少し不釣合いかと思われるほど、右の問題について頁をさいた。そして、一応、自説めいたものをのべたが、問題が、非常に実務に密着しているだけに、その結論の妥当性については、自信がなく、特に御叱正を御願いしたい感が強い。

なお引用文献の代表的なものは、白地手形のはしがきの所でのべたものを参照されたい。

一　手形予約

手形の授受に先立ち、当事者間には、いかなる内容の手形を授受するかについて契約が結ばれる。これを手形予約という。明示でも黙示でもよく、実際上は、多くの場合、原因関係の従属部分として、これに含まれて存在するであろう。手形行為はこの契約の履行として行われるのであるから、交付された手形が無効な場合は、右契約の不履行として有効な手形の再交付を請求しうる【1】。

【1】「手形ニ依ル割引ノ場合ノ如キハ兎モ角既存債務ニ基キテ手形ヲ振出ス場合ニ在リテハ手形債務ハ之ヲ以テ従来ノ債務ニ代ハラシムルモノナリヤ将之ト併存セシムル趣旨ナリヤニ付先ツ当事者間ニ了解ノ成立スルアリテ後初メテ手形取引ノ為サルルヲ常トシ斯ル了解ノ存スルコトナク卒然突然手形ヲ授受スルカ如キハ殆ント絶無ノ事態ト云フモ過言ニ非ス従ヒテ多クノ場合当事者間ニハ手形ノ振出ヲ為スベキ旨ノ債権契約カ先ツ成立シ其ノ履行トシテ手形ノ振出テフコト自体カ行ハルル次第ナルカ故ニ若シ現ニ為サレタル手形行為カ偶法律上無効ナルニ於テハ其ハ取リモ直サス契約上ノ債務不履行ニ外ナラス更ニ有効ナル手形ヲ振出スヘキ債務ハ即チ厳トシテ尚存在セルヲ以テ債権者ノ救済ハ自カラ其ノ途アリ必スシモ空券ヲ擁シテ已ムノ外策ナシト云フ可カラス」（大判昭八・一二・一 追四商判集二I六八）。

契約内容に反した手形が交付されたときも同様である。しかしこのような手形といえども、その手形として有効なことはいうまでもない。

二　原因関係

一　原因関係の種類

手形の振出、裏書等、手形授受の原因をなす法律関係を原因関係または対価関係という。この原因関係は、手形権利の売買（手形割引）、贈与、信用の供与（融通手形）債務の取立、債務の担保、債務の弁済等種々である。次に右の原因関係中、もつとも問題になる手形割引と手形貸付について詳説することにする。

（一）手形割引

(1) 意義　手形割引は、次にのべる手形貸付と同様に、手形を手段として金員の融通を受ける方法であるが、手形割引は手形権利の売買であり、割引率の適用によつて、手形権利の現在の価値が決定され、割引料を差引いた額が代価として支払われる。従つてそこでは、手形関係の他に、原因関係上の権利義務すなわち消費貸借債務は存在しない（後述の特約による買戻義務は別として）。これに反して、手形貸付にあつては、手形は消費貸借上の債務の履行確保ないし担保のために交付される。従つてそこでは手形関係外に消費貸借契約に基く権利義務が存在する。このように手形貸付との対照において、手形割引とは手形の売買であると解するのが、通説である（西原・金融法務事情一六二号一四頁、伊沢・三八五頁、田中誠・一一八頁）。

ところがこのように、手形取引の中で、手形の売買の性質を有する取引形態を、学問上、手形割引とよぶときめることと、現実の取引社会において手形割引とよばれているものが、すべて手形の売買としての性質をもつているかどうかということとは別問題である（鈴木・二五七頁）。現に判例中にも、消費貸借債務の支払確保のために、債務者が債権者あてに、約束手形を振出しあるいは自己引受の為替手形を振出す場合も、社会通念上手形割引といえないことはないと判示したものがある【2】【3】。

【2】「手形割引トハ必スシモ上告人所論ノ如ク手形所持人カ其ノ手形ヲ裏書ノ方法ニ依リ譲渡シテ資金ノ融通ヲ受クル場合ノミニ限定セラルヘキモノニ非スシテ新ニ約束手形ヲ振出シテ受取人ニ交付シテ資金ノ融通ヲ受クル場合ヲモ手形割引ト称スルヲ得サルニ非サルヲ以テ原院カ株式会社信濃銀行ト従参加人伊那肥料鉄工株式会社トノ間ニ於テ本件甲第一号証ノ契約ヲ締結スルニ当リ同会社ノ振出シ引受ケタル本件為替手形ニ付テモ割引ヲ受クヘキ旨ヲ約シタリト認定シ斯カル手形ヲモ割引手形ト判断シタルハ社会ノ通念ニ反シタルモノニ非ス」（大判昭六・一一・二九。新聞三三三〇・一五）。

【3】「約束手形ノ振出人カ其ノ受取人ヨリ満期日以前ニ手形金額ヲ受取ル場合ニ於テ之ニ割引料トシテ一定ノ金額ヲ支払フコトアルハ一般ノ慣例トスル所ニシテ通常此場合ヲモ手形割引ト称スルモノナリ」（大判昭七・七・四。法学・二二三六）。

さらにまた、他より取得した手形を裏書によって譲渡し、しかも、当事者がそれを手形割引とよんでいるにもかかわらず、手形の売買でなく、次にのべる手形貸付である場合も少なくない【19】【20】【21】。しかし、手形割引は、金員の融通を目的とするものであるから、割引を依頼された者が、その手形で商品を買入れて、商品の売却代金を融通資金にあてようとの意図で、その手形を右商品の買入代金の支払の方法として交付するが如きは、手形割引の範囲に属しない。従って、事情を知って取得した者は、右手形権利を取得できない【4】。

【4】「代金支払方法トシテ手形ヲ交付スルニ因リテ売買目的物ノ所有権ヲ取得シ以テ金融ヲ図ルカ如キハ如何ニ広義ニ解釈スルモ手形割引ノ範囲ニ属セス」（大判昭七・一〇・二八。新聞三四八五・一三）。

(2)　割引料　手形割引にあっては常に割引料が手形金額より控除され、その残額が割引依頼人に交付される。手形の売買としての性質を有する手形割引にあっては、右割引料の控除は、等価交換の原則の下における、将来入手すべき金銭と現在入手すべき金銭との価格の調整と解される。すなわち手形金額より割引料を差し引くのは、将来入手すべき手形金額の現在における評価としての意味をもつのである（西原・金融法務事情一六三号・一七頁）。

従つて手形債務者は、割引料を控除した金額しか対価として入手していなくとも、その額についてのみ責任を負うとの抗弁を主張しえないことはいうまでもない【5】。

【5】「約束手形ノ振出人ヨリ割引ノ委託ヲ受ケタル受取人カ之ヲ他ニ裏書譲渡シテ割引ヲ受クルニ当リ対価トシテ手形金額ヨリ割引料手数料ヲ控除シタル残額ヲ受取リ之ヲ振出人ニ交付シタルトキト雖振出人ハ之ヲ理由トシテ其控除セラレタル金額ニ付割引ヲ為シタル所持人ニ対シ手形ノ支払ヲ拒絶シ得ヘキニ非ス蓋シ手形ノ割引ヲ受クル者ハ別ニ割引手数料ヲ支出セサル限リ之ヲ交付ヲ受クヘキ金額中ヨリ控除セラルヘキ約旨ヲ以テ割引ヲ受ケタルモノト解スルヲ相当トスレハナリ」（大判昭九・七・二〇法学四・八三）。

また融通手形の割引に当つては、割引料を負担するのは、その手形により利益を受ける被融通者であるのが普通であるから、これを融通者が負担するのは、融通手形の割引としては非常に異例であると判示した判例がある【6】。

【6】「然レトモ本件手形ハ被上告人カ上告会社ヨリ前述ノ如ク資金ノ融通ヲ求メラレタル結果其ノ融通ノ方法トシテ振出シ上告会社ニ交付シタルモノニシテ即自己ノ信用状態ヲ利用セシムル所謂融通手形ニ属スルモノトセハ該手形ニ依リ利益ヲ享クルモノハ独リ被融通者タル上告会社ノミニシテ融通者タル被上告人ハ手形行為其ノモノニ依リ何等利益ヲ享クルモノニ非ス従テ斯ル手形行為ヨリ生スル出捐ハ総テ被融通者タル上告会社ノ負担スヘキヲ通常トシ上告会社カ該手形ヲ大牟田市ノ銀行ニ於テ割引ヲ受クルニ付支払フヘキ割引料及上告会社カ満期ニ於テ手形決済ノ為上告人ニ送付スヘキ手形金額ノ送料等ハ特別ノ事情ナキ限リ総テ右手形ニ因リ金融ヲ受ケ利益ヲ得タル上告会社ニ於テ支出スヘキヲ当然トスヘク手形行為自体ニ付何等利益ヲ受クルコトナキ被上告人カ其ノ出捐ヲ為スカ如キハ著シク融通手形ノ性質ト相背馳スルモノト謂ハサルヘカラス若シ本件ニ

於テ融通者タル被上告人カ尚右ノ如キ出捐ヲ為スヘキモノトセハ之ヲ首肯スルニ足ル斯ル特別ノ事情ヲ説示セサルヘカラス然ルニ原判決ハ斯ル特別ノ事情ヲ判示スルコトナク被上告人カ前示ノ如キ出捐ヲ為セルコトヲ認メツツ尚本件手形ヲ融通手形ナリト断シ以テ上告会社ノ被上告人ニ対スル手形金請求ヲ排斥シタルハ未ダ理由ヲ備ヘサル違法アリ」（大判昭一六・一二・一三法学一一・七二五）。

(3)　手形割引の相手方の限定　手形の割引にあつては、割引をなすべき者について限定のないのが通常である。したがつて、甲が、金融のため、乙宛に約束手形を振出して乙に割引周旋を依頼し、乙がさらに割引周旋を依頼して丙に裏書した。しかるに、丙は丁より割引を得たと称し、自身が割引したことを甲に祕していた。このような場合においても、丙自らはその割引をなすべきでないとの明瞭な約定でもない限り、丙も割引人として手形上の正当な権利者たり得る【7】。

【7】「当時右訴外会社ハ資金欠乏ノ窮境ニ在リテ事業ノ遂行ニ多大ノ支障ヲ来タシ居リシモノナルコト原判決ノ確定シタルトコロナルニヨリ割引ヲ為ス者カ何人ナルヤニ関セス当場必要ノ金融ヲ得ルコトカ本件手形発行ノ直接ノ理由ヲ成シ此ノ必要ニシテ充サルル以上手形発行ノ目的ハ即チ達セラルルモノナルコトヲ領シ得ヘケレハ仮令丙自ラ割引ヲ為スコトカ甲等ニ知レタリトスルモ同人等ハ直ニ以テ之ヲ拒否シタルヘシトハ思考シ難ク従テ丙カ丁ヨリ割引ヲ得タルモノノ如ク称シ自身割引シタルコトヲ甲等ニ祕スルモ之カ為メ現実為サレシ割引金授受ノ事実ヲ抹殺スルニ由ナキニヨリ甲等ニ於テハ其ノ割引ニ因ル丙ヨリノ手形金請求ヲ排斥シ得ヘキ正当ノ事由ヲ有スルモノト做スコトヲ得サルモノトス故ニ原判決ニシテ正当ノ事由存スルコトヲ肯定セムカ為ニハ須ク本件手形ノ授受ニ付テハ其ノ割引ヲ為ス者ハ丙以外ノ人ニ限リ丙自ラハ其ノ割引ヲ為サルコトヲ要件トシタルモノナルコトヲ明瞭ニ判示セサルヘカラサルニ原判決カ此ノ点ノ解説ヲ悉スコトナクシテ直チニ丙ニハ手形債権ヲ発生行使セシメサル趣旨ニ於テ本件手形ノ授受アリタルモノトシ同人ニ其ノ請求権ナキコトヲ断シタルハ未タ判決ニ理由ヲ備ヘタルモノト云ヒ得サルコト明ナリ若シ夫レ原判決カ丙ノ本件手形所有権ヲ否定シタル点ニ付テハ丙カ手形面上手形譲受ノ被裏書人タル外尚割引先ニ手形ヲ交付スル必要アルコトニ徴シ特別ノ事情ナキ限一応同人ヲ以テ手形所有権者ト做スヲ相当トスヘク原判決カ叙上ノ事情ヲ認定シナカラ何等特別ノ事情ヲ判示スルトコロナクシテ直ニ丙カ本件手形ノ所有権ヲ取得セスト

断定シタルハ不法タルヲ免レス」（大判昭一一・六・一一八商判集追Ⅰ二八七）。

(4)　手形割引と消費貸借契約の成立　融通手形の割引によつて被融通者が対価を入手したときには、融通者と被融通者との間に、手形金と同一額において、消費貸借契約が成立するとした判例がある【8】。すなわち、消費貸借契約の要物性は、債務者が他より割引金を入手することによつても、これを充たしうると解するわけである。

【8】「上告人ト訴外礼三郎トノ間ニ於テハ上告人ノ振出シタル手形ヲ同訴外人カ訴外加蘇銀行ニ於テ割引スルコトニ因リテ上告人ハ同訴外人ニ対シ額面記載ノ金額ヲ融通シ該金額ヲ直接交付シタルト同一ノ効果ヲ生セシムル趣旨ノ下ニ手形ノ授受ヲ為シタルモノト取引ノ通念ニ照ラシテ之ヲ認メ得ラレサルニ非サルニ因リ同訴外人カ右手形ノ割引ニ因リテ銀行ヨリ金銭ノ交付ヲ受ケタルトキハ之ト同時ニ手形面ノ金額ト同一ナル額ヲ目的トシテ両者間ニ消費貸借ヲ成立セシムル意思表示アリシモノト解スルヲ相当トス」（大判大一四・九・二四民集四・四七〇、田中耕・判民大正一四年度七六事件、同旨東京控判大一四・四・七新聞二三九九・二〇）。

しかし、この判決理論に対しては反対説がある。すなわち、割引は、法律上は受取人と銀行との間の純然たる手形の売買行為であつて、銀行が振出人に代つて民法五八七条の要件たる金銭の交付をなしたものと見るべきでない。割引によつて受取人が金銭を取得するのは消費貸借とは全く異なる独立の行為であるから、消費貸借が割引によつて成立すると認めるのは、何ら根拠がないとする（田中耕・前掲判批）。しかしこの反対説も結論的には判例と同じであつて、ただその理由が右判例とは異なつて、手形そのものを金銭と同様な経済的価値あるものとみ、従つてその授受をもつて、民法五八七条の金銭の授受と同一視して、手形の授受の時にすでに消費貸借が成立すると解するのである。この問題は、後に小切手の銀行振込によつて、消費寄託契約が成立するかの問題を論ずるところで統一的に考えることにしよう（一九二頁以下参照）。

(5)　手形割引と預金債務の成立　　手形を割引のため銀行に交付し、その対価を現実に受取ることなしに、直ちにその銀行の預金口座に振替えることによつても、預金契約は有効に成立し、手形割引も完全にその目的を達し得る。以下の二判例【9】【10】は何れも他人の預金口座への振替であるが、割引依頼人自身の預金口座への振替についても同様に解しうる。

【9】　「手形割引ニ当リ割引ヲ受クル者カ割引金受領ノ方法トシテ之ヲ他人ノ預金ニ振替ヘ又ハ他人ニ交付スヘキコトヲ指図スルトキハ割引銀行ハ該指図ニ応シ直接之ヲ交付スルニ代ヘ他人ノ預金ニ振替ヘ又ハ他人ニ交付スルハ取引ノ事例トシテ通常行ハルルトコロナルコトハ疑ナク而シテ右ノ如ク銀行カ手形ノ割引ヲ為スニ際リ其ノ割引金ヲ割引依頼者ノ指図ニ依リ他人ノ預金ニ振替ヲ為ス行為ハ割引依頼者カ割引金ヲ一旦現実ニ受領シタル上更ニ之ヲ預金ト為ス為メ該割引銀行ニ交付スルノ煩雑ナル手続ヲ省略センコトヲ目的トスルモノナレハ該割引金カ他人ノ預金ト為リテ割引銀行カ貯金債務トシテノ義務ヲ負担スルニ至リタル以上ハ割引金ハ現実ニ授受セラレタルト同一ノ効力ヲ生シタルモノト看做スヘキコト勿論ナルヲ以テ斯ル省略ノ手続ヲ執リタル為手形割引金ノ授受ナシト謂フヲ得サルハ洵ニ明ナリ」（東京控判昭六・一〇・一〇民集一一・一七九八）。

【10】　「本件預金関係ハ個人タル千葉禎太郎ニ支払ヒ同人カ右支払ヲ受ケタル金額ヲ其儘直チニ被控訴会社ノ代理人トシテ同会社ノ為メニ控訴銀行ニ預金シ以テ同会社ト控訴銀行トノ間ニ預金契約ノ成立シタルニヨリ発生シタルモノナレハ右控訴銀行ヨリ千葉禎太郎ニ交付スヘキ割引金ハ輾転シテ被控訴会社ノ預金トシテ控訴銀行ニ納入セラルヘキモノト為シタルコト明ナリ斯ノ如キ場合ニ於テハ現金授受ノ煩ヲ避ケ単ニ当事者間ノ意思表示ノミニヨリ簡易ノ引渡及占有改定ノ方法ヲ以テ経済上恰モ千葉禎太郎カ控訴銀行ヨリ特定ノ割引金ヲ受領シテ一旦其占有権ヲ取得シ之ヲ同銀行ニ代理占有セシメ更ニ同人カ被控訴会社ニ債務ノ弁済トシテ右割引金ノ占有移転ノ意思表示ヲ為スト共ニ控訴銀行ハ同人ノ命ヲ受ケテ被控訴会社ノ為メニ右割引金ヲ代理占有シ同会社カ該割引金ヲ以テ控訴銀行ト預金契約ヲ為スト同時ニ同銀行ハ右割引金ヲ更ニ被控訴会社ノ預金トシテ占有シ因テ同会社カ法律上完全ニ預金契約ヲ成立セシメ預金債権ヲ取得シタルモノト為スカ如キ事例ノ一般取引上常ニ行ハルル

コト当院ニ顕著ナル事実ニシテ又此ノ如キハ要物契約タル寄託契約ノ趣旨ニ反スルモノニアラサルモノトス」（東京控判大九・八・二六評論九商七六三、新聞臨時号（大一〇・四・四発行）一〇）。

（二）　手形貸付

手形割引との対照において手形貸付とよばれるものは、消費貸借契約上の債権の履行確保のために手形が授受される場合を意味する【11】。

【11】　「元来銀行取引ニ於テ手形貸付ト云フハ手形ニ依ル貸付ナルヲ以テ其手形ハ消費貸借上ノ債務ノ履行ヲ確保スル為メニ発行スルヲ通例ト為スモノニシテ原審ノ確定シタル本件当初ノ手形貸付ニ於テモ右履行確保ノ為メ手形ノ振出アリタルコトハ之ヲ推知スルニ難カラス而シテ本件手形ハ右手形貸付ノ残額三百五十円ニ付キ振出サレタリト云フニ在レハ仮令右ハ当初ノ手形ノ書換手形ニアラストスルモ尠クトモ特段ノ反証ナキ限リハ前示貸金債務ノ履行確保ノ為メニ振出サレタルモノト認ムルヲ相当トスヘク手形貸付ニハ敢テ証書ノ差入レナキヲ異トセスカカル場合主トシテ手形ニ基キ請求スルハ当然ナルヘキヲ以テ原判示ニ所謂他ニ借用証書ノ差入レナク従来手形債権トシテ取扱ハレ其趣旨ニテ請求シ来レリトノ事実ハ未タ以テ前記認定ノ反証ト為スニ足ラサルモノト謂ハサルヘカラス」（大判昭一三・三・二二法学七・一二七五）。

（三）　手形割引と手形貸付の区別の実益

手形を手段として金員の融通がはかられる場合に、それを前述の手形割引あるいは手形貸付の何れとみるべきであるかをめぐつて争われるが、その問題の考察に入る前に、この両者を区別する実益をまず明らかにしておくことが必要である。そしてそのためには、手形割引か手形貸付かが争われた各判例において、それがいかなる点の解決を目的にしていたかを調べることが役立つであろう。

まず、比較的多くの判例において、問題になつているのは、債権者より債務者に金員が交付されるに際し、手形金額より控除される金額の率（いわゆる割引率）について、利息制限法の適用があるかないかである【12】【13】【19】【20】。すなわち判例は、手形の売買としての手形の割引にあつては、割引料なるものは、なるほど経済的には消費貸借の利息と同一視することができても、法律上は金銭貸借の法定果実ということができないとの理由によつて、これには利息制限法の適用がないとの立場をとつている（特に【13】参照）。そのために、割引料への同法の適用の有無を決するために、まず手形の売買（割引）であるか、消費貸借（手形貸付）であるかを決定する必要が生ずる。

【12】　「手形トシテハ手形金額ニ振出ノ日ヨリ利息ヲ付スヘキモノニ非サルニ本件二通ノ約束手形ノ振出人ナル上告人甲ハ訴外丙ニ対シ上告人乙外一名ト連帯シテ各手形振出ノ日ヨリ各手形金ニ年一割ノ利息ヲ付シテ支払フヘキコトヲ約シ又手形ノ割引トシテハ手形金額ヨリ満期日迄ノ利息ニ相当スル金額ヲ控除シテ為スヲ普通トスルモノナルニ甲カ丙ニ対シ右二通ノ手形ヲ振出スニ付四千円ト千五百円ノ二口合計五千五百円ノ金員ヲ授受シ因テ甲ニ於テ六千円ト三千円ノ手形金合計九千円ノ二通ノ約束手形ヲ振出シ各手形金額ニ比シ多額ノ金員ヲ控除シタルヲ以テ観レハ右二通ノ約束手形ハ甲及丙間ニ消費貸借ヲ成立セシメタル上振出シタルコトトシ如上年一割ノ利息ヲ約スルト共ニ斯ル多額ノ金員ヲ控除シタルモノト推定スルヲ相当トス然ルニ原院カ此ノ点ヲ顧ミスシテ鉄一及政弥間ニハ消費貸借成立ノ事実アルコトナク上告人主張ノ二口計五千五百円ノ金員ハ上告人鉄一カ政弥ニ対シ本件二通ノ手形ヲ振出スニ因リ金額合計九千円ノ手形債務ヲ負フノ対価トシテ授受セラレタルモノニシテ貸借ニ非スト認ムルヲ相当トスル旨ヲ判示シタルハ不当ニ事実ヲ確定シ従テ利息制限法ノ適用ノ当否ヲ判断スルニ由ナキ不法アル判決ニシテ破毀スヘキモノトス」（大判大一三・一・二四新聞二二二八・一七）。

【13】　「従つて右手形割引料は経済上消費貸借の利息と同一視すべきも法律上金銭貸借の法定果実ということができないから利息制限法の適用がなく、ただ手形譲受人が手形譲渡人の窮迫無経験に乗じて著しく高率な割引料の天引を約諾せしめるときは、右手形売買に付帯する割引料取極契約が法律上無効であつて民法第七〇八条但書により手形譲渡人が直接の相手方に対して取得すべき割引料金の不当利得返還請求権を以て手形金の請求に対抗できるものと解するを相当とする」（大阪地判昭二九・八・一三下級民集

三五・一一・九）。

取引約定書に基き、将来割引を受ける手形に基き銀行の取引先が負担すべき債務につき保証した者が、その取引先の手形貸付に基く債務についても責任を負担するかを決定するために、約定書中の手形割引の意味について判定がなされる必要がある【2】。

手形の満期後の遅延損害金の利率に、割引率が適用されるか、それとも年六分の手形法所定の利率が適用されるかについても、手形割引であるか、手形貸付であるかの決定が意味をもつ【21】。もつともこの点は、銀行取引においては、手形割引の場合にも、満期以後の遅延損害金について約定利率を定めているのが普通であるから、その場合には、手形貸付であろうと手形割引であろうと差はないことになる（村松・金融法務事情二二三号一六頁）。

手形権利の時効消滅によつて、利得償還請求権が成立するや否やは、原因関係たる消費貸借債権の存否したがつて手形割引か手形貸付かの決定にかかる【17】【18】。

また、手形に保証のために裏書した者が、同時に原因関係たる消費貸借債務についても保証したとの認定がなされるためには、手形貸付であるとの認定が先行せねばならない【14】。

【14】「右各消費貸借ニ付テハ前掲三通ノ為替手形ヲ授受シタルノ外ハ他ニ借用証書又ハ之ニ類スル書類ヲ作成セサリシ事実ヲ認定シ得ヘク斯ル場合ニ借主カ自己振出又ハ引受ノ手形ヲ債務支払ノ方法トシテ貸主ニ差入レタルトキハ該手形ハ支払方法タルノ外他面当該貸借ノ事実ヲ証スヘキ借用証書ノ代用ト為スコトハ巷間屢々行ハルルトコロナル事実ヲ参酌スルトキハ本件（一）（二）及（三）ノ手形モ亦反証ナキ限リ本件借リ入レ金支払ノ方法タラシムルト共ニ他面本件金員貸借ノ事実ヲ証スヘキ借用証書ノ代用タラシムル意思ヲ以テ授受セラレタルモノト認ムルヲ妥当トス」（東京控判昭一四・七・一二新聞四四八三・一一）。

右の認定に基き本判決は、裏書人は手形上の責任を負うと同時に、原因債務たる消費貸借債務についても保証したものと認定した。

さらに手形貸付にあつては、手形債権の他に、原因関係たる消費貸借債権が存在するため、手形の期限前でも、債務者の信用悪化を理由とした期限の利益喪失約款を設けることによつて、手形の期限前でも、右消費貸借債権を行使することができる。しかし、原因債権を伴わない手形割引にあつては、このことは不可能である。そこで、現実の取引では、後述の手形買戻約款を設けることによつて、ここでも同様の効果をあげることがはかられている（一一一頁以下）。

最後に、手形の交付なしに銀行のなした相殺が有効であるかどうかを決定するために、いわゆる手形割引が、手形の売買にすぎないか、それとも手形の裏書交付を手段とする金銭消費貸借すなわち手形貸付であるかが争われる【16】。すなわち手形貸付であれば、自働債権は消費貸借上の債権であつて、手形債権ではないから、手形の交付がなくても相殺は有効だというわけである（松村・金融法務事情二一二号一五頁）。しかしこの点はそうではなく、たとい消費貸借上の債権を自働債権として相殺するにしても、この債権の支払確保のために手形が交付されているときには、手形の交付なしになされた右相殺が無条件に有効であるとは、そうは簡単にはいい切れない（一六四頁参照）。

戦後、手形割引の法的性格について盛んに議論がなされるに至つたが、それは、もつぱら、上述のところの終りの部分に現われている、債権者、主として銀行側の権利確保の便宜が、手形取引を手形の売買と見た場合と手形貸付とみた場合とで、何れが大であるかという実際的必要から生じたものであつた（水田・金融法務事情一六三号二一頁）。この論争も、前述のように、手形売買としての割引には買戻請求権を附着せしめることによつてこれを補強し、手形貸付にあつては、消費貸借債権の行使が、その担保として授受された手形による制約を受ける（一六〇頁以下）ことによつて、区別の実益はさほど大きくないと思われる。

（四）　手形割引と手形貸付の区別の基準

この区別の基準については諸説のあることは周知のとおりであるが、判例は、基本的には当事者の意思の解釈によるとする【19】【20】。しかし、問題はその意思が明瞭でない場合に、何を資料にしてこれを決定するかである。この基準を判例中より引出してみよう。そしてその際、銀行取引に関する判例と、その他の貸金業者または個人間の取引に関するそれとを分けて考察するのが適当であると思われる。何故なれば、両者において、手形割引と手形貸付の区別が問題になる実益も異なり（貸金業者にあつては割引料に利息制限法の適用があるかないかをめぐつて多く問題になり【12】【13】【19】、銀行取引においては、手形期日前における手形関係人の信用悪化の事実により、手形期日においても割引依頼人に求償できるか、その権利行使の方法等をめぐつて問題になる【15】、しかしその実益のないことについては前述した）、また実際上の慣行にも相当の差が存するから、両者を一律に論ずることは適当でないと思われるからである。

(1)　銀行取引　この分野における手形割引の性質については、消費貸借債務の併存を推定する古い判例もあるが【15】、

【15】　「割引手形ニヨリテ借用金ヲ為スニ当リ手形上ノ債務ハ消費貸借ニ基ツク債務ト並立セリヤ或ハ手形上ノ債務ノミ留存セリヤハ要スルニ当事者ノ意思解釈ニ拠リ決セラルヘキ事項ナリト雖トモ成ルヘク権利ノ安固ヲ計リ債務者ヲシテ容易ニ其債務ヲ逃避セシメサル方法ヲ講スルハ取引上ノ常態ナリ而ルニ手形上ノ権利ハ一面其行使ニ簡便ナルト共ニ一面形式ノ不

備手続ノ欠缺ニヨリ料ラサルニ之レヲ喪失スル危険ノ尠シトセス従ヒテ前示ノ如キ割引手形ノ場合ニ於テモ当事者ハ専ラ手形上ノ債務ヲ留存セシムル意思ナリシトノコトハ反証ナキ限リ之レヲ認ムルヲ得サルモノトス」（東京控判明四四・一二・二〇新聞七七九・二〇）。

この点について、最近に、下級審ながら、極めて詳細な判決が出されているので、次にまず、その全文をかかげ【16】、続いて、そこに現われている基準を引出してみることにしよう。

【16】「一、先ず被告主張の特約又は慣習に基く消費貸借上の債権の存否について按ずる。

(1)手形割引とは手形金額から満期日までの利息その他の費用即ち割引料を差引いた金額を取得して満期未到来の手形の裏書をなすことをいい、この場合の実質関係は原則として手形の売買と解される。しかしながらこの関係は当事者間の契約条項によつて、或いは事実たる慣習あらばそれによつて消費貸借等別異の法律関係を成立せしめ得る性質のものであり、又一般取引においては手形割引と手形貸付を混同し手形割引と称しながらその実手形貸付を意味する場合も往々存在する。

(2)そこで訴外会社と被告間の手形割引取引の契約条項について考えるに、成立に争いのない乙第一号証、証人野崎政之助、同野崎正三（第一、二回）、同坂田喜一、同村田澄夫、同岩田準平の各証言によるも、銀行の行う手形割引には当然消費貸借を伴うものであるという見解が強調せられるばかりで、約定書中手形割引に際し消費貸借が成立することを明言する条項も、消費貸借の成立を前提としてのみ考えうる条項もなく、又約定書外においても消費貸借を成立せしめる契約があつたことについて認めるに足るものもなく、却つて約定書（乙第一号証）第五項の手形要件欠缺の場合の特約条項は、本件手形割引を売買と観念しての規定とも窺われ、その他全証拠によるも本件手形割引に契約条項によつて消費貸借を成立せしめているものがあることを認めることができない。

(3)次に約定書と銀行取引についての慣行を綜合して考えてみるに、

(イ)成立に争いのない乙第一、第二号証、第九号証乃至第一二号証、証人松平淳の証言によるも、三菱銀行、富士銀行、三井銀行、住友（旧名大阪）銀行、第一銀行の如き一流銀行の約定書において、手形割引につき消費貸借の成立を明言するはひとり富士銀行のみであつて他に例なく、しかもこの富士銀行の条項も昭和二六年頃より新規制定されたものであり、三菱、三井、住友、第一各銀行の各約定書を仔細に検討しても消費貸借の成立を前提としてのみ理解し得る条項の存在も認め難く、却つて第一銀行の如きは手形貸付には手形上の債権と消費貸借上の債権の併存を規定しながら手形割引については消費貸借に言及していないことが認められる次第であり、

（ロ）証人野崎正三（第一、二回）、同坂田喜一、同村田澄夫、同岩田準平、同片岡音吉、同金矢浩一、同三辺正雄、同松平淳、鑑定証人安原米四郎の各証言は、銀行においては手形割引も手形貸付も同じく手形を利用した融資方法で、同一係においてこれを取扱い利息計算も同一方法でなしており、銀行が今日の如き営業体制をとり始めた頃より一貫して手形割引という方法によつて融資を行うもので当然消費貸借を伴うものと考え且つ実務の取扱を実行して来たものであるし、このことは手形割引の場合も手形貸付の場合も同一の約定書を使用すること、銀行の貸出金という勘定科目中に貸付金とともに手形割引が入れられていること、日本銀行の公表している勘定においても貸出金という項目中に手形貸付と手形割引を内訳して記載されておることからも或程度裏付けられること、銀行が金融取引を開始するにあたつては先ず商業手形の割引から始め、手形割引の場合には時には数百通という多数の手形を同時に取扱う関係上から必然的に支払人（または振出人）の信用調査は不可能で割引依頼人の信用に重点を置いて取引をなしており、割引手形が不渡になつたときは銀行は手形上の遡求権を行使することは殆んどなく、割引依頼人に手形を買戻すことを請求するが、此の場合割引依頼人が銀行に支払うべき金額は、買戻請求の日の如何にかかわらず、手形金額に満期の翌日から買戻した日までの利息を加算した額であり、数通の割引手形の内一通が不渡になり、他の数通の手形が満期未到来の場合、割引依頼人に信用があるときは不渡手形のみにつき買戻をなすことを請求するが、割引依頼人の信用が不良であるときは他の満期前の手形についても買戻の請求をすることができ、割引依頼人が買戻さないときは同人の銀行に対する預金等と相殺すること、又割引依頼人の方から満期前の買戻を申出たときは銀行はこれに応じなければならず、未経過期間の利息を割引依頼人に返還する。又割引依頼人も銀行から手形割引によつて金を借りているものと考え右の如き銀行の取扱に対し抗議を申込むことは全然ないことにおいて軌を一にしているが、鑑定証人柿沼幸一郎は、契約条項にある場合は論外として、銀行における手形割引に際し消費貸借上の債権が発生する慣習の存在することを否定し税法上手形貸付と手形割引を別異なものに取扱われることにも触れておる次第であるし、銀行が今日の如き営業体制をとりはじめた頃より一貫して消費貸借を伴うものと考え且つ実務上取扱つてきたということは措信し難く、手形割引に消費貸借が伴うかどうかについて論じられてきたのは比較的近時の事象であり、経済上の面から把握された取扱において同一の融資方法である経済的機能に着眼して同一係で取扱い或いは同一科目中に組入処理していることを以て直ちに手形割引の法律的性質も手形貸付と同一であるものと即断することはできず、基本約定書は銀行の行う融資取引の全部について規律するものであるから一個の約定書で数個の種類の取引を規定して何等差支えなく、手形割引は本来の支払人（または振出人）の外に割引依頼人があつて支払を担保し安全度が高いからこれより銀行が取引を始めることは当然であり、銀行が割引依頼人の信用に重きを置くことは割引手形取引が頻繁多数になされ、手形支払人、振出人等の信用状況を一々調査する暇もない実情から見て当然のことであり、これが事由も一原因となつて手形割引において消費貸借を伴う特約又は買戻約款が附加される勢を助長したことはいえるが、直ちに手形割引に当然の消費貸借を随伴するものとはいえず、割引手形が不渡の場合手形金額に満期の翌日以後の利息を加算することは、後記認定の如く、いわゆる買戻請求権は実質的には手形法上の償還請求権に外ならぬ性質を有するもので、ただ特約により利率が割引料の利率によるものであると解するのがより妥当であり、又前記各証人は数通の割引手形中一通が不渡になつたときにおいてこの不渡事実が存し割引依頼人の信用が不良であつた場合直ちに期日前の手形をも含めて買戻請求ができる点において一致した証言をしているが、被告銀行新約定書第三条、富士銀行の約定書（乙第九号証）第一一条第二項、住友銀行の約定書（乙第一一号証）第六条によると、厳密にいえば右証言の趣旨は不渡手形がでた場合該手形の買戻を請求し割引依頼人がこれが買戻をしないとき期日前の割引手形についても買戻請求できるに至るものと解すべき点が窺われる。そもそも被告主張の如く手形割引の場合当然に消費貸借が成立しているものならば、期限到来を定めるだけで足り、他に何等の条件の成就を必要としないといえるし、又満期前に割引依頼人が割引手形の買戻を申し出たとき銀行がこれに応ずることは手形以外の債権を前提とするようにも考えられるが、後記認定の如く、銀行の約定書の規定方法の大勢からみて消費貸借を前提とすると解するよりも、むしろ銀行の有する買戻請求権（割引対価返還請求権）に対応する割引依頼人の買戻請求権か乃至は銀行が顧客の便宜のためにする奉仕と解する方がより妥当であり、未だ消費貸借の当然成立を裏付けるに足らず、

（ハ）成立に争いのない乙第六号証によれば、法務省が中小企業庁振興部金融課長に対する回答において、金融機関の行う手形割引の解釈について照会書添付の約定書により行われた手形裏書の方法による資金融通は、金融機関がこれを手形割引として処理している場合においてもなお中小企業信用保険法にいう「貸付」又は「借入」に該当するといつているが、問題となる照会書自体については立証なく、又この回答の趣旨は手形割引の経済上の機能が手形貸付と類似する金融界の実情に鑑み、中

小企業信用保険法の適用については特に手形割引をも同法の貸付に該当するものと解して政府の保険の対象とし、もつて中小企業者の依頼による手形割引を容易にすることが中小企業者に対する事業資金の融通を円滑にすることを目的とする同法の趣旨にかなうというにとどまり、一般的に手形割引が貸付に該当するものであるというのではないものと解せられ、

（ニ）成立に争いのない乙第七号証ノ一乃至九によるも手形貸付と手形割引の事務処理上の手続は相当類似しているが、手形割引による融資の場合も手形不渡の場合、手形貸付と同様に回収を図らねばならぬ以上自然銀行の取扱が両者同様となることは敢て異とするに足らず、第三者たる手形支払人（または振出人）関係欄の存否の外に割引手形稟議書（乙第七号証の一）には弁済方法欄が設けられていない（之に反し貸出稟議書（乙第七号証の二）には弁済方法欄がある）という面もあつて、消費貸借の成立を否定するまでの処理手続は存しないが、さりとて消費貸借の成立を認めざるを得ないという処理手続も存しない。

（ホ）又金融（割引）ブローカーの行う手形割引は売買であるが、銀行の行う割引はこれと異るという点については、両者間に前者は顧客との間に継続的に頻繁多数の取引をもたない傾向があり、後者はこれを持つのが常態であることにおいて差異のあることは首肯し得るとしても、銀行の行う手形割引の性質を消費貸借とする決定的理由と認めるに足らず、その他全証拠によるも、手形割引の本来の法律上の性質に反し、約定書を差し入れて行われる手形割引につき、事実たる慣習上の消費貸借が必ず随伴するものと認めるに足らない」（京都地判昭三二・一二・一一下級民集八・二三〇二）。

右判決は、銀行取引において商業手形の割引には必ず消費貸借が随伴するものであるとの被告銀行代理人の主張に答え、右主張の妥当性を否定したものであるが、その理由を整理すれば、次の如くなる。

（イ）約定書中の、法的欠缺ある手形についての割引依頼人の支払義務に関する特約（「拙者振出、引受又ハ裏書ノ手形ニシテ万一手形要件ニ欠缺アルタメ手形トシテ効力ナキ場合ト雖モ該手形面記載ノ金額及利息等支払ノ責ニ任シ可申候」）は、むしろ手形割引を売買と観念しての規定ともうかがわれる（ということは、おそらく、判例は、消費貸借契約が常に併存しておれば、銀行は消費貸借による債権を行使すればよいのであつて、わざわざ右のような特約を結ぶ必要はないはずだと考えているものと思われる）。

（ロ）　実際の銀行取引では割引手形取引が頻繁多数になされ、手形支払人、振出人等の信用状況を一々調査できない実情から、割引依頼人の信用を重視して、手形割引に消費貸借を伴う特約または買戻約款が附加される勢が助長されたとはいえ、このことから直ちに、手形割引に当然に消費貸借を随伴するとはいえない。

（ハ）　手形割引には、特約または慣習により常に手形買戻請求権が附着しているとしても、これは実質的には手形法上の償還請求権に外ならぬ性質を有しているのであつて、これをもつて消費貸借債権とみる必要はない。

（ニ）　数通の割引手形中、一通が不渡になつたときに、割引依頼人の信用が不良であれば、銀行は当該手形の買戻を請求し、割引依頼人がその買戻をしないときに、他の期日前の割引手形についても買戻請求ができる事実が認定されるが、手形割引の場合に当然に消費貸借が成立しているものならば、一通の手形の不渡事実の発生によつて、消費貸借債務の期限の到来を定めておけば足り、他に右認定事実のように、その不渡手形につき買戻請求をすることという条件の成就を必要としないはずである。

（ホ）　他の法律の解釈を基準にすることはできない。従つて、金融機関が手形割引として処理している場合が中小企業信用保険法にいう「貸付」または「借入」に該当するとしても、そのことから一般的に手形割引が手形貸付であるとはいえない。

（ヘ）　銀行内部での事務手続も基準にならない。すなわち、手形割引も手形貸付もその経済上の機能の同一性に着眼して同一係で取扱われ、あるいは同一科目中に組入処理されているとしても、このことを以て直ちに手形割引の法律的性質を手形貸付と同一であると即断できない。また、割引手形稟議書には第三者たる支払人（または振出人）関係欄が設けられているが、貸出稟議書にはこれがなく、また後者には弁済方法欄があるが、前者にはない。しかしこのことは消費貸借の成立を否定するまでのものではないが、さりとてその成立を認めざるを得ないというほどのものでもない。

以上の各理由によつて、本判決は、銀行の手形割引には常に消費貸借が随伴しているとの被告銀行代理人の主張をしりぞけた。

ところで、本件の対象となつた手形は、すべて複名手形すなわち手形割引依頼人が他より受取つて所持していたものに裏書して銀行に交付したものである。もつともそれが真実商業手形であるか融通手形であるかは明らかでない。このようにすでに取得している手形を裏書する場合に、それが手形の売買であるか、手形貸付であるかが、もつとも問題になるが、これに対し、単名手形すなわち融資依頼者がはじめて手形を銀行に宛てて振出す場合は、判例はすべてこれを手形貸付と認定している【17】【18】。

【17】「凡ソ手形ノ割引トハ通常手形ノ所持人カ其ノ受取リタル手形ヲ他人ニ裏書譲渡シ其ノ対価トシテ手形金額中ヨリ満期日ニ至ル迄ノ利息其ノ他ノ費用ヲ控除シタル残額ヲ得ル方法ニシテ手形ナル有価証券ノ売買ヲ目的トスル純然タル経済的用語ナリサレハ等シク手形ノ所持人タル場合ト雖モ単ニ自己宛ニシテ且自己支払人ト定メタル為替手形ノ振出人タル所持人又ハ約束手形ノ振出人為替手形ノ振出人引受人ノ商法第四百五十六条（現手一一条Ⅲ）ニ従ヒテ裏書ニヨリ取得シタル約束手形又ハ為替手形ノ所持人カ該手形ヲ更ニ対価ヲ得テ裏書譲渡スル場合ハ右手形ノ割引ナル観念ニ該当スルヤハ暫ク措キ取引上ノ実

際ニ於テハ経済上手形ノ売買ニ値ヒセサルモノト看做シ手形貸付即チ消費貸借ノ債権ヲモ併セテ発生セシムル方法ヲ取リ手形ノ割引即チ売買ノ方法ヲ取ラサルコトハ当裁判所ニ顕著ナルノミナラス本件ノ如ク被告カ右銀行ニ対シ単ニ約束手形ヲ振出シタルニ過キサル場合ニハ未タ被告カ右振出当時受取人タル同銀行ニ対シ割引ニヨリ売渡スヘキ何等ノ手形権利モ発生シ居ラサルカ故ニ理論上右手形ノ売買即チ割引アルヘカラス」（名古屋地岡崎支判昭一〇・五・一七新聞三八四九・一一）。

【18】「按スルニ普通銀行業者ノ為ス金融ノ方法ニ割引手形勘定（割引、荷為替、商業手形）ニ依ル方法ト貸付勘定（手形貸付、証書貸付、当座貸越）ニ依ル方法ノ存スル事実及普通銀行業者カ事務処理上ノ慣行トシテ叙上金融方法ノ異ナルニ従ヒ勘定元簿其ノ他関係帳簿ヲ異ニシテ取扱ヒ居ル事実ハ当裁判所ニ顕著ナルトコロニシテ本件金員ノ授受ハ普通銀行業者ノ所謂貸付勘定ニ属シ前記手形貸付ナルコトヲ認メ得ヘク他ニ右認定ヲ覆スニ足ル証拠ナシ」（那覇地判昭一六・一・三一民集二〇・九一九）。

ことに右判決中第一のものは、融資依頼人が初めて手形を振出す場合は、それが経済的用語としての手形割引に該当するかどうかは別として（社会通念上これをも手形割引とよぶことがあることについては【2】【3】参照）、振出当時受取人たる銀行に対し割引により売渡すべき何等の手形権利も発生していないのであるから、理論的には手形の売買すなわち割引ということはあり得ない、とする。しかし、融資依頼人と銀行との間に消費貸借を成立せしめることなく、銀行をして手形受取人としての権利を取得せしめ、その対価としての金員が手形振出人たる融資依頼人に交付されるという形での融資方法も、理論的には充分考えられる。しかし事実上は、単名手形による融資は、手形貸付と推定するのが、当然であろう。

(2)　銀行以外の取引　主として貸金業者との間の取引が判例上問題になる。従ってそこでの問題の実益が、多くの場合、割引料に利息制限法が適用されるか否かに存することもすでにのべたとおりである（九七頁参照）。これに関する判例も単名手形についてのものと、複名手形についてのものとに分れるが、複名手形に関しても、銀行取引におけるとは異なり、むしろ、消費貸借の存在を認定する傾向をうかがわしめる（ただし【13】は別）。

すなわち、ある判例は、いわゆる手形割引（複名手形であり、原告は商業手形と主張している）が消費貸借であるとの認定を引き出す基準として、手形所持人が貸金業者であること、および手形割引に当りこの者が公正証書作成費用を徴したことをあげている【19】。

【19】「従来一般に手形割引（手形貸付は論外）の性質につき論議せられ手形売買説が有力に説かれているが、全て手形売買であると決することは手形割引における当事者の意思表示を劃一的な型に嵌める嫌いあり当事者の明示或は黙示の意思を洞察するものでない。要は当事者の意思表示の重点が授受せられる金員を手形の代価に在りと観られるか、手形を担保としての金融に在りと観られるかに依つて決せらるべく前者は手形の売買、後者は消費貸借となるものであつて手形割引の夫々の場合に具体的に決せらるべきものと云わねばならない。尤も後者と観られる場合としても被割引者は手形不渡に至つて始めて割引者より履行を求められるものであることは否定できないが、この点は担保として提供せられるものが手形なる関係上その性質より当事者の意思において担保の提供そのものに予め被裏書者の債務弁済の方法が含まれているものと解されるから右の点は消費貸借の性質を害うものでない。しかしてここで考えられる点は手形割引が売買或は消費貸借と孰れとも積極的に認められる事情が窺われない場合どちらに認むべきかであるが、かかる場合には取引社会の実情よりして消費貸借と解するを相当とする。

ひるがえつて本件手形割引は右孰れに該当するかについて案ずるに原告の全立証に依るも手形売買なる事実を認むべき証左なく、なお当事者間に争のない原告は貸金業者なること及び本件手形割引に当り原告が公正証書作成費用を徴したことより本件手形割引は金銭消費貸借であると認めねばならぬ。右認定に反する甲第二号証（手形売買割引などに関する特約書）は債務者に厳しい且つ不合理な点を含む（例えば元本債権に対し内入金があつたときと雖も一応元本債権を表示して公正証書等を作成すること）特約書であつてその内容の全てについて債務者が約諾しているとは容易に認め難いものであるからこの文面中手形売買割引なる文言があるもこの点は措信できない」（名古屋地判昭三一・六・三〇下級民集七・一七三一、村本・金融法務事情一一二号五頁）。

その控訴審も、右認定を是認している【20】。

【20】「よつて右約束手形の割引の性質について審究せんに手形割引（手形証券の売買）と手形貸付との間には講学的、経済的に差異を存し、従つてこれに適用せらるる法規も亦相違すべきことは明なるところ、一般取引においては手形割引と手形貸付との間にしかく厳格なる区別をなすことなく往々これを混同し、手形割引と称しながらその実手形貸付を意味する場合も存し、その区別は一に当該当事者の意思の解釈にまつの外なきものと解すべきである（控訴人所説援用の田中誠二、並木俊守著新版金銭貸借一一三頁、昭和六年一月二十九日大審院判例 法律新聞三三三〇号一五頁参照）。されば本件約束手形の割引についてもその手形割引なる用語の故に控訴人所説のように直ちに手形貸付にあらずして言葉の意味通りの手形割引（手形証券の売買）となし難く、成立に争のない甲第一乃至第四号証によるも本件約束手形の割引が当然に手形割引（手形証券の売買）なるものとは認め難く、却つて成立に争のない乙第一号証、右甲第二、第三、第四号証の記載自体に弁論の全趣旨を合せ考えると本件約束手形の割引は当該約束手形の売買にあらずして手形貸付であることが認められ控訴人の提出援用にかかる全証拠によるも右認定を覆えすことができない」（名古屋高判昭三二・一・三〇判例時報一〇四号二四頁）。

なお、右の第一審判決は、一般的に（銀行取引たると貸金業者たるとを問わない意と思われる）、手形割引が売買あるいは消費貸借の何れとも積極的に認められる事情がうかがわれないときは、消費貸借と解するのが取引の実情にそうとしている。

右の点は、前述の判例【16】と対照的なものとして注目される。

またある判例では、問題の手形が形式的には複名手形ではあるが、その裏書人は割引依頼人の子会社であつて、保証の意味で裏書をしたにすぎず、従つて右手形は実質的には融通手形であつて、融資を受けるに当り、割引依頼人より金融業者に対し交付されたものである場合は、手形貸付と認定するのが相当であるとしている【21】。

【21】「被控訴人が金融を業とする者であることは当事者間に争がなく、右約束手形が控訴人において被控訴人から資金の融通を受けるについて、控訴人自身により、振出交付されたものであることは、弁論の全趣旨に徴し明白であり、しかも原審及び当審における被控訴人本人訊問の結果によれば、右手形の裏書人である訴外東光物産株式会社は、控訴会社の子会社であつて、保証の意味で裏書をなさしめたものであることが認められ、右各手形が控訴人と同会社との商取引の結果振り出された商業手形であることを認める証拠は一もない。して見れば、右手形の取引は、いわば手形自体の価値に基き、これを有償的に取得する手形割引ではなくて金融業者である被控訴人が、控訴人に対して融通した金銭について消費貸借上の債権を取得し、右債務確保のため右手形を差し入れさせたもの、すなわち手形貸付として交付されたものだと認定するのが相当である。尤も右取引において、「割引」、「割引料」、「割引率」等の言葉が使われ、被控訴人自身またかかる文字を記載した計算書を取引の都度控訴人に交付したことは、原審証人三井正弥、高橋清一の各証言及びその成立に争のない乙第一ないし第五号証によつて認めることができるが、これらの言葉が果たして経済上、法律上の正確な意味において使用されたかどうかは大いに疑わしいばかりでなく、手形貸付にあたり期間中の貸付金利息をあらかじめ控除する場合において、世上しばしば「手形を割引く」、「割引料を差し引く」等の言葉が使用される事実に鑑みれば、かかる言葉、文字が使用されたとの事実のみでは、前述の認定を覆すことはできない。原審及び当審における各証人及び被控訴人の供述中手形の割引をしたとあるのも、同様に解すべきである。また控訴人は、同様の取引において右（1）から（14）までの手形とともに被控訴人に交付された約束手形四十通が、被控訴人から裏書をなすことなく、引渡によつて第三者に譲渡された事実を挙げ（この事実はその成立につき当事者間に争のない乙第六号証から第四十五号証まで及び当審証人阿部勇の証言によつて認められる。）、右手形取引が手形割引である証拠であると主張するが、手形貸付においても、貸主は更に該手形を他に譲渡することは敢て異とするに足りず、その場合裏書によるか、単に引渡のみによるかは、当事者の時宜によつて決すべきところであるから（金融業者が手形上表われることを好まない場合には、自身裏書をなさず、引渡のみによる。）右の事実も、前記認定を左右するに足りない」（東京高判昭二八・七・一〇下級民集四・一〇・四七）。

また利息制限法の適用の有無に関するものとしてすでに引用した大審院判例【12】は、単名手形による貸金業者の融資取引について、手形割引と認定した原審を破棄して、消費貸借の存在を認めたものであるが、その理由として、手形金額には振出の日より利息を付すべきものでないのに、本件の手形では振出の日より一割の利息を付すべきことを約していたことをあげている。

しかしまた、銀行以外の者（金融業の免許を受けていない。しかし実質的に金融業を営んでいた者かどうかは不明）との手形取引であり、被告（裏書人）は振出人の金融援助のために、原告（貸金業者）に手形割引による金員貸借を求め、その借用金返済のために、本件手形を原告に裏書譲渡したと主張したのに対し、判例は、消費貸借債務の支払確保のために裏書されたことを認める証拠はないとして手形の売買を認めた例がある【13】。これなど、手形割引を認定するためには、特に積極的な根拠を要求していない（本件手形が商業手形であるか、融通手形であるかの認定もない）ところより見て、むしろ、複名手形の裏書は原則的に手形売買と推測する立場に立つているものかとも思われる。

（五）　手形買戻請求権

手形の割引に関連して、実務上、重要な問題を提起しているものに、手形買戻請求権がある。その重要性にもかかわらず、従来、学説によつて論じられたことがほとんどなかつたが、最近にこれをとりあつかつた一下級審判決が現われた【22】。そこで、先ず、次に、同判決の、手形買戻請求権に関する部分の全体をかかげ、続いて、そこに含まれている問題について、諸家の説を参照しつつのべることにする。

【22】　「（【16】に続いて）次に被告主張の買戻請求権（割引対価返還請求権）の存否について按ずる。

（1）特約に基く買戻請求権については成立に争いのない乙第一号証（被告銀行旧約定証―河本）を仔細に検討しても買戻を明言する条項なく、同号証第二項、第六項（何れも後出―河本）の規定も買戻請求権を前提としてのみ理解し得るという程のものでなく、証人野崎政之助、同野崎正三（第一、二四）、同坂田喜一の各証言によるも、訴外会社の被告との取引において明示的に買戻請求権が特約せられたことを認めるに足らず、その他全証拠によるもこれを認めることができないので特約のみに基いて発生する買戻請求権の存在を肯定することができない。然しながら、

（2）約定書と手形割引における銀行取引上の慣行を綜合して考えてみるに、

（イ）成立に争いのない乙第一、第二号証、第九乃至一二号証、証人野崎正三（第一、二回）、同坂田喜一、同村田澄夫、同岩田準平、同片岡音吉、同金矢浩一、同三辺正雄、同松平淳、鑑定証人安原米四郎の各証言を綜合すれば、訴外会社が被告に差し入れている旧約定書（乙第一号証）には、第二項に「拙者ノ貴行ニ対スル債務中履行ヲ怠リタルモノアル場合ハ勿論貴行ニ対スル拙者ノ金銭債権ハ総テ拙者ノ貴行ニ対スル金銭債務悉皆ニ対シ右債権債務ノ期限如何ニ拘ラス又拙者ヘノ通知ヲ要セスシテ差引計算被成下候共異議無之候」、第六項に「拙者カ貴行ニ対シテ負担スル総テノ債務ノ中何レノ債務ニテモ其履行ヲ怠リタルトキハ他ノ一切ノ債務ニ付期限ノ利益ヲ失ヒタルモノトセラルルモ異議無之候」という程度の約定がなされているにすぎないが、被告銀行が昭和二五年秋頃より使用している新約定書（乙第二号証）には、旧約定第二、第六項同旨の規定ある外第三項には「私が割引を依頼した手形の支払人其他の手形関係人で支払を停止し又は停止する虞があるとお認めの場合には御請求次第買戻致すべく若し私が之に応じない時は手形期日前であつても前項（新約定書第二項を指し旧約定書第二項と同一趣旨である）に準じて御取扱になつても異議ないこと」と記載されるに至つており、富士銀行使用の約定書（乙第九号証）においては第一一条第一項に被告銀行旧約定書第二、第六項同趣旨の規定ある外同条第二項に「手形割引依頼人（借主）は前項所定の一定の条件該当事実が手形支払人（または振出人）に生じたときは御請求次第買戻をする。若し不履行の場合には手形期日前でも債務不履行の場合に準じ取扱われても異議ない」旨の約定がなされており、住友（旧名大阪）銀行使用の約定書（乙第一一号証）においては、被告銀行旧約定書第二、第六項に「当方が割引を依頼した手形が不渡になつたときは如何なる場合も手形額面に相当する金額を当方で弁償する」「当方が割引を依頼した手形の支払人に支払を停止すべき状況があると貴行で認められたときは同人の振出、引受又は保証した手形は貴行からの請求により当方で直ちに買戻をする」

旨の約定を、第一銀行使用の約定書（乙第一二号証）においては、第七条に被告銀行旧約定書第二、第六項類似の条項がある外第二条に「貴行から手形割引を受けた場合、支払人その他の手形関係人が、引受若しくは支払を拒絶したとき、支払を停止したとき、又は支払不能と貴行において認めたときは、法定手続の有無にかかわらず、又、手形期日前であつても、請求あり次第直ちに手形金額、利息、費用等を償還すること」という約定がなされており、銀行法に基き設立せられた銀行、少なくとも被告銀行、及び富士、三井、住友、第一の各銀行においては、割引手形が不渡になつたときは銀行は必ず遅滞なく割引依頼人に対し該手形を買戻すことを請求し、割引依頼人は直ちに買戻に応じており、この場合割引依頼人が銀行に支払うべき金額は最近においては手形金額に満期日の翌日から買戻の日までの割引料と同利率の利息を加えたものであり、銀行においては手形法上の遡求権は割引依頼人が前者への遡求のために遡求権の行使を銀行に依頼した場合のような例外の場合以外は行使しておらず、数通の割引手形の中、一通が不渡になり、他の数通の手形が満期前の場合割引依頼人に信用があるときは不渡手形についてのみ買戻の請求をするが、割引依頼人に信用がないときは、他の期日前の手形全部についても買戻請求をすることができるものとしている事実（前記各証人等は単に割引依頼人の信用良好の場合は当該手形についてのみ、同人の信用不良の場合は他の期日前の手形についても買戻請求をする、但し他の期日前手形が有力な大会社の振出手形（支払手形）で絶対確実なものであれば、別の処置をとることもある旨述べているが、満期前買戻請求について単に不渡手形あるのみで足るか或いは割引依頼人が不渡手形の買戻に応じないことを要するかについては後に詳述する）及び被告銀行においてはかかる満期前買戻請求権行使の実例が被告銀行員岩田準平の知るものだけでも昭和二五年八月頃から同二九年二月頃までの間に四例存している事実があり、而してこの場合の買戻金額は手形金額と同一と観念し、未経過期間分の利息（割引料）は銀行から割引依頼人に返還するという取扱であり、又期日前の手形につき割引依頼人の方から買戻請求をなした場合は銀行は原則としてこれに応じており、この場合も最近は未経過期間分につき割引料と同利率による金額の返還を割引依頼人に対してなしていること、割引依頼人が不渡手形を買戻した場合は同人の承諾を得て留置しない限り銀行は免責裏書等をして手形を返還していることが認められ、他方割引依頼人においてもこれが取扱につき不審なく現実に了承し、訴外会社においてもこの銀行実務上の取扱に格別の疑義を挟むこともなく取引をしていたことが認められ、これらの取扱は約定と慣行の相互影響の間に形成されてきたものであると理解される。

而して右買戻請求権の法律的性質は手形上の厳格な満期前遡求要件欠缺の場合を救い、手形割引における依頼人信用重視の要請に応じ法定の満期前遡求以外に満期前の権利行使を可能にし、法定利息の制限を離れて割引料利率を以て一率に規律せんとする諸要請から生れた点、買戻請求時期の如何にかかわらず満期日の翌日から約定利息が発生する取扱である点、手形割引の解除の如き構成をとつていない点等から考えても、買戻という用語が形成権を思わせる嫌があるが、その実体は形成権でなく手形法上の遡求権と同様の請求権と解せられる。而して右は銀行と顧客との間に事実たる慣習として広く行われて来たものであり、本件当事者間においてもこの慣習による意思があつたものと推認するのが相当である。

(ロ)そこで更に訴外会社と被告銀行との間におけるいわゆる買戻請求権を検討するに、成立に争のない乙第一、第二、第八号証、証人野崎正三(第一、第二回)、同坂田喜一、同村田澄夫、同岩田準平の各証言及び前段認定の結果を綜合すれば、新約定書(乙第二号証)の未だ使用されていなかつた時期における訴外会社と被告銀行の割引依頼手形が不渡になつたときは、被告は訴外会社に対し直ちに電話又は口頭で買戻すことを、訴外会社が手形交換所において取引停止処分を受けた昭和二五年六月一六日以前は必ず請求しており、訴外会社はこれに対し小切手或いは現金をもつて手形金額に満期翌日以後の利息を付加して買戻してきており、又被告銀行の旧約定書使用当時と新約定書使用当時の取扱の間に格別の差異も存せず旧約定書時代より期日前買戻の請求も行われており新約定書第三項の規定は重大な規定であるが、この規定内容は既に被告銀行の慣行として確立されていたものを明らかにしたものに過ぎないものと認められる。

されば訴外会社依頼の割引手形のうち一通が不渡となり被告がこの買戻を請求した場合において、若し訴外会社がこれを買戻さなかつたときは他の期日前の割引手形も買戻を請求される対象になり、不渡手形の買戻請求権と期日前手形の買戻請求権の法律的性質について別異に考える特別の必要もないので、その性質は割引依頼人(訴外会社)が不渡手形の買戻請求を受けながら買戻をなさずに指定期間を徒過することにより指定期日なきときは取引通念上相当と認められる期間を徒過し、或は買戻さない旨の意思を表示したときに発生する満期前の遡求権と同様の請求権と解されるから、満期前の割引手形につき成立する買戻請求権は右発生時より旧約定書(乙第一号証)第二項にいう「拙者ノ貴行ニ対スル金銭債務悉皆」中に含まれるものとなり、この請求権の金額は不渡手形については手形金額に割引率による利息を付加したもの、期日前の手形については手形金額から割引率による未経過期間割引料を減じたものと解され、他に右認定を覆えすに足る証拠がない。

(3)而して証人野崎正三(第一、二回)、同坂田喜一の各証言によれば、別表第四目録記載中の(一)乃至(六)の約束手形につき夫々昭和二五年五月一日、五日、一〇日、一五日、二〇日、二二日或いはその各直後頃被告銀行がこれらの手形の買戻請求をなしたこと及び訴外会社はこれが買戻をしなかつたことが認められ、他にこれが認定を覆えすに足る証拠がなく、同月二九日は右各買戻請求の日より取引通念上の買戻期間経過後の日であると解せられるので、原告主張の債権差押通知書三通が被告方に到達した昭和二五年五月二九日においては既に被告は別表第四、第五目録記載の三通の約束手形につき買戻請求権を有していたものといわなければならない。

三、次に被告のなした相殺の効力について按ずる。

(――判決は被告銀行が手形を返還せずに右買戻請求権を自働債権としてなした相殺の効力を判断するに当り、まず一般に手形債権を自働債権としてなす相殺が有効なためには手形の交付が必要なこと、および銀行が割引依頼人の承諾の有無にかかわらず、相殺に供した手形をなお留置する慣習の確立していないことを判示した後――河本)尤も本件に於ける相殺の自働債権はいわゆる買戻請求権であることは前に説明した通りであるけれども、この権利の性質は満期前遡求の要件を緩和した手形償還請求権と同様のものであることは既に縷述した通りであるから、これを自働債権として相殺する場合でも純然たる手形債権で相殺する場合と同様債務者が他日悪意又は重大なる過失なくして手形を取得した第三者から手形金を請求される危険があることに変りなく手形の授受なくして相殺することができないものと解釈される。

されば相殺に当り手形の交付のないことは勿論、弁論の全趣旨より手形の呈示もなかつたことが認められる本件において、被告がなした手形金額全額についての相殺行為は訴訟上の防禦方法としての相殺の意思表示その他の主張のない本件においては原被告間に争ある部分につていはその効力なきものといわざるを得ない」(京都地判昭三二・一二・一下級民集八・二三〇二)。

(1)　権利成立の根拠　手形買戻請求権は取引約定書中にこれを明定するものが多い。その実例は右判決中にも引用されている。もつとも表現は必ずしも一定しておらず、買戻という言葉を使つているものもあるが、「手形金額を弁償する」あるいは「償還する」という用語を使用しているものもあることは、これまた右判決引用の約定書例から明らかである。なお、手形買戻請求権について明文の約定がなくとも、事実たる慣習としてこれを認めうると、右判決が判示していることは注意されねばならない。

(2)　権利の当事者　権利者は手形割引人たる銀行であり、債務者は手形割引依頼人である。なお手形貸付による債権者たる銀行が、その債務者たる取引先に対してもこの権利を取得しうるかについては、後にこの権利の法的性質についてのべるところで考察する。

(3)　権利の内容　満期後の買戻にあつては、取引先は銀行に対し、手形金額に相当する金額および満期の翌日から買戻の日までの遅延利息を支払わねばならない。そして遅延利息の利率は、割引料と同率か、またはその他の特約利率によるものとされている。満期前の買戻（買戻請求権に満期前のものと満期後のものとがあることについては、直ぐ後の説明参照）にあつては、逆に未経過分の利息を銀行が取引先に返還する。なお、約定書中には明定されているものはすくなく、また右判決もふれていないが、銀行は、右にのべた金額のほかに、費用（手四八I3参照）をも請求しうると解すべきであるとの説がある（水田・金融法務事情一三六号二〇頁）。賛成すべきものと思う。

このように、法定利息の制限（手四八I2）をはなれて、一律に割引料率で利息を算定しうる点に、実際上、銀行が法上の遡求権を行使せずに、手形買戻請求権を利用する一つの理由がある。

(4)　権利の種類

（イ）　経済的欠陥ある手形の買戻請求権と法律的欠陥ある手形の買戻請求権　右判決中においては経済的欠陥ある手形の買戻請求権が問題になつている。すなわちそこに引用されている約定からも明らかなように、当該手形の支払人その他の手形関係人に、支払停止その他信用を損ずる事実が認められたときに生ずる買戻請求権のことである。しかし買戻請求権にはそれ以外に、銀行が取得した手形に法律的欠陥がある場合、すなわち手形債務が時効または手続の欠缺によつて消滅したり、あるいは手形要件の欠缺のために手形として無効なときに、さらには、手形が不可抗力により又は郵送中紛失あるいは滅失したときに、除権判決等法律上の手続を経ずとも、取引先が手形金額、満期日以後の延滞利息および諸費用を支払う義務を負うとの形で約定されているものがある（水田・金融法務事情一六五号二〇頁）。

（ロ）満期後の手形買戻請求権と満期前の手形買戻請求権　満期において手形が支払拒絶されたときに、厳格な法定の権利保全手続（手五三条）をふまずとも、銀行は取引先に対し前述の金額の求償をなしうる点に、この権利の第一の効用がある。しかし満期前の手形についても、その支払人あるいはその他の手形関係人に信用悪化の事実が生じたときには、手形期日前でも、銀行は割引依頼人に当該手形の買戻を請求しうる点に、この権利を特約する重要な意義がある。すなわち約束手形の満期前遡求は、手形法上は、振出人の破産、支払停止あるいは強制執行の不奏効を原因としてのみ認められるにすぎない（大隅・河本・三九四頁）。しかし現実にはいまだ右のような事実が発生していなくとも、手形の支払の確実性が下落する場合がある。この場合に銀行をして、割引依頼人に対し求償権を取得せしめる必要が、本権につき約定のなされる実際上の理由の一つである。

（ハ）数通の割引手形中一通につき買戻請求権成立の原因が生じたことにより他の割引手形について成立する買戻請求権　前述のところは、すべて、特定の手形につき、支払の確実性が低下したために、その手形を買戻すべき義務を割引依頼人が負担する場合に関する。これに対し、ある取引先の依頼に応じて銀行が数通の手形を割引いている場合に、その中の一通につき買戻請求権が発生した場合に、他の手形全部につき成立する買戻請求権がある。これは、銀行がその取引先との取引を一切終了せしめようとする場合に、決済のために使われる買戻請求権といわれる（水田・金融法務事情一六五号二〇頁）。右判決中にも、「数通の割引手形の中、一通が不渡になり他の数通の手形が満期前の場合、割引依頼人に信用があるときは、不渡手形についてのみ買戻の請求をするが、割引依頼人に信用がないときは、他の期日前の手形全部についても買戻請求をすることができるものとしている事実」が認定されている。そしてこの判決の対象となつた買戻請求権は、まさにこの種のものであつた。すなわち、三三通の割引手形の中、六通が満期に不渡になつたが、被告銀行はこれらの手形の満期たる昭和二五年五月一日、五日、一〇日、一五日、二〇日、二二日にあるいはその各直後にこれらの手形の買戻請求をしたが、割引依頼人はこれが買戻をせず、相当の期間（同月二九日）を経過したため、残りの全通の手形についても買戻請求権の成立が認められた。

なお、この買戻請求権の成立には、手形法所定の権利保全手続をふむことが必要でないことはいうまでもない。

満期前の手形の買戻のうち、特定の手形につき、その支払確実性の低下の故にこれを買戻さしめる場合の原因については、各約定書中に種々な用語で表現されている。右判決中に引用されているものについてみても、「私が割引を依頼した手形の支払人其の他の手形関係人で支払を停止し又は停止する虞があるとお認めの場合」、「当方が割引を依頼した手形の支払人に支払を停止すべき状況があると貴行で認められたとき」、「貴行から手形割引を受けた場合、支払人その他の手形関係人が……支払を停止したとき、又は支払不能と貴行において認めたとき」等が見出される。

(5)　権利の成立時期　ところで、成立の原因は右のようなものであるとして、取引先の支払義務の成立の時期に関しては問題がある。なお、成立の時期は、実際上は、買戻請求権と取引先が銀行に対して有する債権との間の相殺適状が何時成立するかに関連して、重要な意義を持つ。けだし、例えば、右買戻請求権の成立時期が、受働債権たる取引先の銀行に対する預金債権につき差押通知が銀行に到達した時の前であるか後であるかによつて、銀行の買戻請求権を自働債権とし、預金債権を受働債権とする相殺が有効かどうかがきまるからである。

右判例がこの点についてどう考えているか、必ずしも明確でないが、学説中には、満期後の買戻については、不渡事実によつて直ちに取引先の支払義務が成立することを認めながら（一二三頁参照）、満期前の買戻にあつては、銀行の意思表示（買戻請求）によつて、初めて、取引先の支払義務が成立すると解すべきであるとするものがある（水田・金融法務事情一六五号二一頁）。その理由として、満期前の手形の買戻については、銀行の裁量の余地の広いことをあげる。すなわち手形支払人の信用悪化といつても、その程度には種々の段階がある。どの段階に至つて買戻を請求するかは、銀行の裁量に委ねられているとみるべく、ことに信用悪化の事実が手形の支払人でなくて保証人について生じたにすぎないような場合は、むしろ裁量が認められないと銀行にとつて不自由であるから、取引先の支払義務は、銀行がその裁量に基いて買戻請求をしたときに生ずると解すべきであるとする。

しかし、この考えは、後に見る如く（一二三頁参照）、手形の買戻を、手形債権の売買の解除と解する立場を前提としていることに注意せねばならない。すなわち、この立場では、買戻の効果が発生すると、それによつて銀行は取引先に対し代金返還請求権を取得する代りに、手形債権は完全にその取引先に復帰してしまうのである。そこでこの立場からは、どの手形関係者たるかを問わず、またその程度のいかんを問わず、信用悪化の事実が生じた場合には、一律に買戻の効果が生ずるとすることは必ずしも銀行に利益でないことはいうまでもない。

しかし買戻請求権というものをこのように考えずに、特約ないし慣習に基く、遡求権類似の金銭支払債務（右判決はこのように解している、一二六頁参照）と解するならば、この点の心配はない。そしてこの心配がなければ、できるだけ簡単な手続でもつて、その成立を認めるのが、この権利を生み出した実際上の必要によりよく合致するであろう。しかし銀行の利益をよう護する余り、取引先ないし第三債権者の利益が不当に害されてはならない。故に、手形法上満期前の遡求権が成立すべき場合、すなわち支払人につき破産、支払停止あるいは強制執行の不奏効の事実が発生したときは（手四三、七七Ⅰ4）、手形買戻請求権に基く支払義務も、当然に成立すると解してよいであろう。また、手形の買戻を手形売買の解除と解しない限り、右と同様の事実が、支払人以外の手形関係者につき生じた場合にも、同様に解してよいと思う。しかし、破産、支払停止あるいは強制執行不奏効というような客観的に明確な事実は別として、前掲の各約定書中には、本権の成立すべき場合として、銀行が支払人その他の手形関係人の信用が悪化したと認めた場合というのが定められている。これは銀行が一方的に主観的に認定するものであるだけに問題であると思う。銀行がその内部でこうと認定しさえすれば、それで取引先の支払義務が成立するというのでは、取引先は何時自己の債務が成立したかを知りえず、それだけ買戻の時期を遅れしめられることになる。またこのように不明確な事実に、取引先の支払義務の成立がかからしめられては、第三債権者の利益の害されることもはなはだしいであろうと思われる（買戻請求権を自働債権としてなす相殺の場合を考えて見よ）。したがつて、この場合には、銀行の意思表示（買戻の請求）が取引先に到達したときをもつて、取引先の支払義務成立の時点とすべきであろうと思う。

最後に、数通の割引手形中一通でも不渡手形が発生した場合に、他の全通につき成立する買戻請求権の成立時期については、右判決が詳細に論じている。すなわち同判決は、他の手形について取引先の支払義務が発生するためには、単に不渡手形が生じたのみで足るか、あるいは取引先が銀行の不渡手形買戻の請求に応じなかつたことを要するか、の問題を自ら提起した後、結局、次のように判示している。すなわち、割引依頼人が銀行より不渡手形の買戻請求を受けながら、その買戻をせずに指定期間を徒過するか、指定期間のないときは取引通念上相当と認められる期間（具体的日数については前掲判決参照）を徒過するか、あるいは買戻さない旨の意思を表示したときに発生する、という。

これに対し、前述の満期手形の買戻につき、銀行の意思表示によつて初めて取引先の義務が発生すると解する説が、この場合にも同様に解することはいうまでもない（水田・金融法務事情一六五号二一頁）。

しかし私は一通の手形が不渡になれば、それで当然に他の全通につき取引先の支払義務の成立することを認めてよいと思う。これを認めても、買戻を売買契約の解除と見さえしなければ銀行には何の不利益も生じない。またこの判決中にも引用されている銀行側の証人の「但し、期日前手形が有力な大会社の振出手形（支払手形）で絶対確実なものであれば別の措置をとることもある」というのも、取引先の支払義務の成立そのものに関する言とみる必要なく、すでに成立する取引先に対する金銭支払請求権の行使に関し、銀行の有する裁量権についてのべたものと解すればよいと思う。したがつて、私は、本権の成立に銀行の意思表示を必要とするとの説にも賛成できないし（大隅・河本、二八六頁は賛成している）、また、判例の本権の性格に関する基本的見解には同調しながらも、その成立につき、右のような条件を付することには、これまた賛成できない。

(6) 権利の法的性質

手形買戻請求権の法的性質については次のような種々の説があつて、いまだ定説とみるべきものがない（橋本「割引手形買戻の法律的性格」手形研究一巻一号参照）。

（イ） 債権の売主の担保責任と解する説　この立場は、手形買戻請求権の特約につき「割引かれた手形が事故手形で期日に不渡になつたような場合には、銀行は依頼人に手形の買戻を請求できる。このことは、債権の売主の担保責任（民五六九）、売主の瑕疵担保責任（民五七〇）の規定上当然であるが、銀行は特約でこのことを明らかにしているのが普通である」という（井上・金融法務事情六五号六頁）。しかし右の説明には正しくないところがある。すなわち民法五七〇条は債権の売買には適用なく、また債務者の資力についての売主の担保責任（民五六九）は、当然に認められるのではなく、売主が特に担保した場合にだけ生ずるものである（我妻・債権各論中巻一・二九二頁）。もつとも割引依頼人は手形債権の売主として、手形債務者の資力を特に担保したとみれないこともないであろうが、この場合には、買主たる銀行はまず手形債務者に請求し、資力が不足で充分の弁済を得られないときに、そのことを証明して、売主に対して損害賠償を請求することになる（我妻・前掲書二九三頁）。しかしこれでは満期前の手形の買戻請求権を説明することがことに困難である（橋本・前掲論文参照）。

（ロ）売買契約の解除と解する説　この説は、手形買戻の特約によつて、銀行が手形割引すなわち手形売買の解除権を留保したものとする（水田・金融法務事情一六五号二一頁、小橋・経済新法令昭三三年四月号三〇頁）。したがつて、この説では、銀行による解除権の行使によつて手形権利は当然に割引依頼人に復帰し、他方割引依頼人は、現状回復義務として、受取つた手形代金の返還義務を負うことになる。このように約定解除権の留保と解する以上、手形割引依頼人の支払義務が成立するためには、常に解除の意思表示が必要である。そしてまた、満期前の手形の買戻に当つては、買戻さしめるかどうかについて銀行をして裁量の自由を有せしめるのが妥当であるから、取引先の支払義務が、銀行の解除の意思表示によつて初めて成立するということは、かえつて都合がよいというであろう（一一九頁参照）。しかし他方において、この説は、満期後不渡になつた手形の買戻については、取引先の支払義務は、手形の不渡という事実によつて当然に成立するとしていること（一一九頁参照）に注意せねばならない。不渡事実の発生によつて当然に取引先の支払義務が成立するということは、不渡事実を解除条件とした売買契約が、手形割引に当り締結されていたとみることに外ならないであろう（我妻・前掲書一四六頁参照）。これでは、満期前の手形買戻と満期後のそれとの間に、説明として理論的統一性を欠くに至るのではないかと思われる。

それというのも、売買契約解除説では、解除によつて、手形権利が手形割引人に復帰してしまう故、一律にこの結果を発生せしめては、満期前の手形の買戻に当つて、銀行側に不利な結果を生じかねないため、ここでは、取引先の支払義務の成立時期につき、満期後の買戻とは異なつた取扱をせざるを得なかつたものと思われる。しかしこのように、一方において、取引先の支払義務を成立せしめるためには、他方において、銀行の有する手形権利を取引先に復帰せしめなければならないというのでは、せつかく、特約によつて、手形遡求権にまさる有利な権利を、銀行側に取得せしめようとしている実際上の必要に、充分に適合しえないのではないかと思われる（橋本・前掲論文二六一―二七頁参照）。

それに売買契約の解除とみれば、取引先は、本来ならば、代金受領のときすなわち割引のときから利息をつけて返還しなければならない（民五四五Ⅱ）のに、手形の買戻にあつてはそのような取扱いになつていない（一一六頁参照）。もつともこの点は、特約によつてそうなつているのであるといわれるかも知れないが、そういわなければならないことが、むしろ、解除説の必ずしも適当でないことを示すものと思われる。

しかし、解除によつて代金返還請求権は割引の時に遡つて成立するという結果になることは、これを自働債権としてなす銀行の相殺の効力の点で、銀行をして非常に有利な地位に立たしめるという利点をもたらすことを否定できない（橋本・前掲論文二六頁参照）。

なお、この立場は、手形割引によつて手形の売買が行われ、かつ売買代金が現実に取引先に交付されていることを前提とする故に、実際の約定中に時にみられるように、消費貸借を併存せしめつつ、しかも手形の買戻を定めているのは、全く無意味であるということになる（水田・金融法務事情一六五号二〇頁）。

（八）　再売買説　これはさらに分れて、売買の一方の予約（民五五六）と見る説と、停止条件付再売買契約説とに分れる。

(a)　売買一方の予約と見る説　手形の買戻約款を、売買一方の予約（民五五六）とみ、したがつて、完結権行使者である銀行の意思表示によつて再売買契約が成立する。そして銀行は取引先に対し手形権利を譲渡すべき義務を負い（再売買契約の成立によつてはまだ手形権利は取引先に移転しない）、取引先はその代価の支払義務を負う、と解するものである（島谷六郎・金融法務事情一三二号一四—一五頁、もつとも同氏はこれを自己の説として主張していられるのではなく、一つの考え方としてあげていられるように思われる）。

(b)　停止条件付再売買契約説　一定の条件（期限利益喪失条項中に列挙されているような事実）が成就したときに、当然に再売買契約が成立するとする説である（島谷・前掲論文、これも同氏は自己の説として主張されるのではないようである）。（ａ）（ｂ）両説の差は、前者にあつては、取引先の支払義務が成立するためには、銀行の完結権の行使の意思表示が必要であるのに、後者にあつては、かかる必要がなく、一定の事実の発生とともに、当然に取引先の支払義務が成立する点にある。したがつて、それだけ銀行にとつては、後説が有利であるとされる（橋本・前掲論文二八頁）。

(a)(b)の何れの立場であるかを問わず、およそ手形の買戻を再売買とみることに対しては、次のような批判がなされている。すなわち、経済的欠陥ある手形の買戻の場合はともかくとして、法律的欠陥のある手形あるいは喪失手形の買戻（一一六頁参照）をも含めて統一的に説明するとなると、再売買説は適当でないといわれる（水田・金融法務事情一六五号二一頁）。確かに、これらの手形を売買の対象と考えるのは、合理的な取引観念にそぐわないものと思われる。

（二）　手形法上の遡求権と同様の請求権と解する説　前掲の京都地裁判決のとる立場である。すなわち、「買戻請求権の法律的性質は、手形上の厳格な満期前遡求要件欠缺の場合を救い、手形割引における依頼人信用重視の要請に応じ、法定の満期前遡求以外に満期前の権利行使を可能にし、法定利息の制限を離れて割引料利率を以て一律に規律せんとする諸要請から生れた点、買戻請求時期の如何にかかわらず満期日の翌日から約定利息が発生する取扱である点、手形割引の解除の如き構成をとつていない点等から考えても、買戻という用語が形成権を思わせる嫌があるが、その実体は形成権でなく手形法上の遡求権と同様の請求権と解せられる」とするものである。

この立場では、取引先の負担する金銭支払義務は、売買解除説における代価の返還義務でもなく、また再売買説における売買代金支払義務でもない。それは、手形法上の遡求権と同様な単純な金銭支払債務を、特約によつて生ぜしめたものと解するものと思われる。

このように、手形買戻請求権を単純な金銭支払請求権と解すれば、銀行は手形権利を失うことなく、この権利を取得することができる。

買戻請求権に基く取引先の支払義務を、右のようなものとしてとらえることに対しては、賛成説（平峯・金融法務事情一六三号五頁）もあるが、反対説もある（水田・金融法務事情一六五号一九頁）。右反対説は、右判決がこの権利を手形法外の権利と認めながら、かかる「手形法外の権利と手形法上の権利とに類似性を認め、一方に適用する法規を直ちに他方に援用しようとする態度は、方法論的に疑問を免れないであろう。手形法上の遡求権は、もともと、債権の売主の担保責任（民五六九）を手形法的に昇化したものにほかならないのであるから、同判決が、手形買戻請求権の性質を手形法上の遡求権と比較する位なら、むしろ、民法上の債権の売主の担保責任と比較すべきであつたろう」という。

しかしこのような批判があるにもかかわらず、私は判例の立場に賛成したく思う。なるほど、右反対説のいう如く、手形法上の遡求権は債権の売主の担保責任を手形法的に昇化したものであることには間違いないが、その昇化された結果として、両者はその現実の機能において大きな差異を示している。すなわち、遡求権にあつては、引受拒絶あるいは支払拒絶等の事実によつて直ちに（拒絶証書作成の問題は別として）、これを行使しうるが、民法五六九条により、債権の売主の担保責任を問うには、買主はまず債務者に請求し、資力が不足で充分の弁済を得らないときは、そのことを証明して、売主に対して損害賠償を請求するほかないのである。そして買戻請求権を、この点で、債権の売主の担保責任に比することの できないことはすでにのべたとおりである（一二二頁参照）。したがつて、買戻請求権を債権の売主の担保責任に比することは、制度の精神的えん源をさぐる意味でならば別として、実際の機能の点では、むしろ真相を誤まらしめる恐れがあると思う。そして、売買解除説、再売買説が何れも、この権利の実態の説明に必ずしも充分に適合しえないこと前述のとおりである以上、この権利は、正に、手形法上の遡求権に類似した、しかし銀行にとつてはそれよりはるかに有利な、単純な金銭支払債務を、手形外の特約によつて裏書人に負担せしめたものという外ないと思う。

買戻請求権に基く取引先の支払義務を判例の如く解するならば、この義務は、手形の売買としての固有の意味での手形割引についてのみならず、手形貸付についても、その成立を認めうる。これに反し買戻を売買の解除、あるいは再売買と解するならば、どうしても手形の売買としての手形割引を前提にしてのみ、買戻請求権の成立を認めうるといわねばならない。故にその立場からは、手形授受の際に、消費貸借が同時に成立するとしながら、同時に買戻請求権について約定する如きは、全くの矛盾、混乱といわねばならないことになる（水田・金融法務事情一六五号二〇頁）。

しかし、買戻請求権に基く取引先の支払義務を、特約によつて裏書人に負担せしめられた単純な金銭支払債務と解するときには、この権利は手形貸付とも理論的には矛盾なく結びつきうる。ただ実質的には消費貸借債権に期限の利益喪失約款を付したのと余り差はないということになる。

(7) 権利の行使方法　上述の買戻請求権の法律的性質は、この権利の行使方法に関連して実際上の意義をもつ。これを手形法上の遡求権と同様の請求権と解する右判例は、その権利行使の方法、ことに本権を自働債権とする相殺の方法においても、遡求権と同様の原則に服さしめようとする。すなわち、右判決は、手形債権の行使に当つては、手形の交付と引換でなければ（全額弁済の場合）、債権者は弁済を受けられないところより、手形債権を自働債権としてなす相殺は、手形を債権者に交付しなければ、その効力を生じないとの原則（この点の詳細については、大隅・河本二五九、三二二頁参照）を、手形買戻請求権にもそのまま適用しようとする。

右の判例の考え方に対しては、反対説が少なくない。しかし、手形買戻請求権というような手形法外の権利と手形法上の権利との類似性を認め、後者に適用ある法規を直ちに前者に適用しようとする判例の態度は、方法論的に疑問であるとして、基本的立場において反対する説も、取引先の支払義務と銀行の手形交付義務とが、当事者の衡平の観点からして、同時履行の関係にあることはこれを認める（水田・金融法務事情一六五号一九、二二頁小山・同号三頁）。そして、同時履行の抗弁の付着している債権を自働債権として相殺することは許されない（判例通説、我妻・債権総論一六五頁参照）から、結局、この立場でも、手形の交付が、右相殺の有効なための要件であることになる。

しかしこの立場は、判例と異なり、次のようにして、銀行のための活路を見出そうとする。すなわち、買戻請求権に基く取引先の金銭支払義務の履行場所は、当該手形取引に関する銀行の店舗である（右判例がこの点について、どう考えているか不明である。遡求権と同様の権利ということは、その履行の場所も義務者すなわち取引先の営業所又は住所とする趣旨か、明確でない）。したがつて取引先が買戻の請求を受けた後、相当の期間を経過しても、銀行店舗に来て支払の提供またはそれに代えて送金するとか、あるいは自己の預金から当該金額を引き落すべき旨の申出で等をしないときは、債務を履行しない意思を明瞭にしたのであるから、取引先は銀行に対し、もはや同時履行の抗弁を主張しえない。したがつて、この様な状態のもとで銀行が買戻請求権を自働債権として相殺するのであれば、もはや手形の交付を要せずして、相殺は効力を生ずる、と。要するにこの立場は、同時履行の抗弁権は、一方が履行の提供をなすことによつて消滅するとの原則（大判大三・一二・一民録二〇・九九九、同大一〇・一一・九民録二七・一九〇七）を利用したものである。もつとも銀行側の提供は、具体的にはいかなる程度の行為で足るか（手形交付の場所が銀行の店舗である以上、銀行が取引先の営業所または住所に手形を持参し提供する必要のないことは明らかであるが）については、必ずしも明らかでなく、あるいは、各手形につき銀行が買戻の請求をすることを要求するのかとも思われる（水田・金融法務事情一六五号二二頁）。あるいは、「割引依頼人のために保管（占有）すべき旨の表意をもつてしても十分であろう」とするものもあるが（小山・金融法務事情一六五号・三頁）、ここに表意というのが、取引先に対する意思表示を要する意味かどうか、不明である。

このように、銀行がいつたん手形の提供をすれば、取引先の有する同時履行の抗弁権は消滅し、手形の交付なくして相殺は効力を生ずるとの説に対して、この説は次の点を見落しているとして、さらに批判が加えられる。すなわち、上述の説は、相手方が一度履行の提供をすれば、他方は同時履行の抗弁権を全然失うかのようにいうが、この点については実は非常に争がある。つまり、一方の当事者が履行の提供をすれば、相手方を履行遅滞に陥しいれることができ、したがつて、前者は契約を解除することができ、これに対し相手方は同時履行の抗弁権を主張できないという点では争がない。前段に引用されている二判例も正にかかる場合についてのものである。このように解除権を発生せしめるためには、一方が履行の提供をなせば足るとする点では問題ないとしても、本来の給付を請求するものに対しては、受領遅滞に陥つた相手方といえども、なお、同時履行の抗弁権を失わないとするのが、判例であり（大判明四四・一二・一一民録一九・七七二、同昭六・九・八新聞三三一三・一六）、これを支持する有力な学説もある（我妻・債権各論上九五頁、末川・債権総論九九頁、反対柚木・債権各論七九頁以下）。そして相殺は、まさに一方的に弁済を受けたと同じ結果を実現する行為であるから、銀行による手形の提供があれば、相手方たる取引先は、完全に同時履行の抗弁権を失い、銀行は手形の交付なくして、右相殺を有効になし得ると早急に断定することはできないのである（小西・金融法務事情一七二号一九頁）。

要するに、この問題は、手形債権を自働債権とする相殺の効力の問題と共通に解決すべき、困難な問題である。

最後に、特約によって、右相殺に当り、手形の交付を要しないものとすることができるかについては、右判例は、特定の手形の買戻請求権と反対債権とを合意により対等額において消滅せしめる場合には、右特約も有効であるとする。しかし、「将来に対する不特定多数の手形につき与信的に相殺予約をなし、その予約に基き一方的に相殺する場合にも手形授受を要しないで相殺をなしうるとすることは債務者の二重払の危険がありこれを認めることができない」との理論を手形債権について樹立し、これを手形買戻請求権にも適用する。しかし不特定多数の手形についての特約も、取引先が金融機関を信用して、あえて二重払の危険負担を覚悟の上で、これをなした以上、その効力を否認すべき理由もないと思われる（水田・金融法務事情一六五号二三頁）。

二　原因関係と手形関係との関連

（一）　原因関係の手形に及ぼす影響――無因性　　上述した各種の原因関係と手形とは、実質的には目的手段の関係にあるが、法律的には手形上の権利は手形行為によって成立した別個の権利であり（設権証券性）、しかも原因関係の不存在、無効、取消ないし消滅によって影響を受けない。このことを手形の無因性という。ただ直接の当事者間あるいは悪意の譲受人に対しては、原因関係に関する事情を主張して、債務者は履行を拒みうる。これが現在の手形理論の通説であり、判例にもこれを明らかにするものがある【23】。事案は、取引所外における取引所の定期取引と同一の方法による定期取引（旧取引所法二五条）の証拠金代用として振出された約束手形に関する。

【23】　「手形上ノ権利義務ハ手形行為ニ基キ発生スルモノナルヲ以テ手形行為ヲ為スニ至リタル原因ノ有効無効ニ依リ消長

スルモノニアラスト雖モ手形授受ノ直接当事者間ニ在リテハ債務者ハ原因ノ無効ナル事由ヲ以テ手形上ノ請求ヲ拒絶シ得ルコトハ商法第四百四十条但書（現手一七）ノ規定ニヨリ明瞭ナリトス」（大判大九・三・一〇民録二六・三〇一、竹田法学論双六巻五号一一〇頁）。

しかし、判例中には同じく取引所外の定期取引を原因として振出された約束手形につき、不法原因に基く手形行為はそれ自体が無効であり、これを授受した直接の当事者間では、手形上の権利関係そのものが発生しないとするものもある【24】。

【24】「然レトモ取引所外ニ於ケル定期取引ハ其既ニ結了シタルト否トヲ問ハス又注文者カ之ヲ知ルト否トニ論ナク全ク不法ニシテ当然無効タルヘキヲ以テ斯ノ如キ取引ヲ原因トシテ手形ヲ授受スルモ其ノ直接ノ当事者間ニ在リテハ手形上ノ権利関係ヲ生スルモノニ非サルヤ固ヨリ論ナシ」（大判明三七・五・一七民録一〇・七〇五）。

信託法一一条（訴訟信託の禁止）違反の裏書を無効とする判例もこの系列に属する【25】。

【25】「然レトモ信託法第十一条ハ信託行為カ訴訟行為ヲ為サシムルコトヲ主タル目的トシテ為サルヘキコトヲ禁スルノ趣旨ナルヲ以テ信託行為ニシテ此ノ如キ目的ヲ有スル場合ニ於テハ該信託行為ヲ構成スル法律行為ハ総テ之ヲ無効ナラシムルノ法意ナリト解スヘク原判決ノ確定スルトコロニ依レハ上告人ハ樋口達雄ヨリ如上ノ目的ヲ達スルカ為ニ信託的ニ本件手形ノ裏書譲渡ヲ受ケタリト云フモノナルヲ以テ右法条ニ依レハ本件手形ノ裏書譲渡ハ其ノ効力ヲ発セサルモノニシテ而モ右裏書ニ於テハ本件手形ノ請求ヲ為ス上告人自ラ其ノ当事者トシテ之ニ関与シタルモノナレハ該譲渡ノ無効ナルコトハ被上告人カ上告人ニ対シ直接ニ之ヲ対抗シ得ヘキ事由ニ外ナラサルカ故ニ此ノ理由ニ依リ上告人ノ請求ヲ排斥シタル原判決ニ何等ノ瑕疵アルナク論旨ハ採用ニ値セス」（大判昭六・四・二三評論二〇諸三二六）。

右判決は、信託法一一条に違反して訴訟行為をなさしめるため裏書をなした場合には、当事者間における信託契約そのものが無効となつても、手形行為まで無効になるべき理由はないとの上告理由に答えたものである。もつとも、直接の当事者間での請求であるから、いかなる理論をとつても結果的には差はない事案ではある。

同様の理論に基いて、甲より正当な原因により振出を受けた手形を、賭博の敗者乙がその賭博債務の支払のために勝者丙に譲渡し、丙が甲に請求した場合、乙丙間の手形譲渡行為は無効であり、したがつて丙は正当所持人でなく、甲はそのことを主張して履行を拒みうるとする判例もある【26】。

【26】「案ズルニ上告人（被控訴人原告）ノ原審ニ於ケル主張ハ上告人前主桝屋合名会社ハ訴外岸本新左衛門ニ金銭ノ融通ヲ得セシムル為本件無記名式為替手形ヲ振出シ即日引受ヲ為シテ新左衛門ニ交付シタル所同人ハ被上告人等ト賭博ヲ為シテ敗レ其ノ賭金ノ支払ニ代ヘテ該手形ヲ被上告人ニ譲渡シ被上告人ハ之ヲ株式会社百三十銀行ニ譲渡シ更ニ同銀行ノ戻裏書ニ依リ之ヲ譲受ケタル上支払人桝屋合名会社ヨリ右手形金額ノ支払ヲ受ケタリト云フニ在リテ右主張ニ依レバ被上告人ハ不法ノ原因ノ為ニ岸本新左衛門ヨリ本訴手形ヲ取得シタルモノニシテ不法原因ノ為ニ物ノ給付ヲ為シタル場合ハ給付者ニ於テ其ノ物ノ所有権ヲ喪失スベキモノニ非ザレバ本訴手形ノ所有権ハ依然岸本新左衛門ニ存シ被上告人ニ移転スルニ由ナキモノトスル而シテ手形債務者ハ手形所有権ノ移転要件ヲ具備セザル取得者ニ対シテハ手形所持人トシテノ権利ヲ否定シ其ノ支払ヲ拒絶スルコトヲ得ベキ権利ヲ有シ而モ該拒絶権ハ其ノ後受取人ニ於テ手形ヲ善意ノ第三者ニ裏書シ更ニ第三者ヨリ戻裏書ヲ得タルコトニ依リ消滅スルモノニ非ザレバ本件ニ於テ被上告人ハ本訴手形ヲ百三十銀行ニ交付シ更ニ同行ヨリ之ヲ取得シタル事実アリタリトスルモ法律上手形所持人トシテ権利ヲ行使スルコトヲ得ザルモノナルガ故ニ上告人前主ガ被上告人ニ対シ為シタル本件手形金額ノ支払ハ被上告人ニ於テ法律上ノ原因ナクシテ不当ニ利益ヲ受ケタルモノニ該当シ上告人前主ニ之ヲ返還スルノ義務アルモノト謂ハザルベカラズ」然ルニ原審ハ上告人ノ前記主張事実ニ付賭博契約ハ不法ニシテ無効ナリト雖其ノ賭金支払ノ代物弁済トシテ為シタル手形交付ハ手形移転ノ物権契約ニ因リ被上告人ニ其ノ所有権ヲ移転シタリト為シ又本手形ハ被上告人ヨリ百三十銀行ニ同銀行ヨリ再ビ被上告人ニ何レモ所有権移転ノ物権契約ニ因リ引渡アリタルモノナレバ手形譲渡ノ効力ヲ妨グルモノニ非ズト判示シ上告人ノ主張自体ニ依リ其ノ請求ヲ排斥シタルハ法則ヲ不当ニ適用シタル違法アルモノニシテ本論旨ハ何レモ其ノ理由アリ原判決ハ破毀スベキモノトス」（大判大一一・一二・二八新聞二〇八四・二二）。

しかも右判決は、原因が無効でもそれに基いてなされた手形の譲渡行為は無効ではない、との原審の考え方を否定している点で、注意さるべきである。次の下級審判決も同様の立場に立つ【27】。

【27】「バクチからできた借りを払ふために小切手を渡すということは、バクチで勝つた者に利益を与へ（もし小切手の譲り渡しが有効だとすれば）ることになり、ますますバクチを奨励することゝなるから、国家社会の一般の利益（公の秩序）、社会の一般的な道徳観念（善良の風俗）にそむく行為で無効である。すなはち、本件小切手が本来有効な小切手であるとしても、榊原から控訴人へ右小切手を譲り渡したことは法律上はなかつたと同じことなのであるから、控訴人は右小切手の権利を得なかつたわけである。（中略）民法第七百八条は自ら不法原因のために給付しながら、その不法による行為の無効を理由として給付の返還を求め得ないことを規定したものであつて、相手方をして受けた給付の上に権利を得せしめるの趣旨ではないから本件において、榊原が控訴人に対し小切手の返還を求め得ないからといつて、控訴人が小切手による権利を行なひ得ることにはならないのである」（東京地判昭一五・五・三〇新聞四五八〇・五）。

しかし、現在普遍的に行われている手形行為の無因性の理論からするならば、不法原因に基いてなされた手形行為といえども、その手形行為自体を無効とする立場には賛成できないことになる（竹田前掲判批は、手形にあつて、もし不法原因の為に振出も無効となるものとすれば、振出人はひとり原因行為の相手方たる受取人に対してのみならず、何人に対しても手形上の義務を負わないこととなる、とする）。ただ無因的考察をすれば、手形の取得者は、手形権利はいちおうこれを与えられたことになる。そして手形権利がいちおう与えられたことになれば、それは民法七〇八条にいわゆる不法原因に基きなされた給付に該当し、したがつて債務者はその履行を拒みえないのではないかと考えられる可能性もある。しかしこれを認めることは、その原因たる不法債務の強制を認めるのと同様の結果になり、不法債務を無効とする民法九〇条の趣旨に反することになる。このように考えれば、無因的構成によつて不法債務の履行として手形を受取つた者が手形権利そのものはこれを取得しうるとしても、その請求の許さるべきでないとの結論を引き出すのにさほどの困難はない（谷口・不法原因給付の研究一四二頁）。

そして以上の理由は、不法原因債権者が、手形所持人として、直接に不法原因債務者に対し手形金の請求をする場合のみならず、前掲二判例【26】【27】における事案のように、不法原因による手形取得者が、その原因関係の当事者でない手形債務者に対し手形金の請求をなす場合にも、これを適用して、所持人の権利行使を拒むことができる（谷口・前掲書一四四頁）。この結論を引出すために、右等判例のように、手形行為を有因的に構成することによつて、裏書そのものを無効とし、したがつて所持人の無権利を理由にする必要はない（谷口・前掲頁には、このような場合は所持人は無権利であると考えられているような表現が見出される）。

なお、右の場合、債務者（振出人）は所持人に対し支払を拒絶しうるのみならず、裏書人（受取人）に対する関係で拒絶する義務を負うと解すべきである。けだし右手形を不法原因によつて裏書譲渡した受取人は、所持人に対し手形の返還請求権を有し、債務者は自己の支払によつて右請求権を無に帰せしめるべきでないと解されるからである。もつともこの返還請求の許否については、民法七〇八条、利息制限法一条二項との関係で問題はある。現に判例は必ずしもこれを認めない【28】。

【28】　「自己振出ノ分（賭博により授受された小切手――河本）ニツイテハ相手方ニ於テ支払人タル銀行ヨリ之カ支払ヲ受クルモ民法第七〇八条ノ規定アルカ故ニ被告人ニ不当利得ノ返還請求権ナク又被告人ノ指図ニヨリ銀行ニ於テ支払ヲ拒ミタル場合相手方ヨリ為ス償還請求ニ対シテハ所謂直接抗弁ヲ以テ対抗スルコトヲ得ルモ而モ該小切手ハ不法原因ノタメ給付シタルモノナレハ被告人ニ之カ返還請求権ナケレハナリ」（大判昭一〇・一一・二八刑集一四・一二四六）。

すなわち、右判例の趣旨は、不法原因を人的抗弁として支払を拒絶することはできても、手形は不法原因のために給付したのであるから、その返還請求はできないとするにある。しかしこれでは、不法原因取得者は、手形を他に譲渡して対価を入手することによつて、不法原因債権の満足を受けたと同じ利益を得、他方その取得者が善意である限り、債務者は手形債務の履行（実質的には不法原因債務の履行）を強制されることになる。従つて民法九〇条の趣旨よりすれば、この場合にも、民法七〇八条の適用を制限して、不法原因により手形を交付した者は、その取得者をして手形を返還せしめ、自己の手形行為により成立せる手形債務を消滅せしむべきことを請求する権利を有するものと解すべきであろう（谷口・前掲書一四四頁）。

右のように不法原因によつて手形を交付した者（受取人にして裏書人）はその手形の返還請求権を有するとなれば、手形債務者（約束手形の振出人）が右事情を知りまたは重過失により知らずに支払つたときは、この者は受取人に対し責を免れない。しかしこの責任は、右のような支払によつては手形債務が消滅しないことによる責任なのか、それとも、手形債務を消滅せしめたことによる不法行為責任と解すべきか。無因理論をとる限り、所持人は手形権利者たることには変りはないのであるから、これに対する弁済は手形債務を有効に消滅せしめると見ざるを得ない。したがつて、支払人の受取人に対する責任は、その支払によつて、裏書人の所持人に対して有する右返還請求権を無に帰せしめたことによる損害賠償請求権とみるべきであろう（谷口・前掲一四四、一四五頁は無権利者に対する弁済とみているようである）。しかしその要件は手形法四〇条三項によつて考えるべきものと思う。これに対し、有因理論をとるならば、全く無権利者に対する弁済の問題として考えることができるであろう。なお、何れにしても悪意重過失で支払つた者は、不法行為に干与したものとして支払額の取戻を拒否されると解される。悪意重過失なしに支払つた者が完全に責を免れることはいうまでもない。

なお、不法原因債務者自身が、かかる手形につきその原因の不法なことを知りつつ手形金額を支払つたときは、もはや返還請求できないことは、いうまでもない。小切手につき支払銀行が支払つたときも同様である【28】。

次に手形債務の無因性は、誉証責任の点においても効果を現わす。すなわち直接の当事者たる所持人が請求する場合にも、原因関係の立証は必要でない【29】【30】【31】【32】。

【29】「為替手形ノ所持人カ其ノ引受人ニ対シ裁判上手形債権ヲ請求スルニハ其ノ手形関係ヲ主張シ証明スルヲ以テ足リ原因関係ヲ主張シ証明スルノ必要アルモノニ非ス」（大判昭七・三・一八法学一下二三六）。

【30】「上告人ニ対シ手形振出人トシテノ債務ノ履行ヲ求ムル本訴ニ於テハ該手形カ上告人ノ振出ニ係ルモノナリヤ否ニ付判示スルヲ以テ足リ必スシモ其ノ振出ヲ為スニ至リタル事情又ハ取引ノ経過内容等ニ付逐一所論ノ如キ具体的事実ヲ判定セサルヘカラサルモノニ非ス」（大判昭一八・一二・一八法学一三・四・二六六）。

【31】「本件手形ハ金二千円ノ貸借ヲ担保スル手形トシテ振出サレタル金三千円ノ手形ノ書換手形ナレハ本件手形金三千円ノ中右貸借金額ヲ超ユル部分ニ関シテハ其ノ請求ヲ認容スヘキ限ニ在ラストノコトハ上告人カ原審ニ於テ之ヲ抗弁トシテ主張シタル形跡ナキヲ以テ原審カ手形債権ノ性質ニ鑑ミ右ノ事情ヲ顧慮スルコトナク本件手形金ノ元利ニ付支払ヲ命シタルハ相当ナリトス」（大判昭一八・五・三一商判集追Ⅱ補一一一）。

【32】「被控訴人の本訴請求は本件手形のみによつて手形金の支払を求めるものであつて、右手形が控訴人の被控訴人に対する靴下買受代金の支払のために振出されたものであることはあえて主張しないところである（記録六五六丁表冒頭参照）。

もつとも手形の授受については、その当事者間にはこれをなすに至つた原因関係があること勿論であるが、しかし手形上の権利義務は手形行為のみによつて発生する無因のものであつて、その原因関係の何たるやは手形上の請求をなす原告（本件では被控訴人）においてこれを主張し立証する訴訟手続上の責任を有するものではない。もし請求を受けた手形債務者において原因の欠缺または違法等を主張してその手形金の支払を拒まんとするならば手形上の権利者に対する人的抗弁としてこれを主張しかつ立証しなければならない」（東京高判昭二九・九・三〇判例時報四三・二五）。

そして、原因関係上の抗弁は手形債務者においてこれを主張立証すべきものであるから、その主張立証なき限り、裁判所としては原因関係に顧慮を払うことなく、手形金につき支払を命じうる【30】【31】。

（二） 手形の原因関係に及ぼす影響

既存債務の履行に関して手形を授受する場合の両者間の関係は、まず大きく二つの型に分類され、後者が更に二つに分かたれる。

(1) 既存債務が消滅する場合（既存債務の支払としてまたは支払に代えて授受される場合）

この場合には債権者が手形を取得すると同時に既存債務が消滅する。

（イ） 更改か代物弁済か　この消滅の理論的説明としては、まず第一に民法五一三条によつて更改が成立するとするものがある【33】。

【33】 「手形債権ハ手形ニ因リテ存在スルモノニシテ他ノ証書ノ如ク啻ニ債務ノ存在ヲ証明スルノ具タルニ止マラス債務ノ成立ニ欠クヘカラサル要件ナルカ故ニ手形以外ノ債務ニ変更スルモ手形債務ヲ他ノ債務ニ変更スルモ共ニ民法第五百十三条ノ法意ニ基キ更改ノ成立スルモノト為スヘキヲ当然トスルハ本院ノ判例トスル所ナリ（明治三十八年（オ）第一六一号同年七月

八日言渡及ビ明治三十八年（オ）第一九七号同年九月三十日言渡）」（大判明三八・一二・一九民録一一・一七九七）。

既存の手形債務の履行に代えて新手形を振出すときに、更改が成立するとする判例も同じ系列に属するものということができる【34】。

【34】「既存債務ノ履行ニ代ヘテ為替手形発行セラレタルトキハ茲ニ更改ノ成立ヲ見ルコト勿論ナリ」（大判昭五・九・三新聞三一七四・一五、同旨大判明三八・九・三〇民録一一・一二四二）。

なお、反対に、手形債務を通常の債務に変更する場合を更改とする判例も幾つかあるが（大判明三八・七・八民録一一・一一一四、同大二・一〇・二〇民録一九・八三四）、今の問題については参考にならない。

次に、為替手形振出の場合は更改を生じても、既存債務の履行に代えて小切手を振出すときは、代物弁済とみるべきだとするものがある【35】。

【35】「既存債務ノ履行ニ代ヘテ小切手ヲ振出シタルトキハ為替手形振出ノ場合ノ如ク民法第五百十三条第二項ニ依リ更改ヲ生スト謂フコトヲ得サルモ代物弁済ニ因リ既存ノ債務消滅シ新ニ発生シタル手形上ノ債務ノミ存在スルモノト謂フコトヲ得ヘシ」（大判大八・四・一民録二五・五九九、竹田・法学論双三巻三号一〇三頁）。

この判例の趣旨は、更改が生ずるのは、民法五一三条二項の定める為替手形の振出の場合に限るとするところにあると思われる。

あるいはまた、更改か代物弁済かは当事者の意思によるとするものもある【36】【37】。

【36】「民法第五百十三条第二項ニ依レハ旧債務ノ履行ニ代ヘテ為替手形ヲ発行シタルトキハ債務ノ要素ヲ変更シタルモノト看做シ旧債務ハ更改ニ依リ消滅スト雖モ為替手形カ旧債務ノ履行ニ代ヘテ振出サレタルヤ履行ノ為メニ振出サレタルヤ将又代物弁済トシテ発行交付セラレタルヤハ当事者間ノ意思表示ノ解釈ニ依リ定ムヘキ事実問題ニ属シ為替手形ノ振出ヲ以テ常ニ

更改契約ニ基クモノナリト謂フヲ得ス」（大判大八・一一・二八民録二五・二一八九、竹田・法学論双五巻四号一三〇頁）。

【37】「債務者カ既存ノ債務ニ関シ債権者ニ約束手形ヲ振出シタル場合ニ於テハ一応其ノ債務支払ノ為ニシタルモノト推定セラルヘキモノニシテ債務者ニ於テ更改又ハ代物弁済ナリト主張スルトキハ之カ立証ヲ為スノ責任アルモノトス」（大判大一一・四・八民集一・一七九、我妻・判例民法大正一一年度二七事件）。

右のように判例の立場は区々である。学説も分れているが、代物弁済とみるのが有力である。なぜならば更改契約は、有因契約であつて、既存債権が有効に存在しなければ、これに基いて振出された手形も無効になる。これは手形の無因性と相いれないからである。それでは民法五一三条二項が、債務の履行に代えて為替手形を発行する場合を更改とみなしているのをどう解釈するか。当事者の意思により右規定の適用を排除しうるとするとともに、これを為替手形の振出に限定しようとするものもある（伊沢・二五五頁）。

しかし手形の本質にふさわしくないものは、任意規定としてもその適用を認めることはできないというべきであろう。もつともこの説は、当事者の意思解釈上、為替手形の発行が更改となる場合でも、更改の効果に制限を加えて、手形債権の効力は既存債権の有効無効に関係なくこれを認めるべきだとする。しかしそこまで効果を制限したのでは、もはやこれは更改でないというべきではないだろうか。結局、手形の無因性を前提にする限り、民法五一三条二項は、これを無視するほかないであろう（鈴木・二三二頁、田中耕・二三六頁、我妻・債権総論一五三頁）。

ただ、交付された手形が無効（形式欠缺、偽造等によって）であつた場合には、既存の債務が消滅するに至らないことの説明には、更改とみれば簡単である(民五一七)。そして現に、手形切替の場合について、そのような立場をとつていると思わせるような判例もある【38】。

【38】「手形ノ切替トハ旧手形ヲ消滅セシメ之ニ代ハルニ新手形ヲ以テスル契約ニシテ旧手形ニ於ケル権利関係ノ消滅ヲ新手形ニ於ケル権利関係ノ発生ニ連結セシムルコトニ外ナラサルヲ以テ新手形ニ於ケル権利関係カ法律上其効力ヲ生セサル限リ旧手形ニ於ケル権利関係ハ消滅セサルモノト云フヘク如此場合ニ於ケル切替契約ハ其効力ヲ生セサルモノト解セサルヘカラス本件ニ於テ原告主張ノ如ク原告カ小川金之助振出ノ額面金一千五百円ノ手形ニ於ケル被告ノ裏書ニ重キヲ措キタルモノト仮定センカ該裏書カ偽造ナリシ結果トシテ当然被告ハ裏書人タル義務ヲ負担セサルコト、ナルカ故ニ切替契約ニ於テ目的トスル新手形ニ於ケル権利関係ノ発生ナキモノト云フヘク従テ本件切替契約ハ前段説明スル如ク法律上其効力ヲ生セサルモノト云フヘシ果シテ然ラハ本件切替契約ノ目的タル額面金二千五百円ノ手形ハ尚未タ消滅セサルヤ明カナリ」(東京地判明四〇・四・二七新聞四二八・一七)。

この点は代物弁済説からは、売買の瑕疵担保の規定を準用して(民五五九)、代物弁済契約を解除して(民五七〇、五六六)、既存債務を復活せしめるか(我妻・前掲書一五四頁)、あるいは錯誤による右代物弁済契約の無効を主張することになるであろうと思われる。

なお既存債務の消滅は、債権者への手形交付によつてのみならず、第三者に交付することによつても生じ得る【39】。

【39】「一般的に考えて抑も債務者が債務弁済の為債権者に宛て手形を振出した場合は特に反対の事情の認められない限り、原因たる債務は直ちに消滅しないで手形関係と併存し手形金支払に依り始めて消滅するのであるけれども、縦令手形金の支払なくとも債権者が手形を有償又は無償で他に裏書した場合は、手形金の支払を受けるのと同様に此れも亦手形権利者が手形上の権利を行使し権利者として満足を得る一態様であるから裏書譲渡の時本来の債務は消滅すると解すべく、他面債務者が債務弁済の為債権者の指定する第三者宛の手形を振出した場合は反対の事情の認められない限り振出に依り直ちに債務は消滅

すると解するのが相当である」（名古屋高判昭二八・一二・九下級民集四・一八四九）。

この判決の事案は、甲証券会社の再建整理に当り、大口債権者たる乙が、右会社のため債権の取立について代物弁済、更改等の広い代理権を与えられ、その権限に基き、甲会社の債務者たる丙をして、乙を受取人とする約束手形を振出さしめたという場合である。この手形振出によつて丙の甲会社に対する既存債務が消滅するかの問題につき、右のような判決がなされたのである。

右のような場合をも、なお代物弁済と見得るか。一般に代物弁済契約は、債務者が債権者以外の第三者に給付することによつても成立せしめられると考えることができれば問題はない。そして代物弁済契約は弁済の一種ではなく、他の給付を為したことによつて、債権の満足を得たことにしようという内容の債権者債務者間の契約であるから、その給付が債権者になされるということが必ずしも要件となつているとは思えない。故に、第三者に手形を交付することによつても代物弁済契約は成立すると解される（このように考えれば、大隅・河本・四一六頁のように、代物弁済というためには、第三者が既存債権の債権者のために自己の名で代物弁済として手形の交付を受けたとみる必要もなかつたと思う）。そしてこの問題は、振出人に対し既存債務を負担する為替手形の支払人が、受取人の引受呈示に基き引受をした場合にも起る問題である【36】。けだしこの場合にも振出人支払人間の既存債務の支払に代えて支払人が所持人に対し手形債務を負担する関係になるからである。

なお、右判決の事案では一種の自己契約のような関係の存在も考えられるが、この点についても本人の承諾を得ていたと見ることができるから、問題はない（なおこの判決については一六七頁参照）。

（ロ）　消滅すべき既存債権の範囲　　代物弁済によつて消滅すべき既存債権の額は、原則として、交付された手形金額相当額である。故に特約のない限り交付された手形の割引料は債権者の負担となる【40】。

【40】「現金ニテ代金ヲ支払フ約アル場合ニアリテモ後払ノ約束手形ニヨリ決済スルコトアルハ一般取引ニ於テ往々見ル所ニシテ此ノ場合振出人カ右手形ノ割引料ヲ負担スル約ナルトキハ予メ割引料ノ支払ヲ受ケテ手形ヲ授受スルカ割引料ヲ加算シタル金額ノ手形ヲ受領スルカ又ハ手形ニ利息ヲ生スヘキ旨ノ記載ヲ為スヘキカノ孰レカニヨルヲ通常トスヘキニ拘ラス之等ノ方法ヲ採ラス単ニ割引料ヲ振出人ニ於テ負担シ後日受取人ニ対シ支払ヲ為スヘキ約旨ノ下ニ手形ノ授受カ為サレタル場合ニ於テハ之ヲ主張スルモノニ於テ立証ノ責任アルモノト謂ハサルヲ得ス故ニ原審カ割引料ハ被上告人ノ負担トシ後日受取人ニ支払ハルヘキ約旨ノ下ニ手形カ授受セラレタリトノ上告人ノ主張ハ之ヲ認ムルニ足ル証拠ナキヲ以テ右内金十二万円ニ付テハ後払ノ約束手形ニヨリ異議ナク授受決済セラレタルモノト認ムルヲ相当ト為シ上告人ノ主張ヲ排斥シタルハ正当ニシテ原判決ニハ所論ノ如キ審理不尽又ハ理由不備ノ違法ナク論旨ハ其ノ理由ナシ」（大判昭一五・七・三一評論二九民訴三五九）。

（ハ）手形の不渡と消滅した既存債務の運命

なお一たん消滅した既存債権は、後に手形が不渡になつたとしても、復活することはない【41】【42】。

【41】「代物弁済ハ弁済ト同一ノ効力ヲ有スルモノナレハ原判決認定ノ如ク被上告人及上告人間ニ於テ上告人ノ原判示債権ニ対スル代物弁済トシテ所論約束手形ノ授受アリタルモノトスル以上上告人ノ右債権ハ之レト同時ニ消滅ニ帰シタルモノト謂フヘク而シテ既ニ如上代物弁済アリ右債権ノ消滅ヲ来シタル以上仮リニ其ノ後ニ至リ右手形不渡トナリタレハトテ之レカ為メ当然ニ右代物弁済カ効力ヲ失ヒ右債権ノ復活スヘキ理由ナキカ故ニ論旨ハ理由ナシ」（大判昭二・一一・九新聞二七七七・一二）。

【42】「（【51】に続いて）而シテ該小切手（代物弁済として交付された小切手――河本）カ後日ニ至リ不渡ト為リタルトキハ別箇ノ小切手上ノ法律関係ヲ生スルニ止マリ之カ為メ代物弁済ノ効力ヲ阻却シ債務ノ弁済ナキ原状ニ復スヘキモノニ非ス」（大判大九・五・一五民録二六・六六九、竹田・法学論叢七巻三号一二三頁）。

右判決の結論に賛成する学説もある（我妻・債権総論一五三頁、竹田・前掲判批）。しかし、主として小切手に関して論じたものであるが、「小切手が不渡となるときは、その小切手により支払を受け得ることを当然に期待していた債権者の真意と重要なる点における喰い違いを生じ、又債務者もその小切手が現金で支払われることを示してなした所と全く異る結果を与えたのであるから、小切手による代物弁済は法律行為の要素に錯誤あるものとして無効となり、あるいは債務者が債権者を欺罔したものとして取消原因となるから、一旦消滅したものとみられる既存債務はなお存続するものとして債権者はこの履行を求め得る」とするものもある（坂本「小切手による弁済の効力」法律論双二六巻三・四号）。しかし、債務者に特に詐欺的行為がある場合は別として、かかる事情なしに手形・小切手が不渡になった場合（債務者の詐欺の立証できない場合も同様）に、果して手形・小切手取得者の錯誤を認定できるだろうか。このような場合は手形・小切手振出人の資力についての見込み違いにすぎないのであるから、要素の錯誤とみることはできないのではないだろうか（我妻・有泉、民法総則・物権法一三三頁、谷口他ポケット註釈全書民法総則・物権法一五七頁）。もっとも右著者は、詐欺も錯誤も存在しないときには、民法五五九条に従い、債務者は債権者に対し売買の場合における売主の瑕疵担保責任を負うとする。しかし、ここで準用されるのは債権の売主の瑕疵担保責任である。そして交付された手形・小切手が手形・小切手として完全に有効なものである限り、この責任は生じない。問題は満期において手形・小切手が支払われるであろうことの担保であるが、これは手形法、小切手法上の担保責任以外には特にこの点について担保するとの特約なき限り、認めることはできない。この点では、交付を受けた手形・小切手が無効な場合とは異なる（一四一頁参照）。

（二）既存債務の消滅すべき場合の判定の基準　ところで、既存債務の支払に関して手形が授与される具体的場合のうち、如何なる場合において手形の交付により既存債務が消滅するとみるべきかは、当事者の意思を基にして判定すべきである【43】【44】。

【43】「金銭ノ債務者カ其債務ノ為メ新ニ約束手形ヲ発行シタル場合ニ於テ金銭ノ債権カ手形債権ニ更改スルト否トハ一ニ当事者ノ 意思如何ニ因リテ定マルベキモノトス」（大判明四二・二・一二新聞五五七・一六、同旨大判大六・三・三一民録二三・五九三）。

【44】「既存債務ニ対シ約束手形カ振出サルル場合ニ既存債務ノ支払ニ代フル目的ナリヤ又ハ支払ノ為メニ為サルル目的ナリヤハ 当事者ニ於テ之ヲ決シ得ヘク 其ノ何レナリヤ明白ナル場合ニハ 固ヨリ当事者ノ意思ニ従テ 其ノ効果ヲ定メサルヘカラス」（大判昭一四・六・二六新聞四四五二・一三、同旨大判昭一四・六・一三評論二八民七四八【47】）。

従つてまたこの判定は事実問題でもある【45】。

【45】「普通ノ債務ニ付キ約束手形ヲ発行シタル場合ニ若シ当事者ノ意思カ全然旧債務ヲ消滅セシメ之ニ代フルニ新ナル手形債務ヲ以テスルノ趣旨ニ出テタルトキハ更改契約成立スヘク若又之ニ反シテ既存債務ノ弁済ヲ確保スルノ目的ヲ以テ約束手形ヲ発行シタルトキハ普通ノ債務ト手形債務ハ共ニ併立シテ更改契約成立スルコトナカルヘク而テ其孰レニ属スルヤハ一ニ各案件ニ就キ当事者ノ意思其他ノ事情ヲ斟酌シテ判決スヘキ事実問題ニシテ所論ノ如ク斯カル場合ニ更改契約成立シタルモノト推定セサル可カラサル法則アルコトナシ（【59】に続く）」（大判大七・四・二五民録二四・七七四、竹田・京都法学会雑誌一三巻一五九〇頁、同旨大判大八・一一・二八民録二五・二一八九【38】）。

そして既存債務を消滅せしめるとの意思が明白なときは、それに従つて効果を定めるべきことはもちろんであるが【46】、

【46】「既存債務ニ対シ約束手形カ振出サルル場合ニ既存債務ノ支払ニ代フル目的ナリヤ又ハ支払ノ為メニ為サルル目的ナリヤハ 当事者ニ於テ之ヲ決シ得ヘク 其ノ何レナリヤ明白ナル場合ニハ 固ヨリ当事者ノ意思ニ従テ 其ノ効果ヲ定メサルヘカラス」（大判昭一四・六・一三評論二八民七四八、同旨大判昭一四・六・二六新聞四四五二・一四【44】）。

手形の受領と共に、帳簿上に一応入金あるいは支払ずみの記載がなされたとの一事により、右の意思

の存在を認定することは許されない【47】【48】。また金銭の受取書を交付したからといつて常に既存債務が消滅したとはいえないとの判例もある【53】。

【47】「被控訴人ハ前記（一）（二）ノ約束手形ハ何レモ前記売掛代金債務ノ支払ニ代ヘテ振出サレタルモノニシテ即チ右手形振出ニ依リ右代金債務ハ消滅ニ帰シタル旨主張スルニ付キ按スルニ既存債務ノ弁済ニ関シ約束手形ノ振出サレタルカ如キ場合ニハ特別ノ事情ナキ限リ右振出ハ右債務ノ弁済確保ノ為ニ為サレタルモノニシテ弁済ニ代ヘテ為サレタルモノニ非サルモノト解スヘキコト取引ノ通念ニ照シ疑ナキトコロ右各手形振出ニ当リ控訴人ト熱田トノ間ニ之ヲ以テ代金債務ノ弁済ニ代フル旨ノ特別ノ合意アリシコトハ本件ニ於テ之ヲ認ムルニ足ルヘキ何等ノ証拠無シ尤モ原審ニ於ケル証人熱田忠次郎当審ニ於ケル証人太田光雄ノ各証言ニ依レハ熱田ハ右ノ如ク手形ノ受領ト共ニ帳簿上ニハ一応入金ノ記載ヲ為シタルモ取引上ニ於ケル控訴人ノ信用カ極メテ薄キトコロヨリカカル場合ニ於ケル同人ノ一般ノ取扱例ニ従ヒ帳簿上売掛代金債権トシテモ取立テ得ル取扱ニ為シ置キタルコトヲ認メ得ヘキカ故ニ前示帳簿上ノ記載ノミヲ以テ直ニ被控訴人主張ノ事実ヲ認ムルコトヲ得ス」（東京地判昭一四・八・二五新聞四四八四・一四）。

【48】「然シナカラ他人ニ対シテ金銭債務ヲ負担シテヰル者カソノ債務ノ履行ニ関シテ手形ヲ発行シタ場合ニハ通常債務弁済ノ方法トシテ右手形ヲ発行シタモノト解スヘキテアツテ原告主張ノ如ク該手形カ債務ノ履行ニ代ヘテ発行サレタモノト解シ得ンカ為ニハ特ニコノ点ノ反証カナケレハナラナイヨツテ右反証ノ有無ヲ按スルニ先ニ掲ケタ甲第二号証ノ一、二（原告商店ノ個人勘定元帳）ニハ前記損失金債務ノ一部ノ支払方法トシテ手形ヲ受領シタル旨記載ナク却ツテ損失金債務（本件手形の原因債務―河本）ハ全部支払済テアルカノ如キ記載ニナツテヰルケレトモ之ハ後日手形ノ支払カアルコトヲ予期シテカカル記載カ為サレタノデアルカモ知レス、従ツテカカル帳簿ノ記載カアルトイフ一事カラ直チニ原告ト被告先代トノ間ニ損失金債務ノ支払ニ代ヘテ手形ノ授受ヲナストノ合意カ成立シタモノト認定スルコトハ不可能トイハネハナラヌ。」（東京地判昭一六・七・八評論三〇商二一六）。

しかし、保険会社が保険金を小切手で支払うに当り、受取人より、保険金額領収証と共に、今後何らの名義を以つてするも本件に付て一切の請求をしない旨の確約をとつている場合（東京地判昭二六・一・一六下級民集二・三四の事案参照）は、小切手による代物弁済があつたと見るべきであろう。もつとも右判決では、保険会社が代物弁済の主張をしているにもかかわらず、この点については全然判断していない。しかし、結局において、既存債務を消滅せしめる意思が明白でない場合は、これを併存せしめる趣旨と解すべきである【49】。

【49】「当事者ノ一方カ他方ニ対シ負担セル債務ノ為メ約束手形ヲ振出シタル場合之ヲ代物弁済ト見ルヘキカ将又単ニ原債務ノ弁済ヲ確保スル目的ヲ以テ手形ヲ発行シタルモノト見ルヘキカハ当事者ノ意思ヲ解釈シテ決定スヘキ事実問題タルコト寔ニ所論ノ如シト雖モ其意思ニシテ前者ニ在ルコト明白ナラサル場合ニ於テハ原債務ヲ消滅セシムルニ至ルヘキ代物弁済ト観ンヨリ寧ロ原債務ヲ存続セシムヘキ後者ノ趣旨ニ解スルヲ相当トス」（大判大九・一・二九民録二六・九四、竹田・法学論双六巻五号一〇〇頁、同旨大判大一五・五・一八商判集八一〇、同昭二・五・一一新聞二七一九・一二、同昭三・二・一五新聞二八三六・一一、同昭九・八・七法学四・八一、同昭一〇・三・一八新聞三八二七・五、同昭一一・一・一五新聞三九五五・一二、同昭一六・一二・一六法学一一・七二六）。

右のように当事者の意思不明のときは、既存債務と手形債務とが併存すると推定されるため、既存債務の消滅を主張する者はその点につき立証責任を負うことになる【37】。

右はもつぱら手形について考察したのであるが、小切手については、その支払証券たる性質上、問題がある。通説は、手形についてと同様、既存債務の支払に関して小切手が授受された場合にも、特別の事情がない限り、既存債務は消滅せず、小切手について支払がなされたときに既存債務も消滅すると解している（鈴木・三五二頁、伊沢・二五〇頁註三、田中・並木・三六〇頁）。これに対し少数説ながら、支払証券たる小切手の本質よりして、小切手の授受は原則として既存債務を消滅せしめると解する立場がある（坂本・「小切手による弁済の効力」法律論双二六巻三・四号、我妻・判例民法大正一一年度一一一頁も、手形と小切手を同一視する通説の立場を疑問なしといい得ないとする）。これによれば、小切手は、現金計算上の誤りを防ぎ、現金授受に伴う種々の経済的不利益をさけるために利用される支払証券であつて、この故に、小切手法三条は、支払銀行に資金を有する者のみがこれを振出し得るものとして、その被支払性の確保をはかつている。従つて小切手による支払はむしろ現金の支払と同視すべきであるとする。この点に関する判例の立場は必ずしも一貫しないが、小切手を発行しても、特別の意思表示のない限り、現金の支払があつたものとなすことはできない、とするものが多い【50】【51】【52】【53】【54】。

【50】「弁済ノ提供ハ債務ノ本旨ニ従ヒテ現実ニ之ヲ為スコトヲ要スルコトハ民法第四百三十九条ニ規定スル所ナリ。故ニ金銭債務ヲ負担スル者ハ意思表示又ハ慣習ナキ以上ハ現金ヲ提供スルニ非サレハ未タ以テ債務ノ本旨ニ従ヒタルモノト謂フヘカラス。然リ而シテ小切手ハ振出人カ支払人ニ対シ一定ノ金額ノ支払ヲ委託スル証券ニ係リ素ヨリ現金ニアラサルノミナラス一箇ノ有価証券トシテ其対価ノ如キモ振出人ト支払人トノ資金関係上常ニ必スシモ額面ノ金額ト相一致スルモノニアラサルニヨリ敍上ノ場合ニ於テ債務者カ支払ノ為メ債務額ト同額ノ小切手ヲ発行又ハ授受スルモ特別ノ意思表示ナキ以上ハ之ヲ以テ現金ノ支払アリタルモノト為サス其小切手ノ支払アリタルトキ始メテ原債務カ消滅スルモノト為スハ最モ能ク当事者ノ意思ニ適合スルノミナラス現時我国ニ於ケル取引ノ通念ニモ亦合致スル所ナリ。従テ金銭債務ヲ負担スル者カ弁済ノ為メ小切手ヲ提供スルモ特別ノ意思表示又ハ慣習ナキ以上ハ債務ノ本旨ニ従ヒタルモノト謂フヲ得サルモノトス」(大判大八・八・二八民録二五・一五二九、菅原・法学論双三巻一号一〇五頁、竹田・同四巻三号一〇二頁)。

なお、右判決は、別段の意思表示または慣習があれば、小切手の提供も債務の本旨に従つたものとなるというが、これは正確ではない。けだし有価証券たる小切手の提供は、当事者の合意をもつてしても、金銭債務の履行たらしめることはできず、代物弁済にしかなり得ない(竹田・前掲判批)。

【51】「小切手ハ……現金ニ非サルハ勿論現金ト同一視スヘキモノニモ非サレハ金銭債務ノ支払トシテ小切手ヲ授受スルハ直チニ其債務ノ弁済トハ為ラサルモ当事者ノ特別ノ意思表示ニ依リ代物弁済ヲ為スコトヲ妨クルモノニ非ス（【42】に続く）」(大判大九・五・一五民録二六・六六九、竹田・法学論双七巻三号一二三頁)。

【52】「既存債務ニ付小切手ヲ授受スルトキハ特ニ当事者ノ意思明白ナル場合ノ外ハ其振出ハ既存債務確保ノ目的ニ出テ其

弁済ノ為ニナセルモノト推定スヘキモノナル事ハ屢々当院ノ判示スル所ナリ」（大判昭三・二・一五新聞二八三六・一一）。

【53】　「既存ノ金銭債権ニ付其ノ支払ヲ受クル方法トシテ小切手ノ振出ヲ受ケタルニ拘ラス其ノ支払アルコトノ予想ノ下ニ金銭ノ受取書ヲ交付スルコトアルカ故ニ之レアリタルノ故ヲ以テ常ニ代物弁済又ハ更改アリタルモノト断セサル可カラサルモノニ非ス」（大判昭九・三・三法学三・一二九〇）。

【54】　「金銭債務ニ付キ債務者カ債権者ニ対シ弁済ノ為メ小切手ヲ提供スルモ特別ノ意思表示又ハ慣習ナキ限リ債務ノ本旨ニ従ヒタル弁済ノ提供アリト謂フヲ得サルヲ以テ其ノ小切手カ当時直チニ支払ヲ受ケ得ヘキモノナルトキト雖モ之カ提供ニ依リ債務者ヲシテ不履行ニ因ル責任ヲ免レシムヘキモノニ非ス」（大判昭三・一一・二八評論一八民二四四）。

これに対し、手形は信用証券であり、流通証券であるから、手形は金銭の支払のためこれをなすものと推定すべく、これに対し、小切手の授受は金銭の支払に代えてこれをなすものと推定する、との立場に立つ判例もある【55】。

【55】　「手形ハ手形債務者ノ信用ノ下ニ汎ク流通シテ金融ヲ授クルノ目的ヲ以テ発行セラルルモノニシテ金銭ノ支払方法トシテ発行セラレサルヲ通常トス即チ手形ハ所謂信用証券タリ流通証券タルモノトス之ニ反シテ小切手ハ汎ク流通セシムルノ目的ヲ以テ発行セラルルモノニアラスシテ其目的ハ金銭ノ支払方法ト為スニアルヲ通常トス即チ小切手ハ商人又ハ非商人カ自ラ金銭ヲ授受スヘキ場合ニ於テ主トシテ銀行ヲシテ之ヲ為サシム為メニ発行セラルルモノニシテ所謂支払証券タルモノトス故ニ手形ノ授受ハ金銭ノ支払ノ為メ之ヲ為スモノト推定スヘク小切手ノ授受ハ金銭支払ニ代ヘテ之ヲ為スモノト推定スヘキモノト謂フ可シ」（大判大五・一二・一九民録二二・二四四四、この判決については一九一頁参照）。

なお刑事事件において、横領金額に小切手金額をも加算し得ることを認めるため（大判大四・三・三〇刑録二一・三三三）、あるいは偽造小切手の振込みによる金円の騙取は、取立てられた金銭の払戻を受けたときでなく、振込のときにおいて成立するとの結論を引き出すために（大判明四三・二・一〇刑録一六・一八九）、小切手による支払は現金の支払と同視すべき旨の一般的見解を表明している判例もある。

以上のほか、銀行振出小切手あるいは支払保証のある小切手の如く、被支払性の確実なものについては、その授受は現金の支払と同視されるとの立場を表明せる下級審判例もある【56】【57】。

【56】「一般取引ノ慣習上現金ト同様ニ取扱ハルル銀行振出ノ小切手ヲ代金債務ノ支払トシテ提供シタルトキハ特別ノ事情ナキ限リ有効ナル履行ノ提供アリタルモノト解スルヲ相当トス」（朝鮮高等法院判昭一五・七・二六評論二九民九六八）。

【57】「現時ノ取引ノ実際ニ鑑ミレハ株式会社住友銀行ノ如キ信用アル銀行ノ支払保証付小切手ハ特別ノ事情ナキ限リ之ヲ現金ト同視スルヲ相当トスヘキカ故ニ右小切手ノ提供ハ代金ノ提供ト為スコトヲ得ルモノトス」（東京地判大九・一二・八評論一〇民二六）。

学説中にも、特に当事者と取引関係ある銀行の支払小切手や、その支払保証ある小切手の場合につき、同様に解するものがある（我妻・債権総論一二三頁、柚木・判例債権法総論二三一頁）。何れと解すべきか困難な問題である。しかし、小切手が支払手段であるということは、法的制度としてそうなつているというだけであつて、小切手の現実の被支払性という点では、手形との間に区別して考うべきものはない。そして、手形、小切手の授受によつて原因債務が消滅すると見るべきか否かは、それらの現実の被支払性の確実さ程度にかかつているのである。故に、法的制度としての小切手が支払手段としての性格を与えられているからといつて、その交付が代物弁済の効力を有すると推定するのは、むしろ論理の飛躍である。結局は、個々の場合の事情によつて具体的に当事者の意思を推測するほかない。当該手形や小切手の被支払性の確実さが大きいということは、この意思推測の一つの資料となるというべきであろう。

（ホ） 既存債務の存否判定の実益　最後に、手形の授受によつて既存債務が消滅するか否かの判定が、いかなる問題を解決するためになされているかを前掲諸判例について見てみよう。

まず、手形上の権利が消滅した場合に、債権者が利得償還請求権を取得するかどうかを決定するために必要であった【35】【58】。あるいは既存債務について保証した者の責任が、原因債権の債権者債務者間で手形の授受があったことによって消滅するかどうか【33】【37】、あるいは、手形不渡後において債権者が原因債権をもってした相殺が有効であるかどうか【41】等を決定する前提として、手形の授受が原因債務を消滅せしめるか否かが判定された。なお小切手については、多くの場合、それの交付が現実の提供となるや否やの点をめぐって争われていることはすでに見たとおりである。

(2)　既存債務と手形債務とが併存する場合

この場合は、両債務の何れを先に行使すべきかによってさらに以下の二つに分かれる(判例は以下の二場合を含めて支払確保のために手形が交付された場合とよんでいる)。

(イ)　既存債務の担保のために手形が授受される場合　この場合、債権者は何れを先に行使するも自由である【58】【59】【60】【61】【62】。

【58】「貸金債権ノ弁済ヲ確保スル為メ小切手ヲ振出シタル場合ニ於テ先ツ手形権利ヲ行使スルト又ハ手形権利ヲ行使セスシテ貸金債権ヲ行使スルトハ債権者ノ任意ニ存シ手形権利ヲ行使シタル後ニ非サレハ貸金債権ヲ行使スルコトヲ得サルモノニ非ス(【75】に続く)」(大判大五・九・二〇民録二二・一八一六、竹田・商法判例批評一巻二一二頁)。

【59】「(【45】に続いて)　本件ノ如ク既存債務ノ弁済ヲ確保スルカ為メ債権者ニ宛テ約束手形ヲ発行シタル場合ニハ普通ノ債務ト手形債務ト併立スルモノニシテ債権者ハ自己ノ選択スル所ニ従ヒ右両箇ノ債権ノ何レヲ行使スルモ固ヨリ其自由ニシテ所論ノ如ク先ツ手形債権ヲ行使セサルヘカラサルモノニ非ス而テ原判決ノ認ムル所ニ依レハ上告人ハ賃料支払期日タル大正

六年一月三十日ニ其支払ヲ為ササルニ依リ被上告人ハ同年三月二十日ヲ以テ一週間内ニ賃料五十五円ノ支払ヲ為スヘキ旨ヲ催告シ尚其支払ヲ為ササルカ為メ同月二十七日賃貸借契約ヲ解除シタリト云フニ在ルヲ以テ斯ル場合ニ被上告人カ右ノ催告ヲ為ス以前ニ手形ノ呈示ヲ為シタリヤ否ヤハ毫モ上告人ノ責任ニ軽重スル所ナキ……」（大判大七・四・二五民録二四・七七〇）。

【60】「原審ハ上告人甲カ振出シタル約束手形ハ本件売買代金債務確保ノ為振出サレタルモノト認定シタルモノニシテ斯ル場合ニハ債権者ハ自由ニ其ノ何レカ一方ノ債権ヲ行使シ得ヘク又債権者カ遅滞ニ在ルヤ否ヤモ各別ニ之ヲ決スヘキモノニシテ手形債務ニ付遅滞ニ付セラレタルコトナキコトヲ理由トシテ売買代金ノ債務ニ付遅滞ノ責ナキモノト為スコトヲ得ス」（大判昭九・一二・二二法学四・六二七）。

【61】「約束手形ハ本件自動車売買代金ノ残額五千四百五十円ニ対スル昭和十二年八月分ノ月賦金百五十六円八十五銭ノ支払方法トシテ振出サレタルモノニシテ斯ノ如ク債務ノ支払方法トシテ約束手形カ振出サレタル場合ニ於テハ特別ノ事由ナキ限リ債権者ハ右手形債権ヲ行使スルト否トハ其ノ自由ニシテ常ニ必スシモ先ス手形上ノ債権ヲ行使スヘキモノト做ス能ハサルコト寔ニ所論ノ如シト雖モ既ニ約束手形ノ振出アル以上債務者トシテハ縦令右手形債務ノ履行ヲ求メラレタルニ非スシテ本来ノ月賦金債務ノ履行ヲ求メラレタル場合ト雖右手形ト引換ニ非サレハ弁済ヲ為スヲ要セサルモノト解スルヲ相当トスヘシ（【89】に続く）」（大判昭一三・一一・一九新聞四三四九・一二）。

【62】「手形がその原因関係たる債務の支払確保のため振出された場合に、当事者間に特約その他別段の意思表示がなく債務者自身が手形上の唯一の義務者であつて他に手形上の義務者がない場合においては、手形は担保を供与する趣旨の下に授受せられたものと推定するを相当とすべく、従つて債務者は手形上の権利の先行使を求めることはできないものと解するのを相当とする。すなわち、債権者は両債権の中いずれを先に任意に選択行使するも差支えないものと言わねばならない。そして本件手形は前述のごとく支払場所を被上告人宅とした上告人振出の約束手形であり、授受の際特約その他別段の意思表示がなく、既存の貸金債務者と手形上の義務者とがいずれも同一人たる上告人なのであるから債権者たる被上告人は本件貸金と右手形債権とのいずれを選択行使するも差支えないものと言わねばならぬ」（最判昭二三・一〇・一四民集二・三七七、【67】の上告審、上柳・民商法二五巻四七頁）。

（ロ）既存債務の支払のために（取立のためにまたは支払の方法として）手形が授受される場合　この場合には既存債

務の履行の請求を受けた債務者は まず手形債権を行使すべきことを抗弁として主張し得る【63】【64】【65】【66】。

【63】「為替手形ノ振出カ既存債権取立ノ目的ニ出テタル場合ニ於テハ手形債権ノ発生ト共ニ既存債権ヲ消滅セシムルモノニ非スシテ二者併ヒ存スルモノナルコトハ論ヲ俟タスト雖モ当事者間別段ノ意思表示ナキ限リ債権者ハ先ツ手形ニ因ル請求権ヲ行使シ其効ナキ場合ニ於テ既存債権ニ基キ之カ弁済ヲ請求スヘク適法ニ手形金ノ請求ヲ為サスシテ直ニ既存債権ヲ行使スルハ当ヲ得タルモノニ非ス何トナレハ既存債務ノ履行ヲ受クル方法トシテ為替手形ヲ振出シタル場合ハ即チ先ツ之ニ依リ該債務ノ支払ヲ受クヘク其支払カ完全ニ行ハレタル場合ニ於テ既存債務ヲ消滅セシムル趣旨ト見ルヲ相当トシ特約ナキ限リ手形ヲ擱キ通常ノ方法ニ従ヒ既存債務ノ履行ヲ請求スルヲ得ルモノト解スヘカラサルヲ以テナリ本件ニ於テ原判決ノ確定セル事実ニ依レハ被上告人ハ上告人ノ注文ニ応シ売渡シタル若干ノ太物類ヲ上告人ニ発送シ甲一号証ノ約旨ニ基キ之カ代金取立ノ目的ヲ以テ為替手形二通ヲ振出シ上告人之カ支払ヲ引受ケタルモノナルヲ以テ原判決ノ如ク手形ヲ擱キ直ニ売掛代金ノ既存債権ニ基キ提起シタル本訴被上告人ノ請求ヲ是認セントスルニハ当事者間之ニ関シ特別ナル意思表示アリシ事実若クハ手形ノ呈示アリタルモ支払ヲ為ササリシ事実アルコトヲ判定セサルヘカラス然ルニ原院ハ事茲ニ出テス前示ノ法則ヲ誤解シタル結果既存売掛代金ノ債権カ現ニ存在シ其支払期限カ到達シ居ル以上ハ手形ノ呈示ノ有無ニ拘ハラス直ニ其債権ニ基キ履行ヲ請求スルヲ得ルモノノ如ク判断シ右特別事情ノ存否ニ付テハ被上告人ヨリ上告人カ手形ノ支払ヲ拒ミタル事実上告人ヨリ満期日ニ手形ノ呈示ヲ受ケサリシ事実ノ各主張アリタルニ拘ハラス此点ニ関シテ何等ノ判断ヲ与ヘス漫然被上告人ノ請求ヲ認容シタルハ法則ノ正当ナル適用ヲ為サス少クトモ其適用ヲ為ササル理由ヲ明示セサリシ違法アリ」（大判大五・五・二四民録二二・一〇一九、竹田・商法判例批評一巻一三九頁）。

【64】「手形上ノ債務ト消費貸借ニ基ク債務ト並立スル場合ニ於テハ当事者ハ先ツ其権利行使ノ敏速ナル手形ニ基キ一応権利ノ満足ヲ図リ然ル後始メテ消費貸借ニ基ク債権ヲ行使シ得ル約旨ナルコトハ之レ又意思解釈トシテ反証ナキ限リ之ヲ認メサルヲ得サルト共ニ手続欠缺等ニヨリ手形上ノ債権ノ行使不能トナリタルカ如キ場合ニハ固ヨリ消費貸借上ノ債権ヲ行使シ得ヘキコトモ又当事者ノ意思解釈トシテ反証ナキ限リ之ヲ認メサルヲ得ス」（東京控判明四四・一二・二〇新聞七七九・二〇）。

【65】「或債務ノ履行ヲ確保スル為メ為替手形ヲ授受シタル場合ニ債権者カ手形ヲ呈示シ其支払ヲ求メタルニ拘ハラス手形

金ノ支払ヲ得サルトキハ債権者ハマタソレ以上ノ手続例ヘハ拒絶証書ノ作成等ヲ為スヲ要セス直チニ原債務ノ履行ヲ請求スルヲ得ル」（大判大六・五・二五、民録二三・八三九）。

【66】「原告ハ仮ニ消費貸借上ノ権利ト手形上ノ権利ト併存ストスルモ被告ハ先ツ手形上ノ権利ヲ行使スヘク又手形上ノ主タル債務者カ既存債務ノ債務者ト異ナル場合ニ於テハ債権者ハ手形上ノ権利保全ノ手続ヲ為ササルヘカラス若シ之ヲ懈怠シタルトキハ債務者ニ対シ既存債務ヲ主張シ得サルモノト解セサルヘカラスト主張スレトモ既存債務ノ支払方法トシテ為替手形ヲ受領シタル場合ニ於テ債権者ハ通常先ツ該手形ノ支払ヲ求ムルヲ相当トスルヤ論ナシト雖モ満期日ニ於テ之カ支払ヲ得サリシ場合ニ於テ債権者カ既存債権ヲ主張スル妨ケトナルモノニアラス」（東京地判大一四・七・二、新聞二四八七・一一）。

（八）　両者を区別する基準　　以上のように、原因債権と手形債権とが併存する場合にも、債権者として何れを先に行使するか自由である場合と、まず手形債権を行使しなければならない場合とがあることが分つた。しかし問題は、この両場合を分つ基準は何かということである。当事者の意思によるべきであることはもちろんである。しかし現実の取引において、既存債務の支払に関して手形が交付される場合に、既存債権と手形債権の何れを先に行使すべきかについて明示の意思が表示されている場合は稀であろうから、結局は、他の事情によつてこの意思を推測するほかないであろう。そしてこの基準としては、原因債権の債務者が同時に手形上も唯一の債務者であるか否かということが挙げられる（鈴木・二二一頁、伊沢・二五一頁、田中誠・並木・一〇三頁。しかし竹田・法学論双六巻五号一〇二頁は必ずしも賛成していないようである）。つまりこの場合には、何れを先に行使されようとも、債務者の利害に関係がないからである。そして判例もこの立場に立つている【62】。

従つて、具体的には、既存債務の債務者が債権者に対し約束手形を振出した場合、債権者の振出した自己受為替手形に債務者が引受をした場合、債務者が自己宛為替手形を振出した場合等は、債権者はその選択に従つて、既存債権、手形債権の何れでも自由に先に行使しうる。これに対し、第三者振出しの約束手形や、第三者引受の為替手形を、既存債権の債務者が債権者に裏書した場合、あるいは第三者の引受ずみの為替手形を債務者が振出した場合はまず手形債権を先に行使すべきである。引受がなくとも、第三者宛てに振出された為替手形の授受があつたときも、同様に解すべきである（但し一五八頁参照）。したがつてまた小切手が交付されたときも同様である。しかし問題は、既存債権の債務者が同時に手形上も唯一の義務者であつても、第三者が支払担当者として記載されている場合はどうかということである。この場合には、先ず手形を先に行使すべきであるとの学説もある（納富・手形法小切手法論一九六頁）。かなり困難な問題であるが、これに立入る前に、前掲諸判例中に現われている基準を順番に見てみることにしよう。

【58】の事案では貸金債権の弁済を確保するために小切手が交付された場合である。この場合にも判例は、何れを先に行使するかは債権者の自由であるという。しかし第三者を支払人とした為替手形と同様に、小切手が振出されたときは、債務者以外の第三者たる支払人による支払がまず予定されていると見るべきであるから、むしろ、小切手債権を先に行使すべきである。従つて、他に何か特別な事情があつたのであれば格別、そうでなければ、この判決には賛成できないといわねばならない（竹田前掲判批は事実認定の問題としてかたづけている）。【59】の事案は、賃料支払に関して債務者が約束手形を振出した場合である。しかし第三者方払の記載の有無は不明である。【60】の事案も、債務者が売買代金債務の支払に関して約束手形を振出した場合であるが、第三者方払の記載があつたか否かは、前同様不明である。これに対し、

【61】の事案では、売買代金の月賦金支払に関して、債務者が約束手形を振出したが、第三者方払の記載があつた。そして原審は、まず手形上の権利を行使すべきであると判示したが、上告審は、何れを行使するも債権者の自由であるとした。さらに、この系列の最後に位するものとして、最高裁の判決【62】がある。これは貸金債権の支払に関し、債務者が約束手形を振出し、しかも支払場所として債権者の自宅を記載した場合に関する。

次に、まず手形債権を先に行使すべきであるとした判決例に移ろう。【63】の事案では、売掛金債権の支払に関して、債権者振出の自己受為替手形に債務者が引受をした。この場合は、既存債権の債務者が唯一の義務者であり、むしろ何れを先に行使するも債権者の自由であるべき場合である。それにもかかわらず、判例がそう認定しなかつた具体的事情は不明である。また第三者方払の記載の有無も不明である。【64】は事実の明確な把握が困難であるので省略する。【65】の事案は、売買代金債務者が、第三者引受の為替手形を債権者に交付した場合であつて、まず手形債権を行使すべき典型的な事案というべきである。そして、最後の【66】の事案も、同じく第三者引受の為替手形を、消費貸借債務の支払に関して、債務者が債権者に対し裏書した場合であつて、まず手形債権を行使すべきであるとの判示が妥当なことはいうまでもない。

以上の諸判例についての考察を前提として、前に解決を残しておいた問題、すなわち、既存債権の債務者が手形上も唯一の義務者であつても、第三者が支払担当者として記載されているときは、まず手形を先に行使すべきではないかという問題に戻ろう。この場合、手形の先行使義務を認める学説のあることは前述した（一五五頁）。下級審中にもそのような立場に立つかと思わしめるものがある【67】。もつとも、ここでは支払場所として、債権者の自宅が記載されていたから、今の問題についてどういう立場をとろうと、具体的事案の解決には影響がない場合ではあつた。

【67】「既存債務の支払確保のために債務者が債権者に手形を差入れた場合にあつても、その手形が第三者を手形上の義務者もしくは支払担当者としたものである場合には、当事者の意思は、その手形を支払の方法として授受したものであり、従つて債権者は先ず手形上の権利を行使すべきものと為したものと解するのが正当であろう……」（福岡高判判決日不詳、民集一二・三八八、【62】の第二審）。

思うに、既存債権の債務者が同時に手形上も唯一の義務者であるとしても、第三者（現実には銀行の営業所）が支払担当者として指定されているときは、債務者は支払担当者に資金の供給をしているわけであるから、それにもかかわらずこの手形を利用せずに、直ちに既存債権を行使されることは、債務者の予期に反する結果になる。故に、支払担当者の記載があるときは、債権者は手形を先に行使すべき義務がある、といえそうである（大隅・河本・四一九頁）。しかし、手形の支払呈示期間経過後においては、第三者方払の記載は手形上の効力を失い、以後は支払の請求は引受人（約束手形の振出人）の住所でなさるべきであるとの立場（大隅「第三者方払手形について」民商法二五周年記念特集号下六六〇頁、大隅・河本二五〇頁）に立てば、支払呈示期間経過後は、もはや債務者は手形を先に行使せよと要求する利益をもつていないというべきではないかと思う。けだし右期間経過後は、支払担当者のもとにある資金からまず支払を受けるべきであるとの関係がなくなるからである。もつとも右期間経過後といえども手形債権は取立債権であつて（商五一六Ⅱ）、原因債権は持参債務（民四八四）であるが、このことは今の問題には重要性を有しない。以上のように考えると、支払呈示期間経過後は、手形債権、原因債権の何れを先に行使するも、債権者の自由というべきではないかと思う。

支払担当者の記載について右のように考えるならば、引受未済の、第三者を支払人とする為替手形を債務者が交付したときも、支払呈示期間経過後は、債権者は、手形の支払呈示をなさずとも直ちに原因債権を行使し得ると解すべきである。けだし為替手形の支払人（引受前の）は呈示期間経過後は支払をなし得ないとするのが通説であるからである。これに対し、呈示期間経過後といえども、支払委託の取消のない限り、支払のなされ得る小切手（小三二Ⅱ）の場合にあつては、右期間経過後であつても、債権者は小切手債権の先行使義務を負うというべきであろう。

（二） 両者を区別する実益　既存債務の支払に関し手形が交付された場合に、手形債権を先に行使すべきか、それとも手形債権と原因債権の何れを先に行使するも債権者の自由とみるべきかの問題は、如何なる点に実益をもつのであろうか。

まず、債務者が履行遅滞に陥るか否か、従つて契約の解除が有効か否かの問題の決定に意味をもつ。たとえば、土地の賃料の支払に関し、手形が交付されている場合、手形の満期日は、すなわち賃料支払の期日であるが、もし手形債権を先に行使すべきであるならば、当該期日が到来しても、手形の支払呈示がない限り、賃料債務についても、債務者は履行遅滞に陥らない。従つて、債権者としては履行遅滞による賃貸借契約の解除もできない。これに対し、もし何れの債権を先に行使するも債権者の自由であるとすれば、右期日が到来すれば、手形の支払呈示がなくとも、債務者は、賃料債務につき当然に履行遅滞に陥り、従つて債権者は賃貸借契約の解除をなし得ることになる【59】。

もつとも、この点については、月賦金の支払に関して債務者が第三者方払の約束手形を振出した事案につき、債権者の手形権利先行使義務を認めた原審の考え方を否定しながらも、手形上の支払場所の指定は、既存債務の履行場所をもそこに定めたものと解し、このように解する以上は、債権者が満期に支払場所に出頭して手形の呈示をなさなかつた場合には、原因債権たる売買代金の月賦金支払債務についても、債務者に履行遅滞の責なく、従つて売買契約の解除は効なしとの理論によつて、結局、原審と同じ結論を認めている判例もある【61】【89】。

しかし、原因債務につき、その履行場所が債権者または債務者の住所以外の第三の場所である場合に、債権者がその場所に出頭していないときは、債務者は履行遅滞に陥らないといえるものであろうか。どうも疑問と思われる。それに前述の如く、支払場所の記載は、支払呈示期間経過後は、その効力を失うとの立場に立てば、右期間経過後は、原因債務についても、その履行場所は原則通り債権者の住所に復すると解すべきである。従つて何れにしても、債務者は履行遅滞に陥つており、契約の解除は有効とみるべきではなかつたかと思われる。

その他、事案の詳細は不明であるけれども、【60】も、原因債務につき履行遅滞の効果が発生したか否かに関している。

債権者が手形債権につき先行使義務を負担している限り、まず手形債権を行使しなければ債務者は履行遅滞に陥らないとすれば、裁判所としても、手形をおいて直ちに原因債権に基いて提起された訴を是認するためには、手形の呈示があつたが支払がなされなかつた、との事実をまず判定しなければならない。【63】の判決はこのことを判示している。

三 原因債権行使の方法

前述の如く、既存債務の支払確保のために手形が交付された場合は別として、支払の方法として授受されたときは、債権者はまず手形により権利を行使すべきであるが、拒絶証書の作成ないし訴を提起する必要はない【65】【68】。その支払または引受が拒絶されたときは、直ちに既存債権を行使することができる。

【68】「そこで控訴人主張の前示（一）の仮定抗弁につき案ずるに、本件手形は有限会社津製紙所が控訴人宛に振出し控訴人がこれを被控訴人に裏書譲渡したものであることは前示のとおりであるから、右手形については控訴人が手形上の唯一の義務者ではなく、手形所持人たる被控訴人に対し控訴人において裏書人の義務を負担するはか右有限会社津製紙所において主たる債務者たる振出人の義務を負担するものであることは明かである。しかし右手形につき所持人たる被控訴人が満期に支払場所にこれを呈示して支払を求めたがその支払を拒絶されたことは当事者間に争がないのであつて、このように手形上の支払請求がすでに拒絶された以上、右手形を前示既存債務の支払確保のために譲受けこれを所持する被控訴人は、手形上の遡求権と既存債務の履行請求権とにつき任意にその一を選択して先にこれを行使するも妨げないものと解するを相当とする」（仙台高判昭二九・一一・二六民集七・一一〇八、【73】と同じ事案）。

しかし何れの場合にも、原因債権の弁済を受けたときは、債権者は手形を債務者に返還しなければならない【69】。

【69】「手形ヲ債権ノ担保ニ取リタル者カ一旦被担保債権ノ弁済ヲ受ケタル以上其ノ手形ヲ返還セサルハ論無シ債権カ己ニ弁済セラレタルニ拘ハラス尚手形金ノ支払ヲ求ムルハ質権ニヨリテ担保セラルル債権ノ弁済後更ニ質権者ニ於テ当該質物ヲ処分シテ其売得金ヲ収メムトスルト多ク択フトコロヲ見ス」（大判昭一〇・四・二新聞三八三三・一五）。

しかも債務者は、その返還を既存債務の支払と引換に請求し得る【61】【70】【71】。

【70】　「既存債務の支払確保のために、小切手が交付せられた場合、特段の事由なき限り、債権者において小切手債権に先立ち既存債権を行使するはその任意であるとともに、一面債務者は小切手の返還と引換えでないことを理由にして、既存債務の履行を拒否し得るものと解するを正当とする（昭和一三年一一月一九日大判参照【61】）。けだしそうでないとすれば、債権者において自由に小切手を他に譲渡し得る関係上、もし小切手が善意の第三者の手中に入るにおいては、債務者において二重払を余儀なくせられることもあり得べく、そうでないとしても、債務者においで小切手の返還を受けた上、さらに小切手の債務者に対しその権利を行使することを不能ならしめるに至るおそれがあるからである（以下【80】に続く）」（大阪高判昭二九・六・一七民集七・四〇一）。

【71】　「既存債務の支払の為めに約束手形の振出された時には、債務者たる控訴人としては、縦令右手形債務の履行を求められたものではなく既存の前記売掛残代金債務の履行を求められた場合でも右手形と引換でなければ之が支払を拒むことが出来るものと解するを相当とする。蓋し若し然らずとすれば債務者たる控訴人は既存債務の支払の為めに振出した手形によつて他日右手形の所持人である債権者たる被控訴人又は被控訴人から悪意又は重大なる過失なくして右手形を取得した第三者から手形金の支払を請求せられ之が支払を強いらるる危険を甘受せねばならぬからである」（福岡高判昭二九・三・三民集七・一四九）。

右の両下級審の判決は、その後、最高裁（【70】の上告審）によつても、支持されるに至つた【72】。

【72】　「貸金債務確保のために小切手が交付された場合、債務者は、債権者からの貸金請求に対しては、特段の事由がない限り、右小切手の返還と引換えに支払うべき旨の抗弁をなし得るものと解するを相当とする（大審院昭一三年一一月一九日言渡判決参照）（以下【81】に続く）」（最判昭三三・六・三民集一二・一二八七、上柳・民商法四〇巻一号七五頁）。

既存債権の行使に当つても、手形と引換えにしなければならないことの理由として、右等判決中に現われているものの第一は、もし、手形と引換でなしに、債務者が既存債務の支払を強制されるとすれば、債務者は、右手形所持人たる債権者（もはや債権者たる地位を失つている）より、手形を善意で取得した第三者によつて手形金の支払を強制され、二重払を強いられる危険を甘受せねばならないということである【70】【71】。すでに弁済を受けた所持人自身によつて請求される危険もこれに属する【71】。第二は、原因関係上の債務を弁済しながら、手形、小切手上の前者に対する権利を行使できない不利益を、債務者に負わせないがためである【70】（但し【73】の判決はこの理由を無視している）。そして債権者が手形上の義務を負担していない場合、たとえば【70】【72】のように持参人払式小切手を引渡によつて譲渡したにすぎない時は、もつぱら第二の理由が問題になる。

なるほど、原因債権が手形の満期前に行使される場合には、債権者の手に残つた手形が善意の第三者に譲渡されることによつて、債務者は、原因債務消滅の抗弁を切断される危険にさらされる。もつとも、普通は、手形の満期の定めは既存債務の弁済期を延期したものと解されるから（一七四頁参照）、手形満期前に原因債権の行使されることはあり得ないようであるが、債務者が期限の利益を失うべき旨の特約があるときは（銀行取引では通常そうである）、手形の満期前でも原因債権の行使され得る事態が生ずる。また、実際上は余り問題は生じないであろうが、満期後二取引日内の弁済は、なお、抗弁を切断する効力を伴つた譲渡の危険をはらむ（手二〇Ｉ本文）。さらに、期限後に原因債権が行使される場合であつても、期限前に債権者が手形を喪失しているときに、原因債権の履行を強いられるならば、債権者はさらに手形の善意取得者により手形金を請求されるという大なる危険にさらされる。

しかし拒絶証書作成期間経過後において原因債権が行使され、しかも、右期間経過当時、手形が債権者の手中に存在したことが明らかな事情があるときは、別の考察が必要である。なぜならば、このような場合は、それ以後に手形が譲渡されたとしても、それは期限後の譲渡であつて、指名債権譲渡の効力しか有しないから、原因債務の弁済をなした債務者は、以後の手形取得者に対し、右弁済の抗弁を主張し得るからである。従つてこの場合には、前者に対する権利行使の必要ということを別にすれば、手形と引換にすることは要しないかの如くである。そして、高裁判決中には、正に右のような理由で、手形と引換にすることを要しないと判示したものがある【73】（なおこの判決は、債務者が前者に対し権利を行使するために手形の返還を受ける必要がある点を考慮していない欠点がある）。

【73】「次に控訴人主張の前示（二）の仮定抗弁につき案ずるに、控訴人は既存債務の支払確保のために本件手形を裏書譲渡したのであるが、右手形は満期にその支払が拒絶されたものであることは前示のとおりである。しかして右手形は振出人において支払拒絶証書作成義務を免除して振出したものであることは控訴人の自認するところであつて（甲第一号証参照）、すでにその支払拒絶証書作成期間を経過したことは明かなところである。かような場合において既存債務の債務者たる控訴人は債権者たる被控訴人に対し右手形の返還を受くべきことを理由にそれまで既存債務の履行を拒み得ないものと解するを相当とする。けだしこのような場合に被控訴人は右手形上の遡求権を行使するに先だち既存債務の履行を請求することができることは前示のとおりであり仮に右手形が今後被控訴人から第三者に裏書譲渡されることがあつても（右手形が現に被控訴人の手中にあることは当事者間に争がない）、その裏書は満期の経過後で且つ支払拒絶証書作成期間経過後の裏書であるから指名債権の譲渡の効力を有するに止まり被裏書人は裏書人の有した権利のみを取得するに過ぎないばかりでなく、このために控訴人において損害を被ることがあつてもこれに対処する救済の道がないわけでなく、いずれにするも既存債務の履行について被控訴人に右手形の引換義務を負担せしむべき理由がない」（仙台高判昭二九・一一・二六民集七・一一〇八、【68】と同じ事案）。

しかし、期限後裏書による取得者に対しては、債務者は、原因債務消滅の抗弁を主張し得るとしても、期限後裏書なること（手二〇Ⅱ）、ならびに原因債務弁済の立証責任を負担せねばならない。第三取得者自身でなくとも、債権者自身によつて再度手形によつて請求される場合にも、債務者は原因債務弁済の立証責任を負担し、その証明の困難の故に支払を強いられる恐れがある。前掲【71】の判決が、現在、債権者が手形を所持していることを認定し、したがつて、以後の手形取得者はすべて期限後の取得者と考えられるにもかかわらず、手形と引換にしなければならないとして、交換的給付判決を下しているのは、正にこの点を考慮したものと思う。

以上のように考えてくれば、債務者が既存債務の支払のためないしは担保のために手形を交付したときは、それが第三者振出の手形を裏書したものである場合はもちろん（この場合は債務者は前者に権利を行使するためと、二重払いの危険をさけるため）自己振出（この場合はもつぱら二重払の危険をさけるため）のものであつても、手形上の権利が有効に存在する限り（これが消滅した場合については一六六頁以下参照）、債務者は、原因債権の主張に対しては、手形と交換にのみ支払うという一種の同時履行の抗弁権を有し、債務者がこの権利を行使すれば、裁判所は手形と引換に支払えとの交換的給付判決をなすべきである【71】（上柳・法学論双五九巻四号一三八頁）。

そして右のように解釈しても、現に債権者が手形を所持している限り、この者にとつては別に酷な結果にならない。しかし債権者が手形を喪失している場合は、せつかく原因債権を併存せしめたにもかかわらず、手形債権を有していたのと全く同じ結果になつて、債権者としては、喪失手形につき除権判決を得なければ、手形権利はもちろん、原因債権の行使もできないことになる。

そして右のように解する以上、原因債権を自働債権として相殺するに際しても、手形の交付なしになされたのでは、その相殺は有効であるとは必ずしもいい切れないことに注意しなければならない

（九九頁参照）。

最後に、以上のような立場に、基本的に対立する考え方についてふれておくことを忘れてはならない。それは、債権者が、支払呈示期間経過後において原因債権を行使するのは、通常、手形の満期において支払呈示がなされたのに、支払拒絶があつた場合であろう。従つて、前述の債務者の二重払の危険といつても、債務者にとつては、自己の支払拒絶に起因するやむを得ない危険負担というべく、これによつて生じた損害は、後日債権者に対する不当利得返還請求ないし損害賠償請求により回復するほかなく、原因債権の行使は手形と引換にすることを要しないとするものである【74】。

【74】「請負代金の支払の方法並びに確保のため約束手形が振出された場合は、約束手形金請求権と請負代金請求権とは併存し原因関係により請負代金の請求をするにあたつては、請負代金の支払と引換に約束手形を返還することを要しないものと解するを相当とする。もつとも請負代金の支払のあつた後約束手形の所持人から手形金の請求があつた場合は、振出人は手形所持人に対抗しうる抗弁事由のない限りこれが支払の責に任じなければならないことになり、二重払の危険を負担することは控訴人主張のとおりであるが、かような事例は手形振出人が手形金の支払を拒絶したことに起因するのが通常であつて、売買代金の支払確保のため約束手形を振出した振出人としては止むを得ない危険負担というべく、これによつて生じた損害は後日債権者に対する不当利得返還請求乃至損害賠償請求により回復するよりほかない（約束手形の受取人が担保のため手形を第三者へ裏書譲渡して金融を受けることもあるが、その場合一旦手形を取戻してこれと引換でなければ原因関係による債務の弁済を得られないということになれば、約束手形の円滑な流通を阻害する結果を生ずる）。してみれば、控訴人の右抗弁は主張自体理由がないものといわなければならない」（広島高判昭二七・一〇・一四民集五・五三六、上柳・法学論双五九巻四号一三九頁）。

この立場は、一般に、同時履行の抗弁権につき、相手方が一度債務の本旨に従つた提供をすれば、他方は、全然同時履行の抗弁権を失うと解する立場（鳩山・日本債権法各論一一九頁、柚木・債権各論七九頁）と同じ考え方の上に立つているものと思う。すなわち、この立場は、例えば、土地の売主が約旨に従つて登記所に出頭して移転登記の履行を提供したが、買主が受領しなかつた場合に、後にその売主から買主に対して代金の支払を請求したときは、買主は、もはや同時履行の抗弁権はなく、従つて、売主は、無条件に支払を命ずる判決を入手し得る（我妻・債権各論上九四頁の例参照）と解する。これを今の問題に当てはめるならば、債権者が満期に手形を呈示してその受戻を要求したにもかかわらず、債務者がそれを受戻さないということは、右の例でいえば、土地の売主が、移転登記の履行を提供したが、買主が受領しなかつた場合に当る。そしてその場合に、土地の売主は代金債権につき、無条件の給付判決を入手し得るように、いつたん手形の支払拒絶をした債務者は原因債務につき、同じく無条件に支払をしなければならないことになる。しかし、同時履行のこの問題については、判例は反対の立場をとり（大判明四四・一二・一二民録一七・七七二、同昭六・九・八新聞三三一三・一六）、またこれを支持する有力な学説もある（我妻・前掲書九五頁、末川・契約総論九九頁）。原因債権の行使と手形交付の要否の問題も、右の同時履行の問題と共通に解決されるべき性質のものと思われる。

四　原因債権の消滅

(一)　手形の譲渡と原因債権の消滅　債権者は交付された手形を、満期まで待つて権利を行使する代りに、他に譲渡することができる。原因債務の支払確保のために交付された手形を、あるいは担保のために交付された手形とよぶことがあるため、通常の譲渡担保における担保物と同様に、他に譲渡（割引）できないかの如く解する向きがないではない（島谷・金融法務事情一三三号一五頁）。しかしそう解すべきでない。もつとも、特に譲渡を禁止する特約があれば別であるが（かかる特約の効力についても疑問がある、大隅・河本・一一〇頁参照）、そうでないかぎり、原因債権の支払のため、あるいは支払確保ないし担保のために交付された手形は、債権者において、自由にこれを他に譲渡し得る【21】。

しかしこの譲渡によっては、たとい対価を入手しておろうとも、直ちに既存債務が消滅すると解すべきでない【75】【76】。

【75】「(【58】に続けて) 但シ債権者カ其小切手ヲ他人ニ譲渡シタルトキハ債務者ニ対シテ更ニ貸金債権ヲ行使スルコトヲ得サルハ勿論ナルモ手形金ノ支払ハレサル限リ債権者ハ償還義務ニ服スヘキヲ以テ譲渡ノ一事ニ因リテ貸金債権カ当然消滅スヘキモノニアラス」(大判大五・九・二〇民録二二・一八一六、竹田・商法判例批評一巻二一二頁、同旨大判昭七・一二・一七法学二・八三五)。

【76】「貸金債権ノ弁済ヲ確保スル為メ債務者ヨリ為替手形カ振出サレタル場合ニ於テハ其ノ手形上ノ権利ト貸金債権トハ併存スルモノナルニヨリ債権者カ其ノ手形上ノ権利ヲ他人ニ譲渡スルモ之カ為メ当然貸金債権ノ消滅ヲ来タスモノニ非ス是レ論旨ニ援用スル当院判例ノ趣旨ニ徴スルモ是認セラルルトコロナリ従テ原判示ノ如ク被上告人カ上告人ニ対スル貸金債権ヲ確保スル為メ其ノ振出引受ニ係ル為替手形ノ交付ヲ受ケ然ル後該手形ヲ対価ヲ得ズシテ訴外甲ニ裏書譲渡スルモ之ニ因リ当然貸金債権ノ消滅ヲ来タスコトナク而シテ右手形ニ付テハ甲ヨリ神戸地方裁判所ニ上告人ヲ被告トシテ訴ヲ提起シ勝訴ノ確定判決ヲ得タル上上告人ニ対シ強制執行ヲ為シ其ノ一部ノ金額タル百二十六円五十銭ノ弁済アリタルモ残余ニ付テハ之カ支払ヲ受クルコトヲ得スシテ日時ヲ経過シ逆ニ時効ニ因リ手形上ノ権利ノ消滅ヲ見ルニ至リシコト又原判示ノ如クナル以上右残余ノ債権ニ付テハ恰モ之ニ附随スル担保カ失ハレタルト同様ノ結果ヲ招来シタルニ過キスト観スヘキモノナルニヨリ債権者タル被上告人ハ其ノ残存債権ヲ行使シ得ルモノナリト解スルヲ相当トスヘシ原審カ被上告人ノ該債権ニ基ク本訴請求ヲ是認シタルモ之ト同趣旨ニ出テタルモノニ外ナラスシテ尚敍上当院ノ判旨モ亦右ノ解釈ヲ妨クルコト無シ」(大判昭一三・二・一四新聞四二三八・一八)。

高裁判決中には反対の趣旨のものもある【39】。しかし、前掲大審院判例【75】のいう如く、譲渡人たる裏書人は償還義務を負担する故、譲渡の一事によっては、原因債権は消滅しないと解すべきである（竹田・前掲判批、伊沢・二五四頁）。そして、債権者たる譲渡人が手形上の償還義務を免れたときに、初めて既存債権は消滅する。もつとも手形を譲渡してこれを所持しない原因債権者は、原因債権を行使することはできない。しかし、前掲判例の事案【76】における如く、手形の譲受人が手形金額の一部について債務者より弁済を受け、残余については時効により手形債権が消滅したときは、対価を得ずに裏書した手形譲渡人たる原因債権者は、残余の金額について原因債権を行使しうる（なお一六九頁参照）。

なお、原因債権だけが譲渡された場合はどうか。かかる場合につき、右譲渡によつては手形債権は消滅することなく、債務者は手形債権の請求を拒否し得ないとした判例がある【77】。

【77】「債権ヲ確保スル約束手形カ振出サレタル場合ニ於テハ既存ノ債権ト手形債権トハ併存シ其ノ何レカ一方カ弁済セラレタルトキハ両者ハ共ニ消滅スルモ未タ其ノ弁済ナキニ於テハ権利者ハ何レノ権利ヲモ行使シ得ヘク既存ノ債権ヲ他人ニ譲渡シタレハトテ未タ以テ手形債権ハ消滅スルコトナシ債務者カ既存ノ債権ヲ弁済シタル時ニ於テ始メテ手形債権ノ請求ヲ拒否シ得ルニ過キス本件ニ於テハ上告人ハ未タ報酬金債権ヲ弁済セサルカ故ニ手形債権ノ請求ヲ拒否スルコトヲ得ス況ンヤ原判決ノ確定シタル所ニ依レハ債権取立ノ便宜上甲カ乙ニ為シタル報酬債権ノ譲渡契約ハ其後乙ノ家督相続人丙トノ間ニ於テ合意上解除セラレ丙ノ代理人ハ其旨上告人ニ通知シ該権利ハ甲ニ復帰シタルニ於テヲヤ」（大判昭一七・四・一（商判集追Ⅱ補一一））。

この立場からは、原因債権の旧権利者たる手形所持人に対し支払がなされることによつて、原因債権は、たといそれが手形所持人以外の者に属していても、消滅するといわざるを得ない。しかし、債務者が原因債権について譲渡通知を受けているときに、あえて手形所持人に支払うことは、原因債権譲受人に対する債務者の不法行為責任の原因ともなりかねない。故にこの場合は、手形債務の履行を拒み得るというべきである。なお、このような場合、原因債権の譲渡を受けた者は手形の譲渡をも請求しうべき権利を有していると解すべきである。けだし、手形と引換でなければ、原因債権の行使はできないからである。

（二）　手形権利の消滅と原因債務の消滅

原因債務の履行に関し交付された手形権利が時効ないし権利保金手続の欠缺によつて消滅したときは、原因債権はどのような影響を受けるか。これは場合を分けて考えなければならない。

(1)　債務者が手形・小切手上の権利の消滅により不利益を被らない場合　　まず原因債権者が手形の受取人として手形の振出を受け、かつその手中において手形が失効した場合がこれに当る。この場合、それによつて原因債務が消滅しないことはいうまでもない【78】。

【78】　「手形カ消費貸借上ノ債務ノ履行ヲ確保スル目的ノ上ニ振出サレタルモノナル場合ニ於テハ其ノ手形上ノ権利カ時効完成ニ因リテ消滅スルモ之カ為ニ消費貸借上ノ債務ノ消滅ヲ来スコトナキハ勿論ナル……」（大判昭一〇・六・二二新聞三八六九・一一）。

そしてこの場合は、手形と引換でなしに、直ちに原因債権を行使することができる。けだしこの場合には、手形と引換でなしに履行しても、債務者は、二重払の危険を負うこともなく、さらに前者に対し権利を行使し得べき利益を失わしめられるという不利益を負うこともないからである。

なお、この場合の立証責任については、次のように考えるべきであろう。すなわち、原因債権の履行に関連して、手形が交付されていることが債務者によつて主張立証された以上は、手形と引換えにのみ原因債権の行使ができるということが原則である。故に引換にする必要がないという事情は例外的な事情であるから、これは債権者において主張立証しなければならない。このことは、手形・小切手上の権利が時効で消滅したときには、時効の援用の原則(民一四五条)からもでてくるが【80】【81】、手形・小切手上の権利が保全手続欠缺によつて消滅したときにも同様に解すべきである(上柳・民商法四〇巻一号七九頁)。

(2) 債務者が手形小切手上の権利の消滅によつて不利益を被る場合　たとえば、甲振出の約束手形を受取人乙が既存債務の支払のために、自己の債権者丙に譲渡し、丙が手形権利を時効消滅せしめたような場合は、前述の場合のようには簡単には行かない。ある判例はかかる事案につき次のような解決を与えている。すなわち、手形権利が時効で消滅しても、丙の乙に対する原因債権は有効に存在し、他方甲に利得の存する限り(甲乙間の手形の授受が既存債務の支払に代えて行われた)、丙は甲に対し利得償還請求権を取得する(この点の詳細は二八二頁参照)。従つて乙としては、右の利得償還請求権の譲渡を受けられる故に、原因債務の履行請求に応ずべく、有効な手形の返還を受けられないことに基く損害賠償請求権との相殺をもつて対抗できないとした【79】。

【79】 「手形債権カ時効ニヨリ消滅シタル結果利得償還請求権ヲ取得スヘキ者ハ時効完成当時ノ手形所持人ニシテ利得償還請求権ト手形債権トカ別箇ノ債権ナルコト疑ナシト雖利得償還請求権ハ手形債権ノ時効消滅ノ結果取得スル権利ナルヲ以テ手形債権ノ代償物タルコトモ亦論ヲ俟タス従テ所論ノ手形カ本件債務ノ担保ノ為被上告人ヨリ上告人ニ裏書譲渡セラレタルモノニシテ手形上ノ権利ハ上告人ニ帰属スルモ其ノ内部関係ニ於テハ担保ノ目的ニ依リ制限ヲ受クルモノナルニ於テハ其ノ手形上ノ権利カ時効ニヨリ消滅シタル結果上告人ノ手形振出ニ対シテ取得スル利得償還請求権モ亦手形債権ノ代償物トシテ同シク担保ノ目的ニ依リ制限ヲ受クルモノナルコト明ナルヲ以テ担保提供者タル被上告人ハ右手形債権カ時効ニヨリ消滅ヲ来シタリトスルモ代償物タル利得償還請求権ノ存在スル限度ニ於テハ何等損害ヲ受クルモノニ非スト謂ハサルヘカラス」(大判昭六・一二・一民集一〇・一一四九、石井・判民昭和六年度一二一事件)。

また、他の事案では、X（原告、被控訴人、被上告人）はY（被告、控訴人、上告人）より金融を求められて承諾し、Yより、右貸借金の支払確保のため、A振出の持参人払式小切手一通を受取り、右小切手を金融業者である訴外Bに差入れて金員を調達した上、自己の名において、Yに対し貸与した。しかしこの小切手はBにより支払呈示されたが不渡となつたので、XはBに対し、さきに調達を受けた金員を返済した上、右小切手を受戻した。そしてXはYに対し、貸金の返還を請求し、第一審では勝訴したが、Yは、原因債権の行使は小切手の返還と引換えになさるべきである、と主張して控訴した。これに対し、第二審裁判所は、一般的にはYの右主張を是認しながらも、小切手上の権利の時効消滅している点をとらえて次の如く判示した【80】。

【80】「(【70】に続いて) 従つて、本件においては、被控訴人は、一応右小切手の返還と引換えにのみ、貸金債権を行使し得るものというべきであるが、さらに本件小切手を検討するにその呈示期間後、既に六箇月の消滅時効期間を経過していること前段認定の事実によつて明らかであり、かつ時効中断の事跡も認められないから、該小切手債権は既に消滅時効に罹つたものというべく、この場合控訴人（Y）において、被控訴人（X）に対し、或は利得償還請求権の譲渡を請求するなり又は損害賠償請求をする等の救済手段の存することは別として、もはや、貸金債権の行使に前記の如く小切手の返還との引換えを要請すべき理由は失われたものというべきである」(大阪高判昭二九・六・一七民集七・四〇一)。

ところがこの第二審判決は、上告審においては、小切手時効完成の事実は、当事者が主張していないのに、これを認定したとの理由で破棄された【81】。

【81】「(【72】に続いて) ところで、上告人は原告において、本件(2)の貸金については、右小切手の返還を受けるのと引換に支払うべき旨の同時履行の抗弁を提出したのであり、これに対し、原判決は、右小切手については消滅時効が完成した

事実を認定し、その結果、右貸金債権の行使については、もはや小切手の返還との引換を要請すべき理由は失われたものとして、上告人の前記抗弁を排斥したことは、判文上明白である。しかし、原判示のような時効完成の事実は、原審において、なんら被上告人の主張しなかつたところであるから、原判決は当事者の主張しない事実を認定した違法があり、右違法は原判決の主文に影響することは明らかである。それ故論旨は理由があり、原判決は、この点において一部破棄を免れない」(最判昭三三・六・三民集一二・一二八七、上柳・民商法四巻一号七五頁)。

そして結局Yは X に対し小切手と引換に貸金を返還すべき旨、自判した。

以上の各判例のとる立場を次に推論してみよう。まず第一の昭和六年一二月一日の大審院判例【79】であるが、これは、手形が時効によつて失効しても、所持人丙が甲に対し利得償還請求権を取得し、乙はそれの譲渡を請求しうるから、丙による原因債権の行使を拒み得ないとするものである。もつとも、その行使は利得償還請求権の譲渡と引換えにこれをなし得るのか。さらに詳しくいえば、丙は、利得償還請求権の譲渡通知を甲に対しなすことと交換に、乙に対し、原因債権を行使し得るとするのか、明らかでない。しかし質物の返還と債務の弁済とは同時履行の関係にはない(大判大九・三・二九民録二六・四二二)のであるから、譲渡通知と交換にすることは必要でないと思われる。

しかしこの判決のように、所持人をして利得償還請求権と原因債権の何れかを自由に行使せしめることに対しては反対説もあり得るであろう(一二三頁)。この反対説の立場からは、右の例において、丙が手形権利を失効せしめた場合には、丙の乙に対する原因債権が当然に消滅するとするか、あるいは、乙は丙に対し、手形を失効せしめられたことによる損害賠償請求権を取得し、それと丙の乙に対する原因債権とが相殺によつて消滅せしめられる。そして、このようにして原因債権が消滅した結果として、所持人は利得償還請求権を取得する、と説明することになるだろう。なお、右事案の原審は相殺の理論を適用している（民集一〇・一一五九）。また同趣旨の学説もある（上柳・民商法四〇巻一号七五頁）。大阪高判昭和二九年六月一七日の判決【80】は、その理由中に、「或は利得償還請求権の譲渡を請求するなり又は損害賠償請求をするなり等の救済手段の存することは別として」、といつているところよりみれば、この点について確定的な立場を示してはいないと解される。

次に、（イ）の場合と同様、この場合にも、挙証責任が問題となる。この点に関し、前掲の最高裁判所判決【81】は、債務者が小切手上の権利の消滅を、主張も立証もしていないからとの理由で、債権者のために、小切手と引換えに支払うべしとの交換的給付判決を下している。しかしこれに対しては、次のような批判も考えられる。すなわち、原因債権の履行に関連して授受された手形が、債務者によつて振出されたものでなく、債務者がすでに他より取得していたものを譲渡したものであることが、債務者によつて主張立証されたときは（本件でもこのことは認定されている）、むしろ、債権者の方で、有効な手形を返還しうることを立証しなければ、勝訴判決を入手できないのではないかということである（上柳・前掲判批）。

しかし、右の批判は、手形・小切手上の権利が時効または手続の欠缺により消滅したときは、原因関係上の権利も当然消滅すると解し、かつ債務者が手形・小切手と引換えでなければ支払わない旨の抗弁を提出して、債務の弁済に関連して手形・小切手の授受があつたことを立証したときは、債務者が健全な手形を返還できることを立証せねばならないとの立場に立つてのみなされている批判である。

（上柳・前掲判批七九—八〇頁）。

五　手形による手形外の法律関係の認定

手形行為はそれ自体独立の法律行為であるから、手形行為の内容が当然に既存債務の内容をなすものではない。しかし手形行為の内容が、手形外の法律関係の内容を決定するために、当事者間の意思解釈の資料として利用することができる場合がある。

例えば、既存債務の支払に関連して振出された手形の満期は、反対の事情の存しない限り、既存債務の満期を延期せるものと解される【82】。

【82】「約束手形カ既存債務ノ支払確保ノ為曩ニ振出サレタル約束手形ノ書換手形又ハ切替手形ナル場合ニ在リテハ反対ノ事情ノ観ルヘキモノナキ以上該約束手形ハ従前ノ約束手形債務ノ支払延期ノ為振出シタルモノト解スルヲ相当トスルニヨリ此ノ場合ニ於ケル既存債権ト書換手形債権トノ関係モ前叙ノ説明ト其ノ理ヲ異ニスル謂ハレアルコトナシ」（台北高判昭八・九・二〇新聞三六四五・一一）。

消費貸借上の債務の弁済を確保するために差入れた手形の満期日は、同時に右借入金の弁済期と推定される【83】【84】。

【83】「案スルニ本件ニ於テ当事者間争ナキ処ニヨレハ被上告人先代ハ昭和六年三月三十一日上告人トノ間ニ金三千円ヲ限度トスル根抵当権設定契約ヲ締結シ之ニ基キ直ニ上告人ヨリ金額三千円ヲ借受ケ同時ニ自己振出シノ問題ノ約束手形ヲ上告人ニ交付シタリト云フニアルヲ以テカカル事実ハ所謂当座貸越契約ニ非ス単ナル手形貸付ト認ムルヲ相当トスヘク従テ特別ノ事情存セサル限リ（後ニ当事者ノ合意ニヨリ延期セラルルコトハ有リ得ヘシトスルモ）一応手形ノ期日ハ即貸金ノ弁済期ナリト做スノ外ナシ」（大判昭一一・一・二四新聞三九五六・一〇）。

【84】　「被控訴人ハ自己宛為替手形ヲ振出シ同日之カ引受ヲ為シ順次右受取人田村及控訴人三枝代三郎ノ裏書ヲ経テ右八十四銀行京橋支店ニ差入レ同銀行ヨリ百円ニ付一日金二銭ノ割合ノ割引料ヲ以テ右手形ノ割引ヲ受ケタリ従テ右手形ハ右会社カ右銀行ヨリ借入レタル右三万五千円ノ消費貸借上ノ債務ノ弁済ヲ確保スル為ニ差入レタルモノニシテ該手形ノ満期日ハ同時ニ右借入金ノ弁済期タルヘク割引料ハ右借入金ノ利息ニ相当スルモノト解スヘキモノトス」（東京控判大一一・七・二五新聞二〇三四・一七）。

控除された手形の割引料は借入金債務の利息とみられる【84】。

あるいは、金銭消費貸借上の債務の支払を確保する目的で振出された手形に、その手形が金融に使われることを知つて裏書した者は、格別の事情のない限り、原因関係上の債務を保証する意思ありと推定される【85】【86】【87】。

【85】　「按スルニ金銭消費貸借ノ締結セラルル場合ニ於テ当事者間ニ借用証書ヲ授受スル代ハリニ債務者ノ振出又ハ裏書ニ係ル手形ヲ授受シ又ハ借用証書ト共ニ右ノ如キ手形ヲ授受シ以テ消費貸借上ノ債務ト手形債務トヲ併存セシメテ以テ消費貸借上ノ債務ノ支払ヲ確保スルコトハ日常頻繁ニ行ハルル事例ナリトス（昭和九年（オ）第二〇二〇号同十年二月二十七日言渡当院判例参照）。今之ヲ本件ニ付キテ見ルニ原審ハ控訴人（被上告人）ハ訴外甲カ他ヨリ金融ヲ得ル為メ使用スル其ノ振出引受ニ係ル手形ニ裏書ヲ為シ以テ同人ニ金融上ノ便宜ヲ与ヘ来リシヲ以テ右甲ハ控訴人ノ裏書アル手形ヲ差入レテ被控訴人ヨリ本件金員ノ貸与ヲ受クルニ当リ控訴人ニ対シ特ニ被控訴人（上告人）ヨリ金員ノ貸与ヲ受クルコトハ之ハ告ケサリシモ他ヨリ金融ヲ受クルタメ使用スルモノナルコトヲ告ケテ昭和四年七月三日振出（一）ノ為替手形同年七月十二日振出（二）ノ為替手形同年八月二十二日振出（三）ノ為替手形ヲ作成シテ之ニ裏書人トシテノ署名捺印ヲ求メ控訴人ハ其ノ都度手形裏面ノ裏書譲渡欄ニ署名捺印シタルニ依リ甲ハ之ヲ担保トシテ被控訴人ニ差入レ以テ本件金員ノ貸与ヲ受ケタル事実ヲ認定シタルモノナルコト原判決文上明白ナリトス斯ノ如キ場合ニ在リテハ被上告人ノ為シタル裏書ハ手形外ノ金円貸借ニ於テモ保証債務ヲ負担スル意思ヲ以テ為サレタルモノト認ムルヲ相当トスルヲ以テ原審カ若シ之ニ反スル認定ヲ為サンカ為メニハ其然ラサルコトヲ知ルニ足ルヘキ特別事情アルコトヲ説明セサルヘカラス」（大判昭一一・七・八商判集追Ⅱ三七六）。

【86】「金円ノ消費貸借契約カ締結セラルル場合ニ於テ当事者間ニ借用証書ト共ニ又ハ之ヲ授受スル代リニ債務者振出若クハ裏書セル手形ヲ授受シテ消費貸借上ノ債務ト手形債務トヲ併存セシメ以テ消費貸借上ノ債務ノ支払ヲ確保スルコトハ日常頻繁ニ行ハルル事例ナルト共ニ第三者ニ於テ債務者カ該手形ヲ金融ノ為使用スルモノナルコトヲ知リテ之ニ裏書ヲ為シタルトキハ反対ノ事情ナキ限リ該裏書ハ手形外ノ金円貸借ニ付テモ保証債務ヲ負担スル意思ヲ以テ之ヲ為シタルモノト認ムルヲ相当トス」（大判昭一二・八・七法学六・一四四五）。

【87】「手形ニ上告人其ノ他被上告人先代甲及乙丙等ニ於テ裏書ヲ為シタルカ右裏書ニ際シ孰モ振出人タル丁木工株式会社ノ金融ヲ容易ナラシムル為所謂保証ノ趣旨ニテ裏書シタルモノナリトノ事実ハ被上告人等ニ於テ之ヲ争ハサリシコト原審口頭弁論ノ全趣旨ニ徴シテ明白ナレハ右手形ニ依ル金融関係ハ特段ノ事情ナキ限リ民法上ノ保証ノ関係ヲ伴フモノト認ムヘキモノナルニ拘ラス原審ハ手形ノ裏書ヲ為スニ当リ所謂保証ノ趣旨ニテ裏書ヲ為シタル場合ト雖民法上保証債務ヲ伴フモノニ非ストノ見解ノ下ニ本件ニ於テ上告人ハ右手形ノ裏書ニ当リ保証債務ヲ負担シタル事実ヲ立証セサルコトヲ理由トシ漫然上告人ノ求償権ノ行使ヲ排斥シタルハ実験則ニ反スル推理ヲ前提トスル判断ニシテ到底破毀ヲ免レス」（大判昭一六・一〇・一三新聞四七三五・九）。

しかし、この点については以上の各判例より前に、反対の趣旨かと思われる判例がある【88】。もつとも他にそれだけの充分な証拠があつたかも知れないのであるが、事実の詳細が不明である。

【88】「手形貸付ニ於ケル所謂保証手形ノ裏書人ハ或ハ手形上ノ償還義務ヲ負担シ又ハ手形上ノ債務ノ保証人タル義務ヲ負担スルニ過キサル場合（隠レタル保証裏書ノ場合）アリ或ハ更ニ進ンテ消費貸借上ノ債務ノ保証責任ヲモ負担スル場合アルヘシ其孰レノ場合ニ属スルヤハ各具体的ノ場合ニ於テ当事者ノ意思解釈ニ依リ定マル問題ナリトス而シテ本件取引ニ於テ原審ハ其職権行使ニ依ル適法ナル証拠ノ拾取判断ニ依リ被上告人（控訴人）等カ本件約束手形ニ裏書シタルハ手形上ノ債務ニ付保証ヲ為ス目的ニ出テタルモノニシテ本件手形貸付ニ基ク消費貸借上ノ債務ニ付民事上ノ保証ヲ為シタル趣旨ハ之ヲ認ムヘカラサルモノト判定シタルモノニシテ手形貸付ノ性質又ハ上告人ノ主張ノ趣旨ヲ誤解シタル違法アルモノト為スヲ得ス」（大判昭一〇・一〇・一五法学五・四九五）。

しかも、裏書人が、裏書当時、貸主の何人たるかを具体的に知らずとも、右のことを認定するに妨げにならないとされる【85】。

また、既存債務の履行に関し振出された約束手形に、銀行を支払場所として指定したときは、既存債務の履行場所も右銀行に定められたとみる判決もある【89】。

【89】「（【61】に続いて）然ルニ本件ニ於テ原審ノ確定シタル事実ハ上告人ハ右約束手形ノ満期タル昭和十二年八月三十一日支払場所タル羽陽銀行寒河江支店ニ出頭シテ手形ノ呈示ヲ為ササリシト謂フニ在ルヲ以テ反対ノ約旨ノ認ムヘキモノ存セサル限リ本件月賦金ノ支払場所モ亦右羽陽銀行寒河江支店ト定メラレタルモノト認ムルヲ相当トスヘク果シテ然ラハ前示昭和十二年八月分ノ月賦金ニ付テハ仮ニ被上告人カ前示期日ニ債務ノ支払ヲ為ササリシトスルモ債務者タル上告人ニ於テモ右期日ニ履行ノ場所ニ出頭セサリシモノナレハ単ニ該事実ノミニ因リ債務者タル被上告人ニ履行遅滞アルモノト做スヘカラサルコト上述スルトコロニ依リ明カナルヘシサレハ原審ハ其ノ理由ニ於テハ所論ノ如キ瑕瑾存セサルニ非サルモ前示八月分月賦金ノ支払ニ付被上告人ニ遅滞ナシトスル結論ニ至リテハ上記認定ト同一ニ帰スルヲ以テ結局此ノ点ニ対スル原審ノ判断ハ正当ト認メサルヲ得ス」（大判昭一三・一一・一九新聞四三四九・一〇）。

しかし、前述の如く（一五八頁参照）、支払呈示期間経過後は手形上の支払場所の記載はその効力を失うと解すると、原因債権の履行場所についても、右期間経過後は本来の履行場所すなわち原則として債権者の住所に復すると解すべきであろう（並木「手形債権と既存債権について」手形研究二巻一一号）。

しかし、他人に金融を得せしめる目的で約束手形が振出された場合（融通手形）に、振出人が手形外の消費貸借につき自らも借主となり、かつその貸借契約締結につき、自己を代理する権限を被融通者に与える意思を有していたとは推定できない【90】。

【90】「他人ニ金融ヲ得セシムル目的ヲ以テ約束手形ヲ振出シ之ヲ交付スルハ通常唯単ニ被融通者ノ為該手形上ノ債務ヲ負担スルコトニ依リ之ニ信用ヲ与フルモノタルニ止マリ特別ノ事情存セサル限リ必スシモ手形振出人ニ於テ被融通者カ右手形ヲ利用シテ他ヨリ金員ヲ借受クルニ当リ自ラモ亦共ニ其ノ借主ト為リ且其ノ貸借ニ付自己ヲ代理スル権限ヲ被融通者ニ授与スル意思アルモノト為スコトヲ得サルモノトスサレハ原審カ右特別事情ニ関シ何等説示スルトコロナク輙ク上告人ト訴外丹呉養太郎トノ間ニ本件消費貸借ノ成立ヲ肯認シタルハ到底失当タルヲ免レサルトコロナルノミナラス原審ノ確定シタル右事情ニ依レハ上告人ハ鈴木桝五郎ト共ニ丹呉養太郎ヨリ金千円ヲ利息日歩二十銭ノ約ニテ借受ケタリト謂フニ外ナラサルヲ以テ反対事情ノ存セサル限リ上告人ハ桝五郎ト平等ノ割合ヲ以テ右消費貸借上ノ債務ヲ負担スルモノト為ササルヘカラサルニ拘ラス原審ハ右反対事情ニ付何等説示スルトコロナク漫然上告人ニ対シ前示借受金及之ニ対スル利息制限法所定範囲内ノ利率ニヨル遅延損害金ノ金額ノ支払義務アリト為シタルハ失当ナリ」（大判昭一三・七・八、法学六・一四四二）。

同様に、他人の債務の支払を確保するために、債権者に対し、その債務と同額の約束手形を振出したからといつて、特別の事情のない限り、その債務の引受をしたと認めることはできない【91】。

【91】「他人ノ債務ノ弁済ヲ確保スルコトト他人ノ債務ヲ引受クルコトトハ全然別個ノ法律関係ナルヲ以テ他人ノ債務ヲ確保スル為メ債権者ニ対シ該債務ト同額ノ約束手形ヲ振出シタル事実ニ依リ特別ノ事由ナキ限リ之ヲ以テ他人ノ債務ノ引受ヲ為シ其ノ履行方法トシテ約束手形ノ振出ヲ為シタルモノト認メサルヘカラスト謂フカ如キ事理毫モ存スルコトナシ」（大判昭一〇・一・二九、新聞三八〇二・一三）。

三　資金関係

為替手形および小切手の支払人と振出人その他の資金義務者（委託手形小切手の場合、手三条、小六条参照）との間に存する実質関係を資金関係という。資金関係は約束手形には存しない。

資金関係と手形小切手関係とが分離されていることは、原因関係と手形関係とが分離されているのと同じである。従つて、小切手としての要件を備える限り、資金関係が存在しなくとも、小切手は有効である。このことは小切手法三条但書より明瞭であるが、この但書に該当する規定の存しなかつた旧法下においても、同様の趣旨の判例があつた【92】。

【92】　「小切手ハ設権証券ノ一ナレハ其振出要件ヲ具備スル以上ハ振出ノ当時資金関係カ支払銀行トノ間ニ存在スルト否トヲ問ハス有効ニシテ本件ノ如ク後日其資金ヲ支払銀行ニ振込ムヘキ約定ニテ売買ノ手附金ノ支払ニ代ヘ受取人ノ承諾ノ上小切手ヲ授受シタル場合ニ於テハ縦令資金関係カ其授受ノ当時支払銀行トノ間ニ現存セサルモ約ニ従ヒ後日ノ振込ニ依リ之ヲ存在セシメ得ヘキモノナレハ偶々不渡ト為リタレハトテ小切手ノ一覧払タル性質ヲ害スルモノニ非ス商法第五百三十六条（現小七一）ノ制裁ヲ免カレントスル脱法行為ニモ非ス」（大判大九・五・一五民録二六・六六九、竹田・論叢七巻四三四頁）。

この事案では、買主は、資金関係がないのに、後日資金を支払銀行に振込むからとの約定で、売買代金の手附金の支払に代えて小切手を振出した。原審で、売主は、右のような約定は商法五三六条（現小七一）の脱法行為であつて、無効である。故に後に右小切手が不渡となつたときは、売買契約は成立しないと主張したのに対し、原審は、本件小切手が支払に代えて交付されたものであるからとの理由で、右抗弁を採用しなかつた。そこで再び右約定の無効を主張してなされた売主の上告に対し、右の判決がなされたのである。資金関係の存否にかかわらず、小切手の効力は影響を受けないとの右判決の結論は、現行法（小三但）の下では、法文上明らかである。しかしその理論的説明としては、右判決のいうような設権証券であるからというのでは不充分である。設権証券という概念からは当然には無因性はでてこないのと同様に、この概念によつては、資金関係の存否によつて小切手自体の効力が影響を受けることを防ぐこともできない。これは、小切手面より知れない事情によつて小切手の効力が影響を受けては、その流通性が阻害されるとの政策的理由に根拠を求めるべきである（竹田・前掲判批）。なお、この事案では、手附金債務の小切手の交付による消滅が主問題になつているが、この点についても、原審の事実認定の当否ともからんで問題がないではない。

また資金関係が存在していても、支払人は、所持人に対して、支払、引受、あるいは支払保証に応ずる義務はない【93】。

【93】「当座預金勘定契約ハ預金者ト銀行トノ間ニ成立スル契約ニシテ預金者ノ預金ノ存スル限度又ハ貸越契約ヲ為シタルトキハ其ノ貸越ノ限度ニ於テ預金者カ銀行ヲ支払人トスル小切手ヲ振出シタル場合ニ於テハ銀行ハ預金者ノ為メニ小切手ノ支払保証ヲ為シ又ハ其ノ支払ヲ為スヘキコトヲ約スルモノニシテ当事者間ニ於テノミ効力ヲ生スルコトヲ通例トシ特段ノ約定ノ存セサル限リハ第三者タル小切手ノ所持人ノ為メニスル趣旨ヲ包含セス即チ将来振出スコトアルヘキ一切ノ小切手ノ所持人ニ対シ若シ右所持人ニシテ当該利益ヲ享受スル意思ヲ表示シタラムニハ銀行ハ常ニ当然ニ所持人ニ対シ其ノ請求ニ応シテ支払保証ヲ為シ又ハ支払ヲ為スノ責ニ任スルモノニアラス換言スレハ銀行カ預金ノ存スル限度又ハ貸越ノ限度ニ於テ尚且ツ所持人ノ請求ヲ拒ミ支払保証又ハ支払ヲ為ササル場合ニ於テモ単ニ預金者ニ対スル関係ニ於テ前示契約ニ依ル債務ノ不履行ノ責ヲ負フニ止マリ所持人ハ銀行ニ対シ前示契約上ノ権利ヲ主張スルヲ得サルモノナルコトハ実験則上明瞭ナリ」（大判昭六・七・二〇民集一〇・五六八、鈴木・判民昭和六年度五九事件）。

もつとも、振出人が同時に手形、小切手の所持人として、支払人に請求する場合には、支払人はこの者に対し支払う義務を負うが、それも、支払人として、手形小切手の所持人に支払義務を負うのでなく、資金関係上、支払人が振出人に対し負う義務に外ならない【94】。

【94】「凡ソ小切手ノ振出ニヨリ支払人ハ当然支払ノ義務ヲ生スルモノニアラス何トナレハ何等手形上ノ行為ヲ為ササル支

払人カ他人ノ手形行為ニヨリ直チニ手形債務者トナルコトハ固ヨリアリ得ヘカラサレハナリ然レトモ小切手ニ付テハ振出人ト支払人間ニ別ニ資金関係アリテ振出人カ此資金関係ニ基キ振出シタル小切手ニ対シテハ支払人ハ之カ支払ヲ為スヘキコトヲ振出人ト契約スルヲ普通トシ而シテ支払人カ銀行ナル場合ニハ通常右資金ハ振出人ヨリ預金ヲ為シ以テ之ニ充テ置クモノナリ故ニ小切手支払ニ関スル契約ハ多クハ預金契約ト同体スルヲ常トス我国ニ於テ普通当座預金契約又ハ当座貸越契約ト称スルモノ即是ナリ蓋斯ル契約ニ基キ小切手ノ支払カ確実ナレハコソ小切手カ経済上支払証券トシテ其効力ヲ発揮スルニ至ルモノニシテ若シ斯カル契約ナク支払人ノ支払カ事実上全ク其随意ナリトセンカ支払証券タルノ効力ヲ完フスルコトヲ得サルニ至ルヘシ左レハ右ノ如キ契約ハ単ニ事実上存在スルヲ常トスト云フニ止ラス実ニ法律ノ要求スルトコロナリ蓋吾商法ニハ資金又ハ信用ナクシテ小切手ヲ振出シタルモノヲ処罰セリ茲ニ所謂資金又ハ信用トハ即支払ニ関スル契約ノ存在ト云フト異辞同意ナルヲ以テ該規定ニ依リテモ法律カ斯ル契約ノ存在ヲ要求セルコト明カナリ（中略）当事者間ニ於テハ原告ノ預金ヲ資金トシテ原告振出ノ小切手ニ対シ被告カ支払ヲ為スヘキコトヲ契約シタルモノト認メサルヘカラス而シテ該契約タルヤ固ヨリ小切手ノ振出人ト支払人間ノ契約ニシテ小切手ノ持参人タルヘキ将来未知ノ第三者ノ為メニ予メ之ヲ為スモノニアラス従テ所持人ハ此契約ニ基キ小切手ノ支払人ニ対シ之カ請求権ナキモノト謂フヘシ而シテ本件小切手ノ所持人ハ振出人タル原告ナルヲ以テ理論上ヨリ謂ヘハ原告ハ小切手ノ所持人トシテハ支払請求権ナキモノニシテ振出人トシテ所持人タル原告ニ支払ヲ為スヘキコトヲ請求シ得ルニ止マルモノトス然レトモ所持人ト称シ振出人ト云フモ斉シク原告ニシテ二箇ノ人格ニ非ス従テ被告ハ原告ニ対シ本件小切手ヲ支払フヘキ義務アルモノト謂ハサルヘカラス原告カ小切手ノ所持人トシテ請求スルカ又ハ振出人トシテ請求スルカト云フカ如キハ無用ノ詮索ニ属スルモノトス」（東京地判明四二・四・二九新聞五九二・一〇）。

次に資金関係を為替手形のそれと、小切手のそれに分けて考察することにしよう。

一　為替手形の資金関係

為替手形の資金関係の態様も、原因関係の態様と同様に、種々であるが、既存債務の支払をなすため、または与信契約に基いて、引受または支払がなされるのが普通である。既存債務の支払に関し引受がなされたときも、特別の事情のない限り、引受によって直ちに既存債務は消滅するとみるべきでない【95】。

【95】「原審ハ被上告人等ハ訴外甲ヨリ買入レタルビールノ代金ニ付本件手形ノ引受ヲ為シタルモノト認定シタルモノニシテ被上告人等カ之ヲ支払ノ為ニ為シタルモノト主張シタルコトナキト共ニ上告人ニ於テモ之ヲ支払ニ代ヘテ為シタルモノト主張シタルコトナキコト原審口頭弁論調書ニ徴シ明ナリトス而シテ斯ル既存債務ノ為ニ手形ノ引受ヲ為シタル場合ニ其ノ支払ニ代ヘテ之ヲ為シタルコト明ナラサル場合ニハ之ヲ支払担保ノ為ニ為シタルモノト認ムヘキモノトスルコトハ当院ノ判例トシテ是認スル所ナリ」(大判昭九・七・六法学四・八二)。

また、買主が荷為替手形の引受をなしたに止まるときは、まだ売主の売買代金債権は消滅しないとの判例も、同じ趣旨を現わすものである(大判大二・六・九民録一九・四二一本叢書商法③一七八頁参照)。

そして、現実に支払があつたか、あるいは振出人が受取人に手形を交付するに当り対価を受け、他方において手形の遡求義務を免れたときに初めて既存債務は消滅すると解すべきである。

予め資金の供給なくして振出の行われた場合は、支払人は、振出人との間に通常存在する委任契約に基き、支払後はもちろん、支払前においても資金の供給を請求し得る(民六四九・六五〇)。そして支払をなしたからといつて、予め資金の供給を受けていたとの推定はなされない。

【96】「支払人カ為替手形ノ支払ヲ為シタルノ事実ハ支払人ニ於テ其前既ニ資金ノ送付ヲ受ケタルモノナラントノ事実ヲ認ムル材料タリ得ヘシト雖モ該事実ニ依リ支払人ハ支払前既ニ資金ノ送付ヲ受ケタルモノナリト当然推定スヘキモノニアラス支払人ニ於テ為替手形ヲ支払ヒタル事実ヲ証明セシニ拘ラス振出人ニ於テ資金送付ノ事実ヲ証明セサル場合ニハ未タ其送付ナキモノト推定スヘキハ当然ナルニ原院ニ於テ為替手形ノ支払人カ支払ノ事実ヲ証明シタル場合ニハ振出人ニ於テ資金送付ノ事実ヲ証明セサルトキト雖モ常ニ支払人ハ資金ヲ受ケタルモノト推定スヘキモノノ如ク思惟シ上告人ノ相殺ノ抗弁ヲ排斥シ之ニ対

シ敗訴ヲ言渡シタルハ不法タルヲ免レス」（大判明三五・一〇・二三民録八・九・一二二）。

むしろ、支払の事実が立証されれば、支払人の求償権を否定せんとする振出人に、その求償の理由のないことの立証責任が転嫁されると解すべきである（伊沢・二五七頁）。

二 小切手の資金関係

小切手は振出人と銀行との間の当座勘定契約に基いて振出される。当座勘定契約には、普通、当座預金契約、場合によつては当座貸越契約および小切手契約ならびに交互計算契約が含まれるとされる。

（一） 当座預金契約

(1) 当座預金契約の性質　小切手の支払資金として銀行が顧客より受け入れる預金を当座預金というが、その性質については争がある。通説は、これを消費寄託と見る故、意思表示の合致のみでは予約としての効力しか認め得ないから、当座預金取引契約に含まれている当座預金契約は、これを右消費寄託の予約と解する（田中・並木・三六六頁、ジュリスト一八八号四四頁参照）。もつとも、学説中には、当座勘定への入金は、民法六四九条に規定する委任事務処理費用の前払に相当する。ただ、同条におけると異なり、受託者の請求をまたずに、委任者が進んで前払（当座勘定への振込）をしなければならない点に特色があるだけである。従つてここでは、別に消費寄託契約の成立を認める必要はないとするものがある（水田・貸出五一八頁）。

たしかに、金銭の預入れを主目的とする普通の預金と異なり、当座預金では、預入れはむしろ手段たるに止まり、銀行が預金者の振出した小切手の支払をする関係上その支払のための資金、したがつてまたそのための担保とするのを主目的とする（末川・民商法二巻一四〇頁）。すなわち、ここでは預金は当座取引を構成する不可分の一要件にすぎないものである【101】。故に、当座預金契約において、消費寄託的関係を認めるにしても、それが小切手の支払という委任関係と不可分離の関係にあること（末川・前掲書一五〇頁）を認識しての上であれば、何ら差支えないと思われる。むしろ、委任事務処理の費用としてであれ、預金を預入れるということは寄託関係としてみる外ないと思う。そしてここで寄託関係の存在を認めておいた方が、後にのべる預金の返還請求権の時効消滅の説明にも便利であると思われる（一九六、二一〇頁以下参照）。

(2)　当座預金の成立　右の予約に基いて資金が現実に振込まれるつど、その額において消費寄託たる当座預金が成立するが、この振込は、一般の約定書によれば、現金のほか、手形、小切手、利札、郵便為替券、配当金領収証等、支払銀行の所在地において決済できる証券によつても、これをなし得る。

資金の振込が現金でなされたときは、それによつて直ちに当座預金が成立することについては争がないが、右の証券類をもつてなされたときは、この点について争がある。ことに小切手による振込については、これは小切手の取立委任でなくて、その譲渡とみるべきであり、振込のときに直ちに当座預金が成立すると解する立場【97】と、反対に、銀行は小切手について単に取立委任を受けたにすぎず、当座預金は取立完了のときに成立すると解する立場【98】とが対立している。ところで、この両説の対立が、結果的に、いかなる差異を生ずるかを、判例についてみよう。

第一は、取立前に、当座預金を払戻し、後に小切手が不渡りとなつた場合における、小切手所持人としての銀行の、小切手振出人に対する遡求権ないし利得償還請求権行使の許否の問題である。小切手の振込があつたときは、それは直ちに預金者の預金となり、銀行は小切手の譲受人として、その所持人となるとの立場に立てば、当然に、銀行は、不渡りの時には、振出人に対し遡求することができる【97】。

【97】「小切手が原告金庫の当座預金として預入れられた場合において、原告が小切手上の権利者となるか否かの点につき判断するに、特に反対の事情の認むべきもののない限り、預金者が自己の当座預金口座に小切手資金として現金を預入れた場合には、これを受入れた銀行その他の金融機関（本件においては原告金庫、以下単に銀行と略称する）はこれを直に預金として受入れ預金者が振出した小切手の支払をなす資金とすると共に、一方においてはその金額の消費寄託の関係をも生ずると解すべきであつて、小切手が現金と同様の経済的機能を営む点に鑑みるときは、その預入が小切手である場合も同様に観察すべきものである。それ故、預金者が自己の当座預金口座に小切手を振込んだ場合においても、現金と同様の作用を営み、それは直に預金者の預金となる。預入れを受けた銀行はそれが持参人払式小切手の場合にはその引渡によつて該小切手の譲渡を受けその所持人となるのである。そして、銀行が該小切手を手形交換所において呈示するときは自己の小切手としてその支払を求めるものなのである。しかして、該小切手が不渡となつた場合、小切手上の権利者としてその小切手債務者に償還請求をするか、或は直に該小切手を預金者に返戻して代り金の請求をするかは銀行の選択に基いて決すべきものである」（東京地判昭二七・一〇・三〇判例タイムズ二五・六二）。

これに対し、小切手の振込によつては、銀行は受入小切手の取立委任を受けるにすぎないとの立場に立てば、この点はどうなるか。ある判例は、この立場に立つて、受任者たる銀行に利得償還請求権を否定した【98】。

【98】「銀行が第三者を支払人とする小切手を預金として受入れた場合の預金者と銀行との間の法律関係について考えてみると鑑定人吉井富士男の鑑定の結果によつて認め得る右の如き場合受入銀行は通常受入小切手の取立の委任を受けるに過ぎないものであつて小切手上の権利の譲渡を受けるものでなく、従つて受入銀行が受入小切手の取立前預金者に対し払戻を為すこ

とがあつてもこれは預金者の資力、信用等を考慮した上受入銀行の危険において預金者に貸付を為すものであつて受入小切手の決済確実なときでも小切手の受入のときに預金があつたものと做し、預金の払戻として預金者に支払をなすものでない事実及び預金は通常消費寄託と称すべきであつて、消費寄託の性質上以上の如き場合においては受入小切手の取立を俟つて始めて消費寄託が成立するものと解すべきものであることを綜合すれば、本件においても森田光治は原告銀行生野支店に本件小切手を交付してその取立を委任し、且つ取立済の上は取立金額を消費寄託となす旨を約し原告銀行生野支店も亦同訴外人から本件小切手の取立委任を受けてこれが交付を受け且つ取立済の上は取立金額を預金として保管する旨約したのであつて、同支店が本件小切手の取立前訴外人に二十数万円を支払つたのは原告の危険において訴外人に貸金を為したものと認めるを相当とする」(大阪地判昭二五・四・二二下級民集一・五九八、矢沢・商判研二五年度四九頁)。

もつとも、この判例といえども、隠れた取立委任の受任者としての銀行の、小切手振出人に対する遡求権の取得は認めるのであつて、ただそれが時効消滅したときに、利得償還請求権まで取得せしめる必要はないとするのである(一二五頁参照)。すなわち、銀行が小切手振出人に対し自己の名において遡求権を行使し得ることは、譲渡説をとろうと、取立委任説をとろうと、差はない。ただ取立委任説に立つと、銀行は形式的には小切手上の権利者であるとしても、委任者に対する抗弁の対抗を受けねばならない。この点で、取立委任説の方が、銀行に不利であるということになる。

しかし、たとい、小切手の振込は一般的には取立委任であると解する立場に立つても、取立前に預金を払戻すときは、銀行は、預金者に対する求償権の担保としてその小切手権利を取得するものと解することは、当事者の合理的意思解釈として可能である。こう考えれば、小切手不渡後における銀行の小切手上の権利行使(振出人に対する遡求権および利得償還請求権)の点については、小切手の受入が、取立委任か否かの一般論はさして重要ではない。

第二に、取立前に払戻をなし、後に受入小切手が不渡になつた場合に、払戻を受けた預金者に対する銀行の求償権が問題になる。

取立委任説の立場からは、取立前に支払がなされるときは、それは受入銀行の預金者に対する貸付と解することになる【98】。従つて、小切手が不渡になつたときは、銀行は、右貸付金の返還請求権を、預金者に対し行使するのであると説明することになる。

これに対し、小切手の預入れと同時に預金債権が成立するとの立場からは、取立前になされた支払といえども、銀行としては、すでに受入れた小切手資金を支払つたという関係になる。たとい、この預金契約が受入小切手の不渡を解除条件とするとしても、条件成就の効力は遡求しないのが原則である(民一二七)。故に、受入れ小切手が後に不渡になつても、それまでになされた支払が、すでに受入れた小切手資金の支払であることには変りがない。故に、銀行が預金者に対し求償権を行使することを認めるためには、解除条件成就の効力を特に遡及せしめる合意(民一二七III)がなされていると見ることも一方法である。あるいはまた、手形割引の場合と同様に、一種の買戻請求権を、銀行は特約により、あるいは慣習により有しているとの説明も可能であろう。小切手受入と同時に預金債権が成立するとの立場に立ちながらも、銀行の預金者に対する求償権を認めた前掲判例【97】が、いかなる理論構成の上に立つてこれを認めたかは不明である。

第三は、受入れた小切手に横領、盗難等の事故があつた場合の問題である。受入小切手の取立前に小切手金額を払戻した後に、その小切手が横領されたものであることを知らされた銀行が、それにもかかわらず、右小切手の取立をなした場合につき、被害者が右銀行を不法行為ないし不当利得を理由に訴求したのに対し、右小切手は銀行振出の小切手(自己宛小切手)であつて、その支払われることの確実性の故に現金と同一の作用を営むから、かかる小切手が預金口座に振り込まれ、銀行が善意無過失でこれを取得したときは、そのときに預金が成立し、これを預金者に払戻す行為は何ら不法行為を形成せず、また右小切手の支払を受ける行為も不当利得に該当しないとした判例がある【99】。

【99】「小切手は、通常、小切手契約等資金に関する契約を締結している銀行を支払人としてこれに宛てて受取人に一定金額の支払をなすべきことを委託する形式によつて振出される(資金がないのにかかわらず、小切手を振出した時は五千円以下の過料に処せられることは小切手法第七十一条に規定するところである)。すなわち、小切手は経済的には振出人の金銭支払の用具として、現在現金の支払をする代りに一時代用的に振り出されるものであり、金銭支払の簡易、迅速、安全、確実をその本来の目的としているものというべく、現金代用の作用を営むものと解することができる。

したがつて、所持人は支払人たる銀行に持参すれば直ちに小切手金の支払を受けることができるし、銀行預金者が自己の預金口座に小切手を振り込んだ場合にはその時に現金預金がなされたものとみなされるべきであることは、前記のような小切手の本来の目的から当然導き出され得るところであるということができる。たゞ実際問題として資金のない、いわゆる不渡小切手が存在し、小切手を現金そのものとして取り扱い得ない関係から、小切手が手形交換所を経て支払われる以前には預金者から預金としての払戻請求があつてもこれを拒絶することができるというにすぎず、手形交換所を経て支払われる以前に預金者に対し現金で小切手金額に相当する金員の全部または一部を支払つた場合には、その支払は銀行の顧客たる預金者に対するサービスとしてなされたものではあるけれども、その支払自体は、銀行が、預金者において小切手を振り込むことによつて成立した預金契約上の義務を履行したのであつて、有効な預金の支払であると解するのを相当とする。

殊に銀行振出の小切手はその性質上小切手表示の金額について振出銀行がその資金と経済的信用とにおいて責任をもつて支

払をする旨宣言しているものというべく、恰もその小切手につき支払人が支払保証をしたと同一の効果を有するものと解するのを相当とする。すなわち、その支払われることは確実であることによつて経済的には全く現金と同一の作用を営むものということができる。

それであるから、他の銀行振出の小切手が預金者から預金口座に振り込まれ、その銀行が善意かつ過失なく右小切手を取得したものである場合には、その時に現金預金がなされたものとして預金者に対し小切手金額相当の金員の支払をすることができるものと解すべきである。

鑑定証人天野達の証言によれば、銀行取引において以上に説示したと同じ内容の取扱がなされている事実を認めることができる。

なお、本件小切手が線引小切手であることは右のように解することの妨げとはならない。けだし、線引の制度は小切手が現金と同様の作用を営む関係上、盗難、紛失等によつて所持人もしくは振出人のこうむることがあるべき損害の発生を防止するために、銀行が線引小切手を取得もしくは支払をすることができる相手方を制限しているにすぎないからである」（東京地判昭三三・二・一九下級民集九・二四六）。

この判例の事案を少し詳しくのべるならば、それは次のとおりである。甲はA銀行より、同銀行振出の自己宛線引小切手の交付を受けたが、それを乙に横領され、乙は丙を通じて、B銀行において丙の有する当座預金口座を利用して、右小切手の現金化をはかつた。B銀行では、手形交換所の著名銀行印鑑簿と、小切手用紙および振出人の印鑑とを対照し、さらに、A銀行に電話で右小切手の振出を確めた上、丙に払戻した。その後に、被害者甲より、B銀行に対し、支払留保の依頼があつた。そして支払銀行たるA銀行は右の様な事情と警察からの連絡もあり、いつたんは右小切手の支払を拒絶したが、結局は支払をした。そこで甲は、B銀行が、支払呈示をする以前に、横領された小切手であることを知り、かつ一度はA銀行より支払拒絶を受けながら、その後に支払を受けたことは、線引小切手に関する法規違反の不法行為であり、不当利得であるとして、B銀行を訴求した。これに対しなされたのが右判決である。

右判決は、本件の場合において銀行の利益を保護するために、小切手受入と同時に預金が成立するとの論理を前提にしたのであるが、これを前提にしなければ、本件のような場合、銀行は絶対に救われないというわけのものではない。けだし、小切手受入と同時に、預金が成立するものではなく、一般的には、銀行は取立委任を受けるにすぎないが、取立前に銀行が払戻すときに限って、銀行はその小切手を、預金者に対する求償権の支払確保のために取得するとの理論構成の下でも、右判決と同じ結論を導き出すことはできるからである。すなわち、銀行が払戻すときに善意でありさえすれば（本件では正にそうであった）、そのときに銀行は小切手権利を善意取得するから、その後に小切手が横領盗難にかかったものであることを知ったとしても、銀行による小切手権利の行使は、何ら妨げられることはないからである。

以上のように、判例の具体的事案をみてくると、小切手の受入と同時に預金が成立するかどうかの問題は、銀行が取立前に払戻した場合において、銀行がその権利を確保し得るか否かを決める前提として、議論されているものであることがわかる。そしてこれらの場合における銀行の正当な利益確保のために、小切手受入れと同時に、預金契約が成立するとの理論が立てられている。しかしこの目的のためには、右の理論が必須の前提でないことは、前述のところから明らかである。故に、従来、判例に現われて来たような具体的問題の解決のためには、小切手受入れと同時に、預金契約が成立するとみるべきかどうかは、さして実益のある問題ではない。しかし、理論的には、この点をどうみるかは、充分に意義のあることである。そして、私には、小切手の当座預金口座への振込は、一般には、その小切手の種類を問わず（すなわち自己宛小切手であると否とを問わず）、取立委任（隠れた取立委任）と解すべきものと思われる。それは、現在慣用の約定書によれば、取立前には払戻さないのが原則的扱いであること、それに、普通預金口座へ振込まれたときには、取立のときより利息を付する扱いになつていること等が主な理由である。かかる実際上の取扱を、受入れと同時に、預金契約は成立するが、特約によつて特にかかる取扱にしてあるのだと説明するのは、どうも不自然である。

なお最後に、当座預金もこれを消費寄託と解する通説の立場からは、その要物契約性が問題にされねばならない。いまこれを、定期預金に関するものではあるが、一つの判例を手がかりにして考えて見ることにしよう。その要旨をかかげるならば次のとおりである【100】。

【100】「小切手ニ記載スヘキ振出ノ日ヲ実際振出行為ヲ為シタル日ヨリ後ナラシメタル場合ニ於テハ其記載セラレタル振出ノ日ノ到来シタル以後ニアラサレハ小切手ノ受取人又ハ所持人ハ支払人ニ対シ支払ヲ請求スルコトヲ得サレトモ其振出人ニ資金アリ又ハ信用アル場合ニ在テハ先キ日附ノ小切手タルコトヲ知リテ之ヲ受取リタル者ト振出人又ハ前所持人トノ間ニ実際振出行為アリタル日又ハ小切手ノ授受アリタル日ニ於テ金銭ノ支払ニ代ヘ其小切手ヲ授受スヘキ旨ヲ約スルコトヲ得サルニアラス然ルトキハ其約束アリタル日ニ於テ直ニ小切手ノ授者ヨリ受者ニ対シ現金ノ交付ヲ為シタルト同一ノ経済上ノ利益ヲ与ヘタルモノト云フコトヲ得ヘキモノトス」（大判大五・一二・一九民録二二・二四四四、竹田・商法判例批評一巻二六一頁）。

この判決の原審（東京控判大五・四・二〇評論五商四八六）は、銀行が先日附小切手の交付を受け、これを現金の交付があつたのと同一視し、預金関係が成立したものとして定期預金証書を発行したとの事実を認定しながらも、先日附小切手の交付は消費寄託の要物契約性の要件を充たさないとの理由で、預金債権の成立を否定した。その理由は、先日附小切手はその振出日の到来しない限り支払を請求し得ないものであるから、その授受の際直ちに受寄者に現金の交付があつたと同一の経済上の利益を与えたものとはいえない、というにあつた。この理由を破棄してなされたのが、前掲の判例である。

消費寄託契約の要物性については、消費貸借契約の要物性についての理論がそのまま適用される。そして、後者の要物性の要求については、金銭の現実の授受がなくとも、それがあつたのと同一の経済上の利益を、借主をして得せしめることによつて、これを充たし得ることについては、もはや争がない（大判明四〇・五・一七民録一三・五六〇、同明四一・五・四民録一四・五一九、同大一一・一〇・二五民集一・六二一、末広・判民大正一一年度九三事件）。故に、前掲判例が前提としているところの、消費寄託契約の成立するためには、現金の交付を為したと同一の経済上の利益を、受寄者に与えれば足るとの理論については異論がない。しかし、問題は、直ちに現金の支払を求むることを得ない先日附小切手（先日附小切手といえども、小切手法上は直ちに呈示できるが、当事者間では振出日までは呈示しないとの約束があるものとみるべきである）の交付をもつて、現金を交付したと同一の経済上の利益を与えたものといえるか、ということである。竹田博士は本判決を批判して、先日附小切手を一の有価物と考えて、その取得対価を預金に振替えたという場合であれば、預金債権の成立し得ることは明らかである。ところが、本件の事案は、原審の認定したところによれば、「小切手を受取り之を現金の交付ありたると同一視し以て預金関係の成立せるものとして本件預金証書を発行した」場合であるから、これは、小切手の取得対価を預金に振替えたのでなく、小切手交付のときに、まさに小切手金相当額を現金で交付したのと同視した場合である。しかし直ちに現金の支払を求めることができないにもかかわらず、現金の交付があったと同一の経済上の利益を与えたとなすことは、その不当なことは明らかであるとして、結局、本案件での預金関係の成立を否定される（前掲批判）。

これに対し、手形そのものを、金銭と同様な経済的価値あるものとみて、従って手形の授受を、民法五八七条の金銭の授受と同一視する立場もある（田中耕・判民大正一四年度七六事件）。この立場に立てば、竹田博士のように、手形小切手の対価が預金に振替えられたか、あるいは手形小切手金額が現金で交付されたのと同一視したかという分析は、もはや不用であることになる。

(3)　当座預金の払戻　当座預金は、当座預金契約が存続する限り、預金者は小切手によらないではみだりにその払戻を請求できないとするのが判例である【101】。

【101】「原審ノ確定シタル事実ニ依レハ上告人先代李容翊ハ被上告銀行ニ対シ明治三十五年十月二日金二十三万七千五百十五円七十四銭ヲ又明治三十八年一月十四日及同月二十四日ニ合計十二万四千円ヲ何レモ当座預金トシテ預入レ預金者ハ何時ニテモ被上告銀行ヲ支払人トスル小切手ヲ振出シ同銀行ハ其ノ小切手ノ支払ヲ為スコトニ依リ預金ノ払戻ヲ為シタルモノト看做ス旨約定シタリト云フニ在リ惟フニ斯ノ如キ取引ニ於テ之ヲ当座預金ト云フモ将タ当座勘定ト云フモ幵ハ名ニ過キス所謂預金者ノ為ス預金ナルモノハ夫ノ単ナル利殖ノ為メニスル預金トハ全ク其ノ趣ヲ異ニシ預金者ノ振出ニ係ル小切手ノ資金タル性質ヲ有スルト共ニ小切手金ノ償還義務ヲ担保スル作用ヲ具フルモノナルヲ以テ所謂預金ハ当該取引ヲ構成スル不可分ナル一要件ニ外ナラス従ヒテ該契約ノ存続スル限リ預金者ハ小切手ニ依ラスシテ妄リニ其ノ払戻ヲ請求スルコトヲ得ス其ノ払戻ハ該契約ノ終了シタル時ヲ以テ始メテ之ヲ請求スルヲ得ヘク……」（大判昭一〇・二・一九民集一四・一三七、我妻・判民昭和一〇年度一二事件、末川・民商法二巻一三〇頁）。

しかし、また判例は、銀行が整理中で、預金の返還をしないというような異常な場合には、小切手の振出によらないで、当座預金を引出し得るとする【102】。

【102】「当座預金ノ特色トシテ銀行ト預金者トノ間ニ預金ノ引出ハ小切手ノ振出ニ依リ之レヲ為スヘキ旨ヲ契約スル所以ノモノハ専ラ預金者ノ便宜ヲ計ルニ在ルカ故ニ其ノ契約タルヤ預金ノ引出カ小切手ニ依リ円滑ニ行ハルル通常ノ場合ニ付キ定メタルモノニシテ銀行カ整理中ナルノ故ヲ以テ預金ノ返還ヲ為ササルカ如キ異常ノ場合ヲ含マサルコト普通一般ノ事態ナリトス」（大判昭八・四・四民集一二・五四二、田中耕・判民昭和八年度四二事件、同旨東京控判昭二・一二・二三新聞二七九〇・一五、同昭三・三・九新聞二八一五・五）。

学説中には、当座預金の引出は小切手でこれをなすとの特約は、もつぱら預金者の便宜のためになされていること（この点は前掲判例もこれを認める）、および小切手の支払手段性を理由に、預金者は正常の場合たると異常の場合たるとを問わず、現金による払戻を請求し得るとの説もある（田中・前掲判批）。しかし右特約は、むしろ画一的定型的事務処理という銀行の利益のためなる要素をより強く有していること、およびこの預金は小切手の支払なる事務処理費用の前払なる性質を有していることを考えれば、右委任契約の解除すなわち当座勘定取引契約の告知をするのでなければ、現金による引出は許されないと解するのが正しいと思われる（田中・並木三六六頁）。ただ右契約は、そのための特別の意思表示がなくとも、銀行の営業廃止によつて当然に解除され【115】、あるいは現金による払戻請求の中に、まず右契約の解除の意思表示が含まれていると解すべきである【103】。

【103】「銀行ニ対シ当座預金ヲ為シタル場合ニ於テ之レカ払戻ハ小切手ヲ振出シテノミ請求スヘキ商慣習アル場合ニ於テ預主カ小切手振出ノ方法ニ依ラス預ケ金ノ払戻ヲ請求シタルトキハ此ノ請求ハ暗ニ当座預金契約解除ノ意思ヲ表示シタルモノトス」（大判明三四・六・八商判集九六七）。

前掲の銀行の休業整理中は、現金による引出を認めた判例も、この理論によつて理解すべきものと思う。すなわち休業によつては、まだ当座勘定取引契約は当然に解除されたとはいえないから（豊崎・判民昭和一五年度四二事件）、この場合には、現金による引出し請求の中に、まず契約解除の意思表示が含まれていると解すべきであろう。

(4)　当座預金債権の譲渡、差押、時効　これらの問題については、交互計算のところで一緒にとり扱うことにしよう。

(5)　当座預金契約の終了　当座勘定契約は当事者の合意、解除によつて終了するほか、預金者の死亡によつて終了する。次に掲げる判例は、これを銀行取引における慣習によつて説明したが【104】、当座勘定取引が、小切手による支払を目的とする準委任契約を含む点からして、民法六五三条によつても、同様の結論を引出し得る。

【104】「当座預金即小切手ニテ支払ヲ為ス預金ハ預金者ノ一身ニ専属スルモノトシテ取扱フヲ斯界ノ慣習トスルモノナルコト鑑定人甲ノ鑑定ノ結果ニヨリ認メ得ルモノナレハ特ニ反証ナキ限リ当事者ハ該慣習ニ依ル意思ナリシモノト推定スルヲ相当トス而シテ右乙カ大正十一年九月十四日死亡シタルコトハ当事者間ニ争ナキニヨリ茲ニ右当座預金契約ハ終了シタルモノト謂フヘク若シ其当時該預金残高存シタル場合ニハ該金員ハ直ニ之ヲ右死亡セル預金者ノ相続人ニ払戻スヘキ旨通知スヘキ慣習ナルコトモ右鑑定人ノ鑑定ニヨリ之ヲ認メ得ヘク而シテ被告前主銀行カ契約終了ノ場合其当時ノ預金残高ヲ払戻ス旨通知セルコトハ右証人丙ノ証言ニヨリ之ヲ認メ得ルニヨリ茲ニ該金員ノ支払期ハ到達セルモノト謂フヘク従ツテ爾後五年ノ商事消滅時効完成セル旨ノ被告ノ主張ハ原告ニ於テ其中断事由ノ主張且立証ナキ本件ニ於テハ正当ナリト謂ハサルヘカラス」（東京区判昭一二・六・一九新聞四一五八・一八）。

ただこの点については、当座預金契約を、小切手支払なる委任契約とそのための資金の預入れなる寄託契約との一体化したものとみながらも（一八三頁参照）、預金者の死亡によって終了するのはその委任関係に関する部分であって、寄託関係までが当然には終了するものでない。そして右寄託関係はさらに相続人によって解約されるか、または解約権が時効にかかって消滅する（契約の効力の時または現実に最後の取引の行われた時より二十年）までは継続すると解する立場もあることは注意さるべきである（末川・民商法二巻一五二頁）。

（二）当座貸越契約

(1) 当座貸越契約の性質　当座貸越契約とは、銀行が顧客と当座勘定取引を為す場合に、顧客の当座領金が、その振出した小切手の支払に不足するときでも、一定の限度までその小切手の支払をなすことを約する契約のことである【109】【110】。この契約の法的性質についても争がある。当座預金を、小切手支払なる事務の処理費用の前払にすぎないと解する説（一八三頁参照）は、当座貸越契約をも、当座勘定取引契約上、金融機関の負担する委任事務の範囲を拡張するものにすぎないと解する（水田・前掲書五四一頁）。これに対し、貸越極度内でなされる小切手の支払は、貸付（消費貸借）に外ならず、当座貸越契約は消費貸借の予約であると解する立場もある【105】。

【105】「借越契約ハ其性質上消費貸借ノ予約ニシテ借方カ振出セル小切手ヲ貸主カ支払ヒタルトキ毎ニ同額ノ金銭消費貸借ハ成立ス」（東京控判明四四・六・二九最近判九・四一）。

後にかかげる判例【106】も、小切手の支払によって「当座貸越契約ニ於ケル貸借」が成立するといっているのも、同じ立場に立つものと思われる。

なお、以上の二説に対し、当座貸越契約中には、小切手支払事務の委任を目的とする委任契約のほかに、この委任事務処理によつて銀行が費用償還請求権を取得することを停止条件として、これを消費貸借の目的とする約定、すなわち停止条件付準消費貸借契約が含まれているとみる説もある（田中・並木三六七頁）。実際上の結果においては、殆んど差はないと思われるが、法律関係をできるだけ簡明に説明できるという点で、第一説がまさつていると思われる。

(2)　当座貸越債権の成立　　当座貸越契約の法的性質については以上のような争があつても、具体的に、銀行の顧客に対する当座貸越債権が成立するのは、顧客振出の小切手に対し、銀行が支払をしたときである。そして小切手に対する支払によつて生じた債権でない限り、当座貸越契約に基く債権とはいうことができない。ところが、この点については、古い判例ではあるが、反対に解するものがある【106】。

【106】「当座貸越契約ニ於ケル取引ハ小切手ニ依リ之ヲ為スヲ普通ノ慣例トス然レトモ小切手ニ依ルニアラサレハ該契約ニ基ツク貸借ハ成立シ得ストノ法則アルコトナク従ツテ小切手ニ依ルニアラサレハ当座貸越契約ニ於ケル貸借成立セストノ事実ハ之ヲ顕著ナル事実ナリト云フヘカラサルヲ以テ縦令乙第二号証小切手中小切手トシテ無効ニ属スルモノアルモ之ニ依リ山口作五郎カ当座貸越契約ニ於ケル債務ヲ負担シタル事実アル以上ハ其ノ債権者タル被上告人ハ該契約ニ基ツク債権トシテ之ヲ第三者タル上告人ニ対抗シ得ヘキモノトス」（大判明三七・二・二三民録一〇・一九五）。

この事案は、甲が乙銀行に当座貸越契約を結び、担保として、一番抵当権を設定した。その後甲の振出した小切手につき乙銀行が支払をしたが、その小切手は要式欠缺（木版の署名が付されていたにすぎなかつた）の故に無効であつた。乙銀行は右小切手の支払額も、抵当権によつて担保せられるとして、二番抵当権者に対し、その旨主張したが、二番抵当権者の方では、当座貸越抵当権によつて担保される債権は、小切手の支払によつて生じた債権に限り、その他の事由によつて生じた債権は含まれない。そして無効な小切手に対してなされた支払は、小切手に対する支払とはいえない、と抗弁した。これに対し下されたのが右判決である。

しかしこの判決には、賛成できない。まず、当座貸越根担保によつて担保される被担保債権は、小切手の支払によつて生じたものに限ると解すべきことは、契約当事者の意思解釈よりして当然のことと思われる。もつともこの点については、根抵当設定契約において、その他の原因により発生せる債権をも、被担保債権に含ましめる旨の特約があり、かつそれが有効と解される限り、それらの債権も担保されることになるが、これはいま問題にしていることとは別の問題である。次に、小切手に対する支払であつても、その小切手が無効な場合であるときはどうか。これが偽造小切手であつて、しかも、顧客の届出印と照合の上相違なしとして支払われたのであれば、被担保債権となり得ることはいうまでもない。しかし本件のように木版による記名があるにすぎないときは、一見してその無効なことが明らかである。しかしかかる無効な小切手といえども顧客自身が振出したものである点に問題がないではないと思われるが、形式的無効の明かな小切手に対する支払は、やはり、当然には貸越根担保の被担保債権にはなり得ないと解すべきであろう。

(3) 当座貸越債権の譲渡、差押、時効　これらの問題については、当座預金債権のそれとともに、交互計算の項で、一緒に取扱うことにする。

(4) 当座貸越契約の終了　当座貸越契約は、小切手支払事務の委託をその主たる内容とするため、各当事者は何時でも、これを解除することができる（民六五一Ｉ）。顧客側の解除権を認めた判例が幾つかある【107】【108】【109】。

【107】「借越契約ハ元来借越ヲナスモノノ利益ノタメニ締結スルモノナレハ借越ニ係ル債務ヲ完済シ爾後借越ヲナスノ必要ナキ時ニ至レハ利益ヲ受クルモノノ意思表示ノミニテ何時ニテモ契約ヲ解除シ得」（大判明三四・一〇・二五民録七・九・一四〇）。

【108】「当座貸越契約ニ期間ノ定メナキトキハ勿論期間ノ定メアルトキト雖預金者ニ於テ何時ニテモ一方的意思表示ニ依リ之ヲ解除シ将来ニ向テ契約関係ヲ終了セシムルコトヲ得ヘク（昭和五年（オ）第二九一一号同六年五月二十二日当院判決参照）此ノ場合ニ預金者カ解除当時銀行ニ対シ当座貸越ニ因ル債務ヲ負担シ居ラサルトキハ預金者ヨリ担保トシテ供シタル根抵当権ハ消滅シ銀行ハ之カ抹消登記手続ヲ為スヘキ義務アルモノトス故ニ原判決カ被上告人ト上告銀行トノ間ノ当座貸越契約カ被上告人ノ一方的ノ解約ノ意思表示ニ依リ将来ニ向テ終了シ其ノ当時被上告人ハ既ニ上告銀行ニ対シ貸越ニ因ル債務ヲ負担セサリシ事実ヲ認定シ其ノ事実ニ基キ被上告人ノ根抵当権不存在確認及其ノ抹消登記手続請求ヲ認容シタルハ正当ニシテ所論ノ如キ違法アルモノニ非ス」（大判昭八・一二・一二新聞三六六四・一二）。

【109】「当座貸越契約ハ銀行カ相手方ト当座勘定取引ヲ為ス場合ニ於テ相手方ノ当座預金カ其ノ振出シタル小切手ノ支払ニ不足ナルトキト雖一定ノ限度迄其ノ小切手ノ支払ヲ為スヘキコトヲ約スル契約ニシテ畢竟相手方ニ金融ノ便ヲ与フルコトヲ目的トスル契約ニ外ナラス故ニ該契約ニ期間ノ定ナキトキハ勿論期間ノ定アル場合ト雖相手方ハ何時ニテモ一方的意思表示ニヨリ之カ解除ヲ為スコトヲ得ルモノト解スルヲ相当トス果シテ然ラハ原審カ所論貸越契約ハ被上告人広ノ解除ノ意思表示ニ因リ適法ニ解除セラレタルモノナリト判定シタルハ正当ニシテ論旨理由ナシ」（大判昭九・二・二三民集一三・四三一、戒能判民昭和九年度三九事件、但しこの点についてはふれていない）。

そして、顧客側が一方的に解除しても、銀行に対して、民法六五一条二項によって責任を負うことはないとするのが判例である【110】。

【110】「当座貸越契約トハ銀行カ当座預金者ニ対シ一定ノ極度ヲ限リ其ノ極度内ニ於テ預金者カ預金ノ限度ヲ越ヘテ振出シタル小切手ヲ支払フコトヲ諾約スル合意ヲ指称スルモノニシテ畢竟信用アル預金者ノ便宜ヲ計ル為ノ契約ニ外ナラス故ニ該契約ニ期間ノ定メナキトキハ勿論期間ノ定アルトキト雖預金者ハ何時ニテモ一方ノ意思表示ニ依リ之カ解除ヲ為スコトヲ得ルモノト謂ハサル可ラス蓋契約解除セラレタル以上銀行ハ直ニ其ノ債務ノ弁済ヲ請求スルコトヲ得ヘク債務ノ弁済アリタルトキハ其ノ金員ヲ他ニ利用スルコトヲ得ヘク若シ又預金者カ債務ノ弁済ヲ為サザルトキハ其ノ債務ヲ確保スル為ニ受取リタル物件（当座貸越契約ニ於テハ預金者ヨリ担保ヲ徴スルヲ普通トス）ヲ返還スル義務ナキモノナレハ叙上ノ如ク解スルモ銀行ハ何等損失ヲ被ムルコトナケレハナリ」（大判昭六・五・二二新聞三二七五・四）。

右に対し、銀行側よりする解除については、普通に使われている約定書では、銀行側がいつでも解除し得ることを定めている。したがつて、銀行がこの約定解除権を行使するときには、民法六五一条二項の適用はないとする下級審判決もある【111】。

【111】「小切手契約カ其ノ性質上委任契約ナルコトハ之ヲ認メ得ヘキモ民法第六百五十一条第二項ハ法定解除権ヲ規定シタル同条第一項ヲ受ケ本件解約ノ如ク特約ニヨリ解除権ヲ有スル場合ハ当然ノ適用アルモノト謂ヒ難キノミナラス反証ナキ限リ斯カル損害賠償義務ハ之ヲ負担セサル趣旨ナリト解スヘク又同法条ノ損害賠償ハ所謂不法行為ニ基ク損害賠償ニアラサルモノト解スヘキヲ以テ原告ノ此点ニ関スル主張ハ理由ナシ次ニ又原告ハ民法第六百五十四条ニ依レハ委任終了ノ場合ニ於テ急迫ナル事情アルトキハ受任者ハ委任者カ委任事務ヲ処理シ得ルニ至ル迄必要アル処分ヲ為スコトヲ要シ本件ノ如ク資金又ハ借越限度ヲ超過シタル場合ハ斯カル場合ニ属シ又斯カル場合ハ信義ノ原則上独逸民法ト同シク尚委任関係カ継続スルモノトシ支払ヲ為スヘキ旨主張スレ共本件ニ於テハ斯カル急迫ナル事情ヲ認ムヘキ根拠ナキヲ以テ右主張ヲ認メ難シ」（大阪区判昭六・五・三新聞三二五七・一八）。

しかし、銀行実務家の中には、約定書中において、銀行が当座貸越契約を解除し得る旨を定めているのは、民法六五一条一項の解除権を、念のために繰返したにすぎず、従つて銀行のなす解約については、同条二項の適用があるとするものもある（寿円・預金八六頁）。思うに、解除権を特約した場合といえども、それは如何なる場合にも、銀行は解除することによつて何らの責任も負わないと解すべきでなく、銀行取引上、相当と思われる事情のある場合にのみ、有効に解除しうると解すべきことは当然であろう。

なお、顧客が、その銀行に対する債権を自働債権とし、当座貸越債権を受働債権として相殺する際には、理論的には、まず当座貸越契約を解除して、当座貸越債権の弁済期を到来せしめ、相殺適状を発生せしめた後に相殺がなされたものと解すべきである【112】【113】。

【112】「当座貸越契約ハ債務者ニ於テ何時ニテモ解約ヲ為シ得ヘキモノニ属シ而シテ債務者カ其ノ債務ヲ消滅セシムル意思ヲ以テ債務全額ノ弁済ヲ為シタルトキハ解約ノ意思表示ヲ為スト同時ニ債務ノ弁済ヲ為シタルモノト做スヘキモノナルヲ以テ債務者カ相手方ニ対スル債権ヲ其ノ預金口座ニ振更フルコトナク却テ其ノ債務ト相殺スル旨ノ意思表示ヲ為シタルトキハ之ヲ解約ト同時ニ相殺ノ意思表示ヲ為シタルモノト做シ得ヘキモノトス従テ右解約ニ因リテ債務ノ弁済期到来シテ相殺適状ヲ生シ相殺ハ適法ニ為サレタルコトト為スヘキモノトス」（大判昭八・一一・二一商判集五四〇頁）。

【113】「当座借越契約ニ基ク債務ト雖其ノ弁済ノ期限ハ即債務者ノ利益ノ為メニ定メタルモノト推定セラルルモノニシテ債務者カ其ノ期限ノ到来前相殺ヲ為スニ当リテハ同時ニ期限ノ利益ヲ抛棄シテ爰ニ其ノ弁済期到来スルモノナルカ故ニ原審カ本件相殺ヲ有効ノモノト為シタルハ違法ニ非ス」（大判昭八・一二・二〇商判集一八四頁）。

その他当座貸越契約は、根抵当物件が他の債権者により競売に付されたことにより【114】、あるいは銀行の営業廃止により、当然に終了する【115】。

【114】「根抵当権ヲ設定シタル当座貸越契約ニ於テ抵当物件カ他ノ債権者ニ依リ競売ニ付セラレ抵当権消滅ニ帰シタルトキ

ハ該契約ハ最早継続セシムルコトヲ得サルニ至ルヘキハ其契約ノ性質上当然ナリ本件ニ於テ原審ノ認定シタル事実ニ依レハ被上告銀行カ本件貸越契約ニ基ク貸金ノ請求ヲ為スニハ先ツ其契約ノ解除ヲ為スヲ要スル約旨ナリシモ右契約ニ関シ設定セラレタル抵当物権ハ債務者甲ノ債権者ノ一人ナル上告人ニ依リ競売ニ付セラレ抵当権消滅ニ帰シ右契約上ノ貸金債権ハ担保ヲ失ヒタリト云フニ在ルモノナレハ原審カ右貸越契約ハ特ニ解約ヲ俟タスシテ当然失効シ本件貸越契約上ノ債権ハ弁済期ニ至リタル旨判示シタルハ洵ニ正当ニシテ毫モ違法ニ非ス」（大判昭九・五・二二民集一三・八〇四、兼子・判民昭和九年度六六事件、但しこの点についてはふれていない）。

【115】「当座貸越契約ニ於テハ其ノ存続スル限リ預金者ハ小切手ニ依ラスシテ妄リニ其ノ払戻ヲ請求スルコトヲ得ス相手方銀行ニ於テモ妄リニ貸越金ノ支払ヲ請求スルコトヲ得ス孰レモ該契約ノ終了シタル時ヲ以テ始メテ之カ請求ヲ為シ得ヘキモノナルコト其ノ性質上明瞭ニシテ銀行カ其ノ営業ヲ継続シ居ル場合ハ通常解約ニ因リ契約ハ終了スヘキモ銀行カ其ノ営業ヲ廃止シタル場合ハ爾後契約ヲ継続シ能ハサルモノトシテ特ニ解約ヲ須ヰス当座貸越契約ハ即時失効スルモノト解スヘク消滅時効モ亦此ノ時ヨリ進行スルモノト為ササルヘカラス」（大判昭一五・四・二六民集一九・七七四、豊崎・判民昭和一五年度四二事件）。

（三）　小切手契約

上述の当座預金ないし当座貸越契約に基く与信を資金として、顧客の振出す小切手につき銀行が支払をなすべき契約（三小）が、顧客銀行間に締結される。そしてこの契約は小切手金の支払という事務処理を目的とする準委任契約と解される【11】。そしてこの支払によって、銀行の顧客に対する費用求償請求権が成立し、これが、当座預金返還請求権と、交互計算によって相殺される。こう解するのが通説であるが、交互計算契約の存否については、次にのべるように問題がある。

（四）　交互計算

以上のように、小切手契約が委任契約である以上、この契約に基き銀行がなす支払は、委任事務処理のための費用の支出であり、銀行は預金者に対し、この費用の償還請求権を取得することになる

（民六五〇1）。そして実務上は、銀行は小切手支払の度毎に、その支払額を帳簿上当座預金額から落す取扱になつているが、これは、銀行内部における計算事務の一方法にすぎず、個々の小切手の支払によつては当座預金額には変動を生ぜず、一定期間（通常六ケ月）を劃して、その期間内に生じた費用の償還請求権の総額と、当座預金債権の総額とについて、交互計算（商五二九）によつて一括決済される。このように解釈するのが従来の通説であつた（田中・並木三六七頁、鈴木三五三頁）。これは、当座勘定契約には交互計算契約が含まれているとみる立場であるが、これに対し、当座勘定契約には交互計算契約は含まれておらず、銀行による小切手の支払は当座預金の払戻にほかならない。当座預金は、常に預入の都度増加し、小切手の支払の都度減少するのである、とする説もある（寿円・預金七六頁引用の岡野説、末川・民商法二巻一四八頁も交互計算契約の存在を否定する）。

以上に対し、最近には、同じく交互計算契約の存在を前提にしながらも、小切手の支払の度毎に当座預金残高の算出をしている実務の取扱に即した理論構成の試みがなされるに至つている。段階交互計算説あるいは残額交互計算説とよばれるものである（詳細は保住「交互計算の諸問題」法律論双三一巻二号、ジュリスト一八八号五一頁参照）。これは、残額債権算出の方法の差異は交互計算にとつて本質的なものでなく、交互計算の本質はむしろ、相互に対立発生する債権債務を個別的に行使せず、これを連鎖の一環として、集団的統一的決済方法により独立の残額債権を算出し、これを定期的に確認する点にあるとするものである（西原・商行為法（法律学全集）一六七頁）。この立場からすれば、現実の銀行実務の取扱と交互計算説とを調和さすことも可能となる。

以上のような学説の概観を前提として、次に、交互計算契約の存否によつて、実際の効果においてどのような差が出てくるかを、判例の事案によつて見てみることにしよう。

(1)　まず当座勘定契約に基く債権の譲渡ないし差押の可能性　これについては、当座預金に関するものではないが、交互計算に組入れた各個の債権は譲渡性を有せず、従つて差押えることができないから、これに対する転付命令は無効であるとの判例を、まずかかげる必要がある【116】。

【116】「交互計算ハ商人間又ハ商人ト商人ニ非サル者トノ間ニ平常取引ヲ為ス場合ニ於テ一定ノ期間内ノ取引ヨリ生スル債権債務ノ総額ニ付相殺ヲ為シ其ノ残額ノ支払ヲ為スヘキコトヲ約スル契約ナレハ当該契約ノ存続スル限リ其ノ当事者間ニ於ケル爾後ノ取引ヨリ生スル債権債務ハ右ノ方法ニ依リテノミ決済セラルヘキ運命ニアルモノト解スヘク従テ其ノ当事者ハ商法ニ別段ノ規定アルモノノ外交互計算ニ組入レタル債権中或ルモノノミヲ其ノ取立ノ為メ任意ニ交互計算ヨリ除去スルコトヲ得サルハ勿論之ヲ他ニ譲渡シ因テ当該項目ヲ交互計算ヨリ除去スルノ結果ヲ生セシムルコトヲ得サルコトモ亦明白ナリトス斯ノ如ク交互計算ニ組入レタル各個ノ債権ハ上記ノ方法ニ依リテノミ決済セラルヘキ運命ニアルカ為各別ニ之ヲ取立又之ヲ他人ニ譲渡スコトヲ得サルモノナレハ其ノ譲渡不許ハ当該債権カ交互計算契約ノ下ニ於ケル取引ヨリ生シタルコトノ当然ノ結果ニシテ当該債権ニ付当事者間ニ特ニ譲渡禁止ノ契約ヲ為シタルニ因ルモノト解スヘキニ非ス然ラハ其ノ譲渡不許ハ第三者カ交互計算契約ノ成立ヲ知リタルト否トヲ問ハス之ヲ以テ其ノ者ニ対抗スルコトヲ得ヘク即チ此ノ場合ニ民法第四百六十六条第二項但書ノ適用ナキモノトス而シテ交互計算ニ組入レタル各個ノ債権カ譲渡性ヲ有セサル以上之ヲ差押フルコトヲ得ス従テ又之ニ付転付命令アルモ無効ナルコト自明ナレハ原判示ノ如ク被上告人ニ対スル訴外万崎与五左衛門ノ本件債権カ両名間ノ交互計算ニ組入レタル債権ナル以上上告人ニ於テ該事実ヲ知リタルト否トヲ問ハス該債権ノ差押並転付ハ無効ナリト云フヘク従テ原審カ此ノ点ヲモ上告人ノ請求排斥ノ理由ト為シタルハ相当ナリ」（大判昭一一・三・一一民集一五・三二〇、石井・判民昭一一年度一九事件、竹田・民商法四・四三〇、大橋・論双三五・七八七）。

この事案では、甲が乙の融資で営業を営むに当り、収益はすべて乙に帰せしめ、交互計算により前月二六日以降当月十日迄の間に両者間に生じた債権債務を相殺し、其の残額を毎月一五日に次期の計算に組入れ、次期の当月一一日以降二五日迄の間に生じた分を相殺した残額を毎月三〇日に支払うべき交互計算契約を締結した。甲の債権者丙は、甲が乙に対し昭和七年四月一日より同月一二日迄の間に取得した千円余の債権を有すると称して、それについて転付命令を受け、乙に対して支払を求めたが、乙は右債権の消滅ならびに甲乙間には交互計算契約が存在し、これに組入れられた各個の債権債務は、その相殺前には、譲渡差押は許されず、従つて転付命令も無効であるとして争つた。原審では、丙が転付を受けたと主張する債権の存在を確定する資料がないと認定し、かつそれが存在するどしても、交互計算に組入れられたものであるから、その譲渡差押は許されない。しかもそのことを善意の第三者にも対抗しうる、とした。これに対する上告に答えたのが右判決である。

次に、当座勘定契約に基く債権についての判例はどうかというに、当座貸越債権について、これは、交互計算に付せられるものであるから、独立して、これを行使し、もしくは譲渡することはできない（差押の許否についてはふれていない）としたものがある【117】。

【117】「当座貸越契約ニ基ク債権ハ当座預金債権ト交互計算ニ付セラルルモノナレハ（大正七年（オ）第七百三十六号同年十二月二十日言渡当院判決参照）苟モ当座貸越契約ノ存在スル限リ該契約ニ基ク債権ハ独立シテ之ヲ行使シ若ハ譲渡スルコトヲ得サルモノト解スルヲ相当トス」（大判昭九・九・二商判集一八四）。

また交互計算契約にはふれていないが、同じく当座貸越債権の譲渡できないことを認めたものもある【118】【119】。

【118】「当座貸越契約ニ基ク債権ハ契約終了前ニハ独立シテ他ニ譲渡シ得サルモノナルコト契約ノ性質上当然ナリ」（東京控判昭一四・八・一九民集一九・七八三）。

【119】「当座貸越契約ハ与信契約ニシテ当事者ニ重キヲ置クモノナルノミナラス同契約存続中之ヨリ生シタル債権及抵当権ノ譲渡ヲ許ストキハ債務者ハ期間中借越限度迄借入ヲ為スノ権利ヲ妨ケラルルノ不当ナル結果ヲ生スルカ故ニ其ノ解除ヲナシ

タル後ニ非サレハ之カ譲渡ヲ許ササルモノト解スルヲ相当トス」（宮城控判昭八・六・二七／新聞三五九五・一三）。

これに対し、交互計算契約のことにはふれていないが、当座預金債権の譲渡、差押の可能性を認めたものもある【120】【121】（但し後者は差押についてはふれていない）。

【120】「次ニ当座預金債権ハ其性質上、特約上若クハ商慣習上譲渡性ナク従テ当座預金債権ヲ目的トシテ為サレタル本件差押及転付命令ハ無効ナリトノ原告ノ主張ニ付按スルニ（イ）元来当座預金ハ預金者ト銀行トノ間ニ於ケル当座勘定取引契約ニ基キ銀行ニ預託シタル金銭ニシテ預金者ニ於テ何時ニテモ之カ引出ヲ為シ得ルト共ニ之カ引出ニハ当該銀行ヲ支払人トスル小切手ヲ用フルコトヲ約スルヲ其特色トス然レトモ当座預金ニ付テノ右ノ如キ特色ハ勿論当事者ノ約定ニ基クモノニシテ（此ノ約定ヲ小切手契約ト称セラル）当座預金ソレ自体ハ金銭ノ消費寄託ニ外ナラサルカ故ニ当座預金債権ヲ以テ其性質上譲渡性ナキモノト謂フヲ得ス（ロ）当座預金ハ之カ引出ニ小切手ヲ用フルコトヲ約スル所謂小切手契約ヲ伴フヲ其特色トスルコト前述ノ如クナルカ故ニ小切手ニ依ル当座預金ノ引出カ円滑ニ行ハレ得ル通常ノ場合ニ於テハ特別ノ約定ノ認ムヘキモノナキ限リ預金者ハ小切手ヲ振出スコトナクシテ当座預金ノ払戻ヲ請求シ或ハ当座預金債権ノ全部又ハ一部ヲ他ニ譲渡シ得サル約旨ナリト認ムルヲ妥当トス（実際ノ取引上ニ於テモ小切手ニ依ル預金ノ引出カ円滑ニ行ハレ得ル限リ現金引出又ハ預金債権ノ譲渡ヲ為スノ必要ナカルヘシ）然レトモ右ノ如キ小切手契約ハ固ヨリ当事者ノ便宜ト取引ノ確実ヲ期セントスルニ出テタルモノニシテ銀行ト預金者トノ間ニ於ケル当座勘定取引ノ円滑ニ行ハルヘキコトヲ其前提トスルモノニシテ異例ノ場合即チ預金者ニ於テ小切手ヲ振出スモ銀行ニ於テ之カ支払ヲ為サス若クハ為スコトヲ得サルカ如キ場合ニ於テハ其ノ原因カ銀行側ニアルト（例ヘハ銀行カ休業シタルトキノ如シ）預金者側ニアルト（例ヘハ当座預金債権ヲ債権者ノ為メニ差押ヘラレタルトキノ如シ）ヲ問ハス小切手契約ニ依ルノ意思表示ナキモノト認ムルヲ相当トスヘク従テ右ノ如キ異例ノ場合ニ於テハ預金者又ハ差押債権者ハ当座預金債権ヲ右ノ如キ小切手契約ヲ伴ハサル単純ナル預金債権ト同様ニ取扱ヒ得ルモノト謂ハサルヘカラス尤モ当座勘定取引ノ当事者間ニ於テ如何ナル場合ニ於テモ絶対ニ当座預金債権自体ノ譲渡ヲ許ササル旨ノ特約ノ存スル場合ハ預金者ハ該債権ヲ他ニ譲渡シ得サルハ勿論差押債権者ニ於テモ該特約ノ存在ヲ知レル限リ転付命令ヲ受クルヲ得ス取立命令ヲ申請スルノ外ナカルヘシト雖モ本件差押及転付命令ノ目的タル当座預金債権ニ付原告ト株式会社昭和銀行トノ間ニ如何ナル場合ニ於テモ絶対ニ

当座預金債権自体ノ譲渡ヲ許ササル趣旨ノ特約ノ存スル事実ハ原告ノ全立証ニ依ルモ到底之ヲ認ムルヲ得ス（ハ）当座預金債権ノ譲渡ハ如何ナル場合ニ於テモ之ヲ許ササル趣旨ノ商慣習ノ存在モ亦之ヲ認メ得ヘキ証拠ナキノミナラス前示ノ如キ異常ノ場合ニ於テモ尚且当座預金債権ノ譲渡ヲ為シ得サルモノト為スカ如キ商慣習ノ存在ハ当裁判所ノ容易ニ首肯シ能ハサル所ナリトス叙上ノ如ク当座預金債権ハ其性質上譲渡性ナキモノニ非ス又本件差押及転付命令ノ目的タル当座預金債権ニ付テハ前示ノ如キ異常ノ場合ニ於テモ預金債権自体ノ譲渡ヲ許ササル趣旨ノ特約ノ認ムヘキモノナリ尚又右ノ如キ商慣習ノ存在シ之ヲ肯認シ得ラレス唯本件当座預金債権ニ付テモ亦特ニ反証ナキ限リ小切手ニ依ル預金ノ引出カ円滑ニ行ハレ得ル通常ノ場合ニ於テノミ小切手ニ依ラサル現金払戻ノ請求又ハ当座預金債権自体ノ譲渡ヲ許ササル約旨ナリト認ムヘキモノトス然ルニ本件当座預金債権ニシテ既ニ差押ヘラレタル以上ハ之ト同時ニ原告ニ於テハ小切手ニ依リ之カ引出ヲ為スコトヲ得サルト共ニ右銀行ニ於テモ亦小切手支払委託ニ応スルコトヲ得サルニ至リタルモノト謂フヘク従テ該差押ノ目的タル当座預金債権ヲ其差押以後ニ於テ又ハ本件ノ場合ニ於ケルカ如ク差押ト同時ニ民事訴訟法第六百条ノ規定ニ依リ差押債権者ニ転付スルコトモ亦何等支障ナキニ至リタルモノト謂ハサルヘカラス然ラハ右当座預金債権ニ譲渡性ナキコトヲ理由トシテ本件差押及転付命令ヲ無効ナリト為ス原告ノ主張モ亦之ヲ採用スルコトヲ得ス」（東京地判昭九・一二・六評論二四民訴七八）。

【121】「当座預金ノ引出ニ小切手ヲ使用セシムルハ当座預金契約ニ於ケル当事者双方ノ便宜ニ出テタルモノニシテ之ヲ以テ当座預金債権ノ譲渡ヲ禁止スル特約ヲ表現スルモノト解シ難ク又当座預金債権ニ付キ其ノ譲渡ヲ禁止スル商慣習法ハ其ノ存在ヲ認ムルコトヲ得ス」（東京控判昭三・二・一〇商判集九六八）。

ただし、右二判例のうち前者【120】は、無条件の譲渡を認めているのではなく、銀行が、小切手に対し支払をしないような異常な場合においてのみ、これを認めるものである。

ところで以上の判例は、譲渡と差押とを同一に論じているが、これは必ずしも同一に論ずることができないので、以下においても、別々にのべることにする。

（イ）当座勘定契約に基く債権の譲渡性　交互計算の存在を認める学説が、交互計算に組入れられた個々の債権（前掲【116】の事案で問題になったものはまさにこれであった）の譲渡性を否定することはいうまでもない。ただこの譲渡性の禁止を、交互計算契約の存在について善意の第三者に対しても主張し得るとするか否かの点で、説が分かれる。あるいは、前掲判例【116】にならつて、これを肯定するものもある（石井・前掲判批、竹田・前掲判批）が、反対説も有力である（西原・商行為法（法律学全集）一七一頁、小町谷・商行為法一五四頁、大隅・商行為法七五頁）。もつとも当座預金として譲り受けたものは当然に悪意ではないかということも考えなければならないであろう。

なお以上は、交互計算に組入れられた個々の債権についての考察であるが、現在の残高、すなわち現在交互計算期間が終了したならば生ずべき預金者の預金残額を譲渡し得ないことも異説がない。この点では次にのべる差押の場合とは異なる。

以上のように交互計算説では、当座預金債権、当座貸越債権は、その個々のものはもちろん、現在の残額の譲渡も許されない。そして交互計算期間の一つが終了してもその残額が自動的に次の期の交互計算に組入れられる以上、交互計算契約そのものすなわち当座勘定契約が終了するまでは、当座預金債権、当座貸越債権は、善意者に対する対抗力の問題は別として、その譲渡は許されないということになる。

しかしこの結論は、交互計算説をとらないものも同じく認めていることは注意されねばならない。すなわち当座預金については、それが小切手の支払なる委任事務処理費用の前払というその性質から、譲渡性を否認する（水田・貸付五二三頁）。当座貸越債権を期間中において譲渡し得ないとした前掲判例【119】も、交互計算にその根拠を求めることなく、その結論を引出している。

（ロ）　当座預金債権の被差押性　　当座勘定契約より生ずる債権の譲渡性の問題より、より一層争われる問題は、その被差押性の問題である。

交互計算説の下で、個々の当座預金債権を差押えることのできないことは、前掲判例【116】からも明らかであり、学説にもほとんど争がない（保住・前掲論文九九頁参照）。問題は、当座預金残額に対する差押の許否である。そして残額といつても、将来の残額すなわち正規の計算期間が満了した時に生ずべき残額と、差押と同時に（正確には差押命令が第三債務者に送達されたとき、民訴五九八Ⅲ）交互計算期間が終了したとすれば生ずるであろうところの残額とが考えられる。そして将来の残額の差押が許されることについては、問題ないが、この差押は債権者にとつて利用価値が少ない（保住・前掲論文一〇〇頁）。そこで、右にいわゆる現在の預金残高の差押えも許されるとの考えが有力に主張されている（保住・前掲論文一〇〇頁以下、西原・前掲書一七二頁）。これは残額に対する差押を認めたドイツ商法三五七条に対する通説的解釈を、わが国にも導入したものである。そして、残額請求権が常に存在するとする前述の段階交互計算説は、右の結論を最も良く説明しうるものであるとされている。

なお、右のように、現在の残高を差押え得ると解する立場においても、直ちに差押の実現をなし得るか、それとも、その実現は、正規の計算期間の満了するまで待たねばならないかについては、さらに説が分かれ、ドイツの通説は前者と解する（保住・前掲論文一〇一頁）。

交互計算の存在を否定する立場が、当座預金の差押を認めることはいうまでもない（水田・前掲書五二二頁）。そして、交互計算の下でも、現在残高の差押を認める立場に立てば、この点でも、交互計算の存在を否定する立場との間に差はなくなつてくる。

（ハ） 当座勘定契約に基く債権の時効　　まず、当座預金の返還請求権については、判例は古くは、預金関係発生の時から消滅時効は進行するとした【122】。

【122】「当座預金ノ如キ債権ニ付テハ別段ノ契約ナキ限ハ其債権者ハ何時ト雖モ払戻ヲ請求スルコトヲ得ル地位ニ在ルヲ以テ其債権ニ対スル時効ハ民法第百六十六条ニ依リ預金関係ノ生シタル時ヨリ起算スヘキモノトス」（大判明四三・一二・一三民録一六・九三七）。

しかし、後には、当座預金の消滅時効は、当座勘定契約の終了したときより進行するとの立場をとるに至った【123】。

【123】「（当座預金の払戻は当座勘定契約）ノ終了シタル時ヲ以テ始メテ之ヲ請求スルコトヲ得ヘク而シテ消滅時効モ亦此時ヲ以テ進行ヲ開始スルハ殆ント自明ノ理ト云ハサルヘカラス果シテ然ラハ原審ニシテ右当座預金ノ払戻請求権カ時効ニ因リ消滅シタル旨ノ被上告銀行ノ抗弁ノ当否ヲ判断センニハ先ツ右当座預金契約ハ終了シタルヤ否ヤ及若シ終了シタリトセハ其ノ時期如何ニ付審理ヲ遂クヘキニ拘ラス事茲ニ出テス漫然右預金払戻請求権ハ預入後何時ニテモ行使シ得ルモノニシテ従テ其ノ消滅時効ハ預入後直ニ進行ヲ開始スルモノナル旨判旨シ之ヲ前提トシテ被上告人ノ時効ノ抗弁ヲ是認シタルハ法律ノ解釈ヲ誤リ延テ審理不尽ヲ招キタル違法アリ」（大判昭一〇・二・一九民集一四・一三七、末川・民商法二巻一三〇頁、我妻・判民昭和一〇年度一二事件）。

なお当座貸越債権については、判例は一貫して、当座貸越契約の終了のときより進行すると解して来た【124】【125】【126】【127】。

【124】「当座貸越契約ニハ一種ノ交互計算関係ヲ包含スルモノニシテ交互計算関係ニ在リテハ其契約ノ存続中ハ一定ノ計算期ニ於テ貸越残高ヲ生スルコトアルモ更ニ之ヲ次期ノ計算ニ繰越スモノナルヲ以テ当座貸越契約ヨリ生スル債権ノ消滅時効ハ貸越契約終了ノ時期ヨリ其進行ヲ始ムルモノトス従テ其消滅時効ノ始期ヲ確定スルカ為ニハ貸越契約終了ノ時期ヲ確定スルヲ以テ足リ其残高ヲ生スルニ至リタル債権ノ発生時期ヲ確定スル必要ナキモノトス」（大判昭七・七・二九法学二・二四二）。

【125】「原判決ノ確定セル事実ニ依レハ被上告人ハ予テヨリ上告会社ト預金契約ヲ締結シ取引ヲ為シ居リタル関係上大正八

年八月十二日貸付限度金二百円ノ借越契約ヲ締結シ尚借越金ノ限度ヲ超過セル場合ニ於テモ之カ弁済ニ確定セル期限ヲ定メス上告会社ニ於テ随意ニ解約ノ申入ヲ為シ貸付金ノ返還ヲ請求シ得ル約定ナリシト云フニ在ルカ故ニ当事者間ニ右借越契約ノ存続スル限リ縦令借越金ヲ生スルモ上告会社ハ之カ返還ヲ請求シ得ル時即チ借越契約解約ノ時ヨリ消滅時効ノ期間進行スルモノト謂ハサルヲ得ス蓋シ其以前ニ於テハ上告会社ハ貸越金ノ返還ヲ請求スルコトヲ得サルモノナレハ其ノ返還ヲ請求セサレハトテ権利ノ行使ヲ懈レルモノト謂フコトヲ得サレハナリ然ルニ原判決ハ思ヲ茲ニ致スコトナク単ニ解約ノ申入ハ上告会社ニ於テ何時ニテモ之ヲ為シ得ルコトノミヲ論拠ト為シ其ノ解約ノ有無ニ拘ラス上告会社ノ有スル貸越金返還ノ請求権ニ付テハ貸越金ノ生シタル時即チ大正十年三月一日ヨリ消滅時効ノ期間進行スルモノト做シ以テ債務不存在ノ確認ヲ求ムル被上告人ノ請求ヲ是認シタルハ到底違法タルコトヲ免レス」（大判昭八・一一・一八法学三・四四五）。

【126】「当座借越契約ニ依ル借越債権ハ該契約ノ終了シタル時ヲ以テ始メテ相手方ニ対シ之カ弁済ヲ請求スルコトヲ得ルニ至ルヘク従テ其消滅時効モ亦此時ヲ以テ進行ヲ開始スルモノト解スヘキモノトス（昭和九年（オ）第二〇四一号昭和十年二月十九日当院判決参照）原審ハ其ノ挙示ノ証拠ニ依リ本件当座借越契約ニハ十日前ノ予告ヲ以テ解約ヲ為シ得ル約旨ナルコト並宇美銀行ハ右約旨ニ基キ昭和二年五月十日頃債務者ニ対シ右当座借越契約ヲ解約スル旨ノ通知ヲ為シタルニ因リ同月中解約トナリタル事実ヲ認定シ之ニ依リ本件債権ノ消滅時効ハ此時ヲ以テ進行ヲ開始シタル旨判定シタルモノニシテ其間原審ニ何等ノ不法アルコトナシ」（大判昭一一・一二・二四新聞四一〇〇・一一）。

【127】「本件貸越金債権カ被告主張ノ如ク商行為ニ因リテ生シタルモノトシテ五年ノ時効ニ因リテ消滅スヘキコトハ多言ヲ要セスト雖当座貸越契約ニ於ケル貸越金債権ハ契約終了ニヨリ始メテ相手方ニ対シ之カ弁済ヲ請求シ得ルニ到ルモノナレハ消滅時効モ亦契約終了ノ時（本件ニ於テハ前記認定ニ従ヘハ昭和七年七月二十六日ナリ）ヨリ進行ヲ始ムルモノト解スヘキナリ」（東京控判昭一四・八・一九民集一九・七八二）。

当座勘定契約に交互計算契約が含まれると解する立場からは、計算期間中に、当座預金債権、当座貸越債権の時効が進行しないことはいうまでもない（西原・前掲書一六九頁）。そして、一計算期間の満了と共に、残額が次の計算期間に自働的に繰越されていく以上、一計算期間の満了と同時に時効が進行するとはいえず、当座勘定契約ないしは当座貸越契約そのものが終了したときに、進行を始めるというほかないであろう【125】。

しかしこの点においても、必ずしも交互計算契約の存在を認めずとも、同じ結論を引出すことも不可能でない。現に【123】の判例は、交互計算の存在についてふれることなしに、右の結論を認めている。そしてこれを支持する学説もある(我妻・前掲判批)。

なお、預金の預入れも小切手の振出もなくしかも解約もしないで放置されている場合に、預金関係が何時まで続くかについては、解約権の消滅時効が完成すれば、すべての関係が解消されるとするのが学説である(末川・前掲判批)。すなわち預金者は契約を解約して預金の返還請求をなしうる権利を有するのであるが、この権利を行使しない状態が二十年継続すれば、時効は完成してもはや解約をなし得ないことになり、ひいては預金の返還を求めることができないことになるとする。そして右解約権の時効は預金契約の効力発生の時から進行し途中の預入や小切手の振出によつて中断されるという。

(二) 担保附債権と交互計算　交互計算期間の終了とともに、銀行は、預金者に対する債権債務の各項目と差引残額とを記載した計算書を提出し、預金者がこれを承認することによつて残額が確定する。通説は、この残額の確定は更改であると解している。したがつて計算に組入れられた従前の個別債権に附随した保証債務その他の担保は、原則として消滅し(民五一八)、特約のない限り、残額債権に追随しないとする(西原・前掲書一七〇頁)。ところが、判例は、当事者が、当座預金貸越契約の期間満了

（一計算期間の満了ではない）後、引続いて同種の契約をもって取引を行い、その計算に前契約の残額を組入れ、差引計算すべきことを約したときは、前契約に基く担保権は右残額を限度として、後の契約の残額の上にも追随するものとしている【128】【129】。

【128】「当事者カ当座預金貸越契約ノ期間満了後引続キ同種ノ契約ヲ以テ取引ヲ為シ其計算ニ前契約ノ貸越ニ属スル残額ヲ組入レ更ニ差引計算ヲ遂クルコトヲ約シタルトキハ前契約ノ貸越残額ハ之ヲ担保スル抵当権存在ノ儘後契約ノ計算ニ組入レタルモノトス故ニ後契約ノ計算ニ於テ貸越ニ属スル残額ヲ生シタル以上ハ前契約ノ貸越残額ヲ超過セサル金額ニ対シ其抵当権ヲ行フコトヲ得」（大判明四二・一二・二〇民録一五・九九七）。

【129】「一定ノ期間存続スヘキ当座預金貸越契約ニ基キテ生スル債務ニ付対人担保アル場合ニ於テ該契約ノ存続中当事者カ期間ヲ伸張シ因テ以テ爾後取引ヲ継続シタルトキハ別段ノ定ナキ限ハ当初ノ期間満了ノ当時ニ於ケル貸越残額ハ対人担保存在ノ儘ニテ右期間満了後ノ取引上ノ計算ニ組入レラルルノ筋合ナルヲ以テ右期間満了後ノ取引上ノ計算ニ於テ貸越残額ヲ生スル以上ハ債権者ハ右期間満了ノ当時ニ於ケル貸越残額ヲ超過セサル限度ニ於テ対人担保ノ責ニ任スル者ニ対シ其権利ヲ行フコトヲ得ルモノナルコト言ヲ俟タス（明治四十二年（オ）第三七六号同年十二月二十日当院第二民事部判決参照）」（大判大九・一・二八民録二六・七九）。

交互計算理論からは、右の二判例の結論を、当然には、認めることはできない。けだし、前述のように、通説は、計算書の承認を更改とみている故に、後の交互計算契約に組入れられた担保附債権（前の交互計算契約による残額債権）は後の交互計算の残額確定とともに消滅すべきであるからである。したがって、この立場から右の結論を認めるためには、明示または黙示の特約が存在しなければならない。しかし通常は、この特約の存在が認定されるであろうから、実際の結果においては差を生じないことになるであろう（西原・前掲書一七〇頁）。

以上の如く、少なくとも、従来判例に現われて来た事案を前提にする限り、交互計算契約の存否の議論は、結果的にはあまり差を生じないといえるであろう。

利得償還請求権

河本一郎

はしがき

さきに、手形法小切手法のコンメンタールを書いたとき、実質関係の叙述をどこに入れようかと苦心した。編集部の方針が、できる限り一般的説明を省き、条文の説明に徹することにあつたため、結局、利得償還請求権に関する八五条のところで、実質関係についても説明することにした。ところが、その後、ジュリストの文献批評欄で、いささか無理ではなかつたかとの好意的な批評をいただいた。まさに、私自身どうしようかと思つていた点を指摘されたわけである。本書の執筆に当つてまた、この二つの問題を、性こりもなく並べることになつた。しかし私としては、この二つの問題は、他のどれよりも関係が深いと思つてのことであつて、他のものと並べるよりは、この二つを並べる方がまだましだと考えたからである。そしてそのことはこの判例研究自体が、ある程度示していると思う。

なお引用文献は、特に引用したものは別として、白地手形のはしがきにのべたものを参照されたい。

一　利得償還請求権の性質

利得償還請求権は、手形上の権利が時効または、遡求権保全手続を怠ったことにより消滅した場合に、手形債務者をして、その得た利得を領得せしめるのは不公平であるところより、公平の観念に基き認められたものである【1】。

【1】「商法第四百四十四条（現手八五）ニ於テ手形ノ所持人ニ振出人又ハ引受人ニ対スル利得償還ノ請求権ヲ認メタルハ所持人カ他ニ手形上又ハ民法上何等ノ救済方法ヲ有セサル場合ニ於テ振出人又ハ引受人ヲシテ其ノ受ケタル利得ヲ領得セシムルハ不公平ナリト為シタルカ為ナルヲ以テ」（大判昭三・一一・九民集七・四、小町谷・判民昭和三年度一事件、同旨大判昭一三・五・一〇民集一七・八九四、小町谷判民昭和一三年度五八事件）。

この権利は、償還義務者の利得が法律上の原因を欠くものとはいえないから、民法上の不当利得返還請求権ではない【2】。

【2】「商法第四百四十四条（現手八五）ノ償還請求権ハ……手形ヨリ生シタル債権カ時効又ハ手続ノ欠缺ニ因リテ消滅シタルトキハ振出人又ハ引受人ハ手形行為ニ因リテ負担セシ債務ヲ免カレ為メニ利益ヲ受クルモノナレハ民法第七百三条ノ如ク法律上ノ原因ナクシテ利益ヲ受ケタルモノト謂フ能ハサルハ勿論ナルモ……（【4】に続く）」（大判明四五・四・一七民録一八・三九七）。

また、利得が請求権者の財産ないし労務より生じたものであることを要しない点からも、民法上の不当利得返還請求権ではない【3】。

【3】「商法第四四四条（現手八五）所定ノ利得償還請求権ハ手形所持人カ手続ノ欠缺等ニヨリ手形債権ヲ喪失シタルニ拘ラス振出人又ハ引受人ニ於テ利得シタルモノアルトキハ所持人ニ対シ之ヲ償還セシムルヲ衡平ノ観念ニ合スト為スカタメ認メラレタルモノニシテ所持人ノ手形債権ノ喪失ハ振出人又ハ引受人ノ行為ニ基クニ非ス又其ノ利得ハ所持人ノ財産又ハ労務ニヨリ

タルコトヲ必要トスルモノニ非ス即チ純然タル民法上ノ不当利得返還請求権ト異ル所以ナリトス故ニ利得償還請求権ヲ行使スルニハ振出人又ハ引受人カ手続ノ欠缺等ニヨリ手形上ノ債務ヲ免レ利益ヲ受ケタルヲ以テ足レリトシ所持人ニ於テ手形取得ニ付対価ヲ供シ及損失ヲ蒙リタルコトヲ必要トセサルナリサレハ原判決カ原告ノ手形所持人タルコトヲ認メ本件手形ノ振出ニヨリテ利得シタル被告ヲシテ其ノ利得ノ償還ヲ為スヘキ義務アリト認定シタルハ相当ナリ所論ハ利得償還請求権ノ本質ヲ民法上ノ不当利得返還請求権ト同一ノモノト解シ手形所持人タル原告ニ損失アルコトヲ前提スル議論ニシテ法律ノ誤解ニ基クモノ論旨採用セス」（朝鮮高等法院判昭八・二・三評論二二商一四八）。

それは、手形法の直接規定に基き、時効または権利保全手続を怠つたことにより手形上の権利を喪失した所持人のために、利益を受けた振出人等に対して、特別にあたえられた非手形上の償還請求権である【4】。

【4】「(【2】に続いて) 一種ノ不当利得トシテ所持人ヲシテ振出人又ハ引受人カ受ケタル利益ノ限度ニ於テ償還ノ請求ヲ為スコトヲ得セシメタルニ外ナラス即チ純然タル民法上ノ不当利得ノ返還請求ニアラス手形法ノ認ムル非手形上ノ償還請求権ナリトス」（大判明四五・四・一七民録一八・三九七）。

従つて指名債権としての性質を有する【5】。

【5】「商法第四百四十四条（現手八五）ノ利益償還請求権ハ結果ノ公平ヲ期スルカ為メ法律ノ直接規定ヲ以テ手形ヨリ生シタル債権カ時効又ハ手続ノ欠缺ニ因リテ消滅シタル当時ノ所持人ニ付与シタル請求権ナリ……而カモ此請求権タルヤ法律ノ直接規定ニ依リテ手形ノ効力消滅当時ノ所持人ニ付与セラレタル指名債権ニ属スル」（大判大四・一〇・一三民録二一・一六八二、竹田・商法判例批評一巻三五頁、同旨大判昭五・七・四新聞三一六三・六）。

右の性質より、この権利の譲渡は、指名債権譲渡の方法によるべく、手形裏書の方法によることを得ず、またその行使にも手形の所持を必要としないことになるが、これらの点については後述する（二五〇頁参照）。

以上のように、利得償還請求権は、手形債権の消滅とともに、法により、所持人に与えられた特別の手形法上の権利であつて、手形債権そのものではない。そこで消滅した手形債務につき民法上の保証をしていたものは、手形債務の消滅とともに責を免れ、利得償還債務についてまで保証債務を負うものではない、とする下級審判例がある【6】。

【6】「原告ハ同被告以外ノ被告等ハ振出人タル被告善三郎ノ手形債務ヲ保証シタルモノナレハ同人ノ前示利得償還義務ニツキテモ責ヲ免ルル能ハスト主張スレトモ商法四百四十四条（現手八五）ニ基ク利得償還義務ハ手形法上ノ義務ナレトモ手形上ノ債務ニアラス即チ手形債務ソノモノニアラス又其ノ拡張タル性質ヲ有スルモノニアラス且手形債務ニ従タルモノニモアラサルヲ以テ当事者ノ契約ニ依ルニアラサレハ手形保証人ハ当然ニ右償還義務ニツキ保証債務ヲ負フヘキ理ナク而シテ斯ノ如キ契約アリタルコトノ主張及立証ナキ本件ニ於テハ原告ノ右主張ハ此ノ点ニ関スル爾余ノ争点ノ判断ヲ為ス迄モナク失当ナリ」（福岡区判昭二・四・七新聞二六九一・一〇）。

しかしまた、実質的に見た場合、利得償還請求権は、手形上の債権の変形物と見ることができるとの理由で、手形債権についての民法上の保証の効力が、利得償還請求権の上にも及ぶとした下級審判例もある【7】。

【7】「約束手形金の保証がその時効消滅の場合利得償還請求権に及ぶかについては問題がないわけではなく、利得償還請求権は手形上の権利でなく、手形法の特別規定により認められた特殊の請求権であり、手形債権とは別個のものであるという理論を貫くときは、手形上の権利のための担保は当然には利得償還請求権の上に移転しないとするのが正論の如くでもある。しかし、実際的に考えると手形上の権利が消滅する以前には、手形の所持人はすべての債務者に対し手形によつて当然に手形金額（あるいは償還金額）を請求できたのが、利得償還の場合には、利得を得た債務者に対してのみそのことを証明して請求

し得るにすぎなくなるだけのことであつて、その意味では利得償還請求権は手形上の権利が変形したものと見ることができるのであり、少くとも担保の関係においては、手形上の権利の変形と見て、手形上の権利についての担保は利得償還請求権に移転すると解するのが正当であると考える。(場合は異るが、大審院昭和六年一二月一日の判決は、手形債権が他の債権の担保のため裏書譲渡せられた場合について、利得償還請求権と手形債権とは別個の債権ではあるが、前者は後者の代償物たるものであるから、手形債権が担保の目的によつて制限を受けるものである以上、利得償還請求権も同様に担保の目的によつて制限を受ける旨を判示している。)」(東京地八王寺支判昭三三・三・二八下級民集九・五三四)。

この点については、学説も分れるが、わが国では、むしろ、手形債権についての担保権は、利得償還請求権には当然には及ばないとするのが有力である(松本・九五頁、伊沢・二三三頁、鈴木編商法下(法律学演習講座)三五五頁)。

また、右の下級審判例が引用しているところの、昭和六年の大審院判例も、実質的に見て利得償還請求権は手形債権の代償物であるとの理由から、既存債務の担保として裏書譲渡されていた手形上の権利が時効によつて消滅した結果取得された利得償還請求権も、同じく担保の目的物であるということによる制限を受ける、としたものである【8】。

【8】「手形債権カ時効ニヨリ消滅シタル結果利得償還請求権ヲ取得スヘキ者ハ時効完成当時ノ手形所持人ニシテ利得償還請求権ト手形債権トカ別箇ノ債権ナルコト疑ナシト雖利得償還請求権ハ手形債権ノ時効消滅ノ結果取得スル権利ナルヲ以テ手形債権ノ代償物タルコトモ亦論ヲ俟タス従テ所論ノ手形カ本件債務ノ担保ノ為被上告人ヨリ上告人ニ裏書譲渡セラレタルモノニシテ手形上ノ権利ハ上告人ニ帰属スルモ其ノ内部関係ニ於テハ担保ノ目的ニ依リ制限ヲ受クルモノナルニ於テハ其ノ手形上ノ権利カ時効ニヨリ消滅シタル結果上告人ノ手形振出人ニ対シテ取得スル利得償還請求権モ亦手形債権ノ代償物トシテ同シク担保ノ目的ニ依リ制限ヲ受クルモノナルコト明ナルヲ以テ担保提供者タル被上告人ハ右手形債権カ時効ニヨリ消滅ヲ来シタリトスルモ代償物タル利得償還請求権ノ存在スル限度ニ於テハ何等損害ヲ受クルモノニ非スト謂ハサルヘカラス果シテ然ラハ原判決カ論旨摘録ノ如キ理由ノ下ニ上告人ノ再抗弁ヲ排斥シタルハ失当ニシテ論旨ハ理由アリ」(大判昭六・一二・一民集一〇・一一五二、石井・判民昭和六年度一二一事件)

この判決の詳細な説明については、後述のところ参照(二三二頁)。

また、判例は、この債務が、手形の振出によって利益を受けたことを原因として発生する債務であることを理由に、合資会社がその解散前に振出した約束手形債権が、破産終結登記後時効によって消滅した場合にも、無限責任社員に、会社の受けた利得の償還義務を負わせた【9】。

【9】「会社ノ無限責任社員ハ会社カ解散登記ヲ為シタル後ト雖モ五年間ハ会社ノ債務ニ付其ノ財産ヲ以テ完済スルコト能ハサル範囲ニ於テ各連帯シテ之カ責ニ任スヘキモノナルコトハ商法第百三条第一項(現商一四五Ⅰ)ノ規定スルトコロナレハ右五年ノ期間中ニ於テ会社カ清算結了ノ登記又ハ破産終結ノ登記ヲ為シタル場合ニ於テモ何等其ノ責ニ於テ異ナルトコロナシ而シテ右会社ノ債務ト云フハ会社ノ解散以前ニ発生シタルモノニ止マラス其ノ原因ニシテ会社ノ解散以前ニ生シタルモノナルニ於テハ清算結了ノ登記又ハ破産終結ノ登記後ニ発生シタル債務ニ付テモ亦無限責任社員ニ於テ之カ責ニ任スヘキモノト解スヘク従テ訴外合資会社東京通信社カ破産開始ノ登記(登記ハ昭和七年六月二日)前ナル昭和六年四月十四日振出シタル満期日同年五月十五日ノ本件約束手形ニ対スル被上告人ノ所持人トシテノ債権カ同会社ニ対スル破産終結ノ登記(登記ハ昭和九年四月四日)後昭和九年五月十五日ニ時効ニ因リ消滅シタル場合ニ於テモ振出人タル右会社ノ無限責任社員タル上告人ハ該手形ニ因リ右会社ノ利益ヲ受ケタル限度ニ於テ商法第百三条第一項(現商一四五Ⅰ)所定ノ期間之カ償還ヲ為スヘキ義務アルモノトス蓋シ右ノ場合ニ於テ上告人ノ償還義務ナルモノハ上告人ノ無限責任社員タリシ当時合資会社東京通信社カ右手形ノ振出ニ因リ利益ヲ受ケタルニ原因シテ発生シタル債務ニ外ナラサレハナリ」(大判昭一四・二・一四民集一八・一一二、伊沢・民商法一〇巻一四一頁、大橋・論双四一巻一六六頁、鈴木・判民昭和一四年度九事件)。

この判決は、社員は商法一四五条によって会社の解散登記後五年間責任を負担するが、それは会社が解散登記前に負担せる債務についてのみであって、解散登記後に負担した債務についてではない。従って破産終結登記後に発生した利得償還義務については、社員は責任を負わないとの上告理由に答えたものである。しかしこの判決に対しては、学説は、判決の結論には賛成するが(前掲各判批)、その理論構成に対してはきびしく批判する。まず判決が、社員の負うべき債務を、会社解散前にその原因の存したものに限つた点をつく。そして解散登記後であっても、なお会社の存続中は会社は債務を負担しうるのであつて、こうして負担した債務については、会社消滅後においても、一定期間内は、社員は責任を負う。そして右債務が手形債務である限り、実質的にはその代償物たる利得償還債務についても、また社員は責任を負うと説明する（伊沢・前掲判批）。

二　利得償還請求権の当事者

一　権利者

手形上の権利消滅当時における手形所持人が、利得償還請求権を取得し得ることはもちろんであるが、この所持人には、償還義務を履行して手形を受戻したものも含まれる【10】。

【10】「手形ヨリ生シタル債権カ時効ニ因リテ消滅シタル場合ニ於テ商法第四百四十四条（現手八五）ニ依リ振出人又ハ引受人ニ対シ償還請求ノ権利ヲ有スルニハ其当時ニ於テ手形上ノ正当債権者タルヲ以テ足リ最後ノ裏書ニ因リテ手形ヲ取得シタル所持人タルト被裏書人ニ対シ償還義務ヲ履行シタル裏書人タルトヲ問フノ要アルナシ何トナレハ同条ノ立法理由タル振出人又ハ引受人カ短期間ノ経過ニ因リ手形上ノ債務ヲ免カルルハ最後ノ裏書ニ因ル所持人ニ対スルト償還義務ヲ履行シタル裏書人ニ対スルトニ通シテ等シク存スル所タレハナリ」（大判大二・二・二一民録一九・九二）

次に、手形権利消滅当時、実質的に手形権利者であつても、その所持する手形の裏書の連続が欠けている場合、すなわち形式的資格を欠く場合に、このような手形の所持人が利得償還請求権を取得し得るかについては、かつて判例はこれを否定した【11】。

【11】「約束手形ヨリ生シタル債権カ時効ニ因リ消滅シタル場合ニ振出人ニ対シ其ノ受ケタル利益ノ限度ニ於テ償還ノ請求ヲ為シ得ル者ハ其ノ消滅時効完成ノ時ニ於テ手形所持人トシテ其ノ債権ヲ行使シ得ヘカリシ者ニ限ルヘキコトハ商法第四百四十四条（現手八五）ノ解釈上明ナリ而シテ受取人ノ記名式譲渡裏書アル約束手形ニ於テ所持人トシテ手形債権ヲ行使シ得ヘキ者ハ其ノ被裏書人ニシテ受取人ニ非サルコト勿論ナルカ故ニ其ノ手形債権カ時効ニ因リ消滅シタル場合ニハ其ノ被裏書人ハ振出人ニ対シ利益償還請求権ヲ有スヘキモ受取人ハ之ヲ有スヘキニ非ス然ルニ本件ニ於テハ上告人新作振出ノ（一）（二）ノ手形及上告人浜次郎振出ノ（一）（二）ノ手形ニ付孰レモ振出人ニ対スル手形債権ノ消滅時効完成当時其ノ受取人タル中村金作名義ノ株式会社足利銀行ニ対スル記名式譲渡裏書存在シタル事実ハ原判決ノ確定スル所ナルカ故ニ足利銀行ハ右各手形ノ振出人ニ対シ商法第四百四十四条（現手八五）ニ依ル利益償還請求権ヲ取得スルコトアルヘキモ中村金作ハ之ヲ取得スヘキモノニ非サルコト明ナリ尤モ原判決ニハ中村金作ノ足利銀行ニ対シ為シタル右各手形ノ裏書ハ孰レモ取立ノ目的ヲ以テ為サレタルモノニシテ其ノ後足利銀行ハ右消滅時効完成前其ノ裏書ヲ抹消セス又戻裏書ヲモ為スコトナクシテ其ノ儘右各手形ヲ中村金作ニ返還シタル事実ヲ認定シアレトモ仮ニ斯ル事実アリトスルモ右ノ裏書カ取立委任ノ目的ヲ附記セサル譲渡裏書ニシテ消滅時効完成当時存在セシコト前記認定ノ如クナル以上中村金作ハ其ノ当時所持人トシテ振出人ニ対シ手形上ノ債権ヲ行使シ得サリシ者ナルカ故ニ商法第四百四十四条（現手八五）ニ依ル利益償還請求権ヲ有スヘキモノニ非ス蓋裏書カ取立委任ノ目的ヲ以テ為サレタリトスルモ其ノ目的ヲ附記セサル以上其ノ裏書当事者間ニ於ケル関係ハ格別第三者タル手形債務者ニ対スル関係ニ於テハ其ノ裏書ハ譲渡裏書タル効力ヲ生スヘケレハナリ然レハ叙上ノ原判決認定事実存スルモ前記四通ノ手形ニ付一旦足利銀行カ上告人ニ対シ利益償還請求権ヲ取得シ被上告人ニ於テ此ノ権利ヲ譲受ケタルカ如キ事実ノ認メラレサル限リ被上告人ニ於テ利益償還請求権ヲ有スルモノト為ス能ハス」（大判昭五・九・一七民集九・八一七、鈴木判民昭和五年度七八事件）。

しかしこの判決に対しては、学説の反対が強い（鈴木・前掲判批、伊沢・二四二頁）。手形上の権利についても、たとい裏書の連続を欠いても、実質的権利の証明ができれば、その行使が可能であると解されているのであるから、利得償還請求権についても、裏書の連続ある手形の所持人でなくとも、実質上権利者である限り、この権利の取得は認められてよい。その代り、たとい形式的資格を有していても、実質的に権利者でない限り、この権利の取得を認めることはできない【12】。

【12】「前記法条ニ所謂手形ノ所持人トハ時効又ハ手続ノ欠缺ニ因リ手形上ノ権利ノ消滅シタル当時ニ於ケル該手形ノ正当ナル所持人ヲ指称スルモノニシテ凡ソ手形ノ正当ナル所持人ノ地位ヲ取得スルカ為ニハ相続及会社合併等所謂一般的承継ノ場合ヲ除クノ外必ス前所持人ト新所持人トノ間ニ有効ナル手形債権譲渡行為ノ存在スルコトヲ要シ其是ナキ場合ニ於テハ手形夫レ自体ノ占有ノ移転アリト雖該占有者ニ於テ手形所持人トシテノ地位ヲ取得スルモノニアラス而シテ此理ハ手形カ裏書（正式裏書及略式裏書ヲ含ム）ニヨリ輾転スル場合ナルト単ニ引渡ニ依リテ譲渡スル場合（商法第四百五十七条第二項後段（現手一四Ⅱ3）ノ場合）ナルニヨリ毫モ異ル所ナキモノト解スヘキモノトス」（東京地判昭八・三・三一新聞三五六〇・一六）。

さらに、手形上の権利消滅当時手形を喪失していたが、実質的権利はこれを失つていなかつた者（すなわち喪失手形につき善意取得が生じていなかつた場合）がこの権利を取得し得るか。前述の判例の立場からは、これを否定すべきが当然の結論であろう。けだし、裏書の連続を欠く手形の所持人に対してさえ、権利の取得を否定する位であるから、ましていわんや全然手形を所持していなかつた者に対しこれを否定するのは当然と思われるからである。ところが、最近、最高裁判所は、小切手上の権利につき、その消滅当時、盗難のため小切手を所持していなかつた者でも、その当時まだ善意取得が生じていなかつた故に、依然実質上の権利者たることを失つていなかつたとすれば、利得償還請求権を取得し得るとした【13】。

【13】「小切手法七二条の規定するいわゆる利得償還請求権は、小切手の所持人が手続の欠缺もしくは時効により、本来正当に有していた小切手上の権利を喪失した事実があるに拘わらず他方同条に定める振出人その他の者が対価を得て利得している事態を衡平に合しないものとし、その間の衡平を図るため特に認められた権利であつて、小切手上の権利と異なり小切手の所持をもつて権利取得の直接の理由とするものではない。本来小切手の正当な所持人として小切手上の権利を行使し得べかり

し者が、たまたま小切手を盗取せられ、失権当時、小切手の現実の所持を有せず、もしくは逸早く除権判決を得ていなかつたとしても、もしその間他の第三者においてその小切手上の権利を取得するに至らず、被盗取者において依然実質上の権利者たることを失つていなかつたものとすれば、振出人等に利得の存する限り、その間の衡平を図る必要がないものとは即断し得ないものというべく、もしかかる場合であるとすれば、右被盗取者が、失権当時、小切手の現実の所持を有せず、もしくは除権判決を得ていなかつたとしても、その一事によつて直ちにその利得償還請求権の取得を否定し得ないものといわなければならない。

してみれば、原判決が小切手の所持人たる上告人がその小切手を盗取せられた本件の場合について、単に失権当時小切手の現実の所持を有せず、除権判決をも得ていなかつたとの一事のみによつて、直ちに利得償還請求権を取得し得ないと断定して上告人の請求を排斥したのは、右法条の解釈適用を誤つたか、もしくは理由不備の違法あるに帰するものであつて」（最判昭三四・六・九民集一三・六六四、河本・商事法務研究一五八号、升本・判例評論二〇号、北村・ジュリスト一八四号、船山・法学一八巻二七二頁、田中・松元・手形研究二五号）。

これは、利得償還請求権は「失権当時小切手上の権利を行使し得た者に対してのみ与えらるべきものであつてその当時小切手上の権利を行使し得なかつた者に対しては之を与うべからざるものである」との原審を破棄すべくなされたものである。判旨に賛成すべきであるが（河本・前掲判批、同旨升本・前掲判批、北村・前掲判批、反対田中・松元・前掲判批）、このようにして取得を認められた利得償還請求権の行使の方法をめぐつてなお問題があると思われる（二五〇頁参照）。

なお、隠れた取立委任裏書の被裏書人がこの権利を取得し得るかについては、前掲判例【11】はこれを認めるが、戦後の下級審中には、この場合の被裏書人は独自の経済的利益を有しないことを理由にこれを否定するものもある【14】。

【14】「取立委任の目的の下に白地式裏書のある小切手を他人に交付した場合に受任者が小切手上の権利消滅による利得償還請求権を有するか否かについて判断すると、小切手の取立委任を受けた者が小切手上の権利を行使する場合その経済的効果

は委任者に帰属するものであつて、受任者には独自の経済的利益が存しないから受任者に小切手上の権利消滅による利得償還請求権を認める必要のないことは利得償還請求権という制度の存在理由自体に徴して明らかであり、且つ右利得償還請求権は小切手上の権利と別箇のものであつて、小切手の取立委任に利得償還請求の委任を包含するものではないから、小切手金の取立の委任を受けた者は仮令裏書に取立委任なる目的の記載のない場合でも、利得償還請求権を有しないものと解するのを相当とする」（大阪地判昭二五・四・二二下級民集一・六〇六、矢沢・商判研昭和二五年度一一事件）。

これに賛成する学説もある（矢沢・前掲判批、ただし代理権の行使を認める）もし隠れた取立委任裏書の被裏書人に利得償還請求権を取得させせないとすれば、誰にこれを取得せしめるか。右下級審判例は明言はしていないが、恐らく委任者たる裏書人にこれを取得せしめるのであろう。けだし、そうでなければ、債務者は何人に対しても利得償還義務を負わないことになつて、不当であるからである。実際上の結果においては余り差はないであろうが、隠れた取立委任裏書人の被裏書人も、完全な手形上の権利者であるとの通説の立場に立てば、手形権利消滅に伴う利得償還請求権も、右被裏書人がこれを取得すると解するのが理論的であろうし、それに、手形権利を被裏書人の名において行使することにした当事者の意思から考えても、手形権利の変形物にすぎない利得償還請求権をも、被裏書人の名において行使せしめるのが妥当であろう。

二　義　務　者

為替手形の振出人、引受人、約束手形の振出人、小切手の支払保証をした支払人、裏書人に限られる。

三　利得償還請求権の要件

一　手形上の権利が有効に存在したこと

従つて、支払地あるいは振出地の記載がないために手形が無効なときは、本件の成立は、最初から問題にならない【15】【16】。

【15】「控訴人ノ本訴請求ノ趣旨ハ甲第一号証（金額四百五十円ノ小切手）手形上ノ請求手続ヲ誤リタルカ為メ所謂手続欠缺ノ為メ手形上ノ償還請求ヲ為スコト能ハサルニ至リタルモ被控訴人ハ現ニ四百五十円ノ利益ヲ受ケタル者ナルカ故ニ商法第四百四十四条（現手八五）ニヨリ本訴ノ請求ニ応スヘキ義務アリト云フニアレハ先以テ本訴ノ小切手ハ成立上有効ナルモノナラサルヘカラス然ルニ甲第一号証ニハ支払人タル株式会社帝国商業銀行トアルノミニシテ支払地ト認ムヘキ者ノ記載ナキカ故ニ商法第五百三十条七号（現小一5）ノ規定ヲ遵守セサル無効ノ小切手タリ然ラハ即チ控訴人カ該小切手ニ基キ商法第四百四十四条（現手八五）ノ明文ニヨリ被控訴人カ受ケタル限度ノ利益ナリトシテ小切手額面ノ金額ヲ請求スルハ不当タルヲ免レサルモノトス」（東京控判明三七月日不詳 新聞二二七・一九）

【16】「商法第四百四十四条（現手八五条）ノ不当利得ノ訴ハ時効ノ成就又ハ所持人カ手形上ノ手続ヲ過怠シタル場合ニ該当スルモノニシテ即チ其前提ニ於テハ一旦有効ナル証券的権義ノ発生セシコトヲ条件トナササルヘカラス然ルニ本訴被控訴人ノ主張ニ於テハ甲第一号手形ハ振出地ノ記載ヲ欠缺セル無効手形ナルコトヲ条件ト為セルモノナレハ手形法規ノ認メタル不当利得ノ訴ニ適合セサルハ勿論……」（徳島地判明三七月日不詳 新聞二一三・一一）。

二　手形上の権利が時効または権利保全手続の欠缺によつて消滅したこと

判例は、他の総ての手形債務者に対する手形上の権利が消滅したことを必要とする。従つて為替手形の振出人に対する権利が消滅しても、引受人に対する権利が存続し、かつこの者が資力を有するときは、利得償還請求権を取得し得ないとする【17】【18】。

【17】「商法第四百四十四条（現手八五）ニ於テ手形ノ所持人ニ振出人又ハ引受人ニ対スル利得償還ノ請求権ヲ認メタルハ所持人カ他ニ手形上又ハ民法上何等ノ救済方法ヲ有セサル場合ニ於テ振出人又ハ引受人ヲシテ其ノ受ケタル利得ヲ領得セシムルハ不公平ナリト為シタルカ為ナルヲ以テ其ノ利得償還ノ請求権ヲ生スルニハ他ノ総テノ手形債務者ニ対スル手形上ノ権利カ消滅シタルコトヲ要ス従テ為替手形ノ所持人カ其ノ振出人ニ対シ時効ノ完成又ハ手続ノ欠缺ニ因リ手形上ノ権利ヲ失フモ其ノ手形ニ引受人アルトキハ之ニ対シテ手形上ノ権利ヲ行フコトヲ得ヘキヲ以テ所持人ハ振出人ニ対スル利得償還ノ請求権ヲ有セス唯其ノ引受人カ無資力ナル場合ニ於テノミ右ノ請求権ヲ有スルニ過キサルモノトス……然ルニ原院が……加藤甚三郎ノ無資力ナルヤ否ヲ判断セサルハ理由不備ノ不法アルモノト謂ハサルヘカラス」（大判昭三・一・九民集七・四、小町谷・判民昭和三年度一事件）。

【18】「手形法第八十五条カ手形ノ所持人ニ振出人引受人又ハ裏書人ニ対スル利得償還請求権ヲ認メタルハ所持人カ他ニ手形上又ハ民法上何等ノ救済方法ヲ有セサル場合ニ於テ振出人引受人又ハ裏書人ヲシテ其ノ受ケタル利得ヲ領得セシムルハ公平ニ非ストノ見地ニ立脚スルモノナルカ故ニ其ノ利得償還ノ請求権ヲ生スルニハ所持人ニ於テ此等ノ救済方法ヲ有セサルコトヲ要シ為替手形ノ所持人カ仮令一面ニ於テ振出人ニ対シ手続ノ欠缺又ハ時効ニ因リ手形上ノ権利ヲ失フモ他面其ノ手形引受人ニ対シ手形上ノ権利ヲ行使シ得ル場合ニ於テハ所持人ハ振出人ニ対スル利得償還ノ請求権ヲ有セサルモノトス（昭和二年（オ）第三百五十一号同三年一月九日言渡判決参照）今本件ニ付之ヲ観ルニ訴外小松才吉ハ上告会社ヲ代表シテ受取人ヲ同会社支払人ヲ小松寛吉ト為シタル本件為替手形ヲ振出シ之ヲ被上告人ニ裏書譲渡シテ同人ヨリ割引金トシテ金四千六百九十円ヲ受取リタルモノナル事実及右手形ノ呈示カ法定期間ヲ経過シタルニ因リ手形所持人タル被上告人ハ振出人及裏書人タル上告会社ニ対スル遡求権ヲ喪失シタルコト並ニ被上告人ハ右手形ノ引受人タル小松寛吉（第一、二審相被告）ニ対シ本件手形残金三千九百九十五円ニ付手形上ノ請求権ヲ有スルコトハ原審ノ確定シタル事実ナルヲ以テ冒頭説示ノ理由ニ依リ被上告人ハ引受人小松寛吉ニ対シ本件手形金ノ請求権ヲ有スル限リ裏書人タル上告会社ニ対シ前記利得償還請求権ヲ有セサルモノト謂ハサルヘカラス」（大判昭一三・五・一〇民集一七・八九四、小町谷・判民昭和一三年度五八事件）

それのみならず、民法上の救済方法も存在しないことを要件とする。故に、既存債務の支払のために手形が交付された場合には、既存債権を行使しうる限り、利得償還請求権は取得され得ないとする【19】【20】【21】【22】【23】【24】【25】【26】。

【19】　「約束手形ヲ振出スニ至リタル原債務カ手形債務ト併存スル場合ニ於テハ仮令原債務ヲ負担スルニ付キ対価ヲ取得シタル事実アリトスルモ之カ為メ必スシモ手形債務ノ消滅ニヨリ右対価ヲ利得シタリト謂フヲ得サルハ論ヲ俟タサル所ナルヲ以テ」（大判大九・一・二九民録二六・九九）。

【20】　「既ニ成立セル消費貸借ニ因ル債務ノ消滅ヲ手形ノ支払ニ係ラシメタル場合ニ於テハ手形ノ支払アラサル限リ既成ノ消費貸借上ノ債務ハ現存スルヲ以テ本件ニ於ケルカ如ク被上告人カ手続ノ欠缺ニ因リ小切手上ノ権利ヲ喪失シ其支払ヲ受クル能ハサルニ至リタル場合ト雖モ従前ノ消費貸借関係ニ基キ其債権ヲ行使シ得ヘク従テ商法第四百四十四条（現手八五）ノ規定ニ基キ利得償還ノ請求権ヲ行使スルヲ得サルモノト謂ハサル可ラス」（大判大九・四・八民録二六・四八一）。

【21】　「既存ノ債務ニ付約束手形ノ振出アリタル場合ニ旧債務ノ履行ニ代ヘテ手形カ振出サレタルヤ履行ノ為ニ振出サレタルヤ将又代物弁済トシテ発行交付セラレタリヤハ当事者ノ意思表示ノ解釈ニ依リ定ムヘキ所ニシテ既存ノ債務ニ付約束手形ノ振出アリシ事実ノミヲ以テ直チニ更改契約又ハ代物弁済契約ニ基クモノト認ムルヲ得ス何等特別ナル意思表示ノ見ルヘキモノナキ時ハ寧ロ既存債務ノ履行ノ為手形ノ振出アリテ既存債務ハ存在スルモノナルカ故ニ商法第四百四十四条〔現手八五〕所定ノ利得償還請求権発生スルコトナシ」（大判大一五・五・一八商判集八一〇頁）。

【22】　「商法第四百四十四条（現手八五）ニ所謂其受ケタル利益トハ手形上ノ債務ヲ免レタル以外ノ利益ヲ指称スルモノナレハ上告人ノ本件手形上ノ債務カ消滅時効ニ罹リタル事由ニ基キ同条ニ依リ被上告人ニ利得返還請求権アリトナスニハ上告人ニ於テ本件手形上ノ債務ヲ免レタル事ニ因リ他ニ利益ヲ受ケタル事実ヲ確定セサルヘカラサルコト勿論ナリ原判決ハ上告人ノ本件手形債務カ消滅時効ニ罹リタル事実ヲ確定シタル外上告人ハ被上告人ニ対シ本件手形書換前ノ約束手形ヲ振出シ被上告人ヨリ金二千円ヲ借受ケタル事実ヲ認定シタルモ其ノ所謂借受ト手形振出トノ法律関係ヲ説明スルニ非サレハ上告人ノ本件手形上ノ債務カ時効ノ完成ニ由リ消滅シタリトスルモ、直ニ以テ上告人カ他ニ利益ヲ得タモノト断シ得サルモノトス蓋手形ヲ振出シ金員ヲ借受クル場合ニ於ケル両者ノ法律関係ハ一ニシテ止ラス若夫本件手形書換前ノ手形ニシテ消費貸借上ノ債務ノ支払確保

ノ為振出サレタルモノナランニハ上告人ハ縦令本件手形上ノ債務ヲ免ルルモ依然貸借上ノ債務ヲ負担スルヲ以テ時効ノ完成ニ因リテハ単ニ手形上ノ債務ヲ免ルルニ止リ他ニ何等利得スルトコロナケレハナリ」（大判昭八・一一・二一法学三・四五六）。

【23】「手形上ノ権利カ手続ノ欠缺又ハ時効ニ因リ消滅シタル場合ニ手形所持人カ振出人引受人等ニ対シ其ノ受ケタル利益ノ限度ニ於テ償還ノ請求ヲ為スコトヲ得ルハ（手形法第八十五条旧商法第四百四十四条）他ニ何等ノ救済方法ヲ有セサル場合ニ限ラルルモノニシテ別ニ民法上ノ救済方法ヲ有スルトキハ該請求権ヲ有セサルコトハ当院判例ノ認ムル所ナレハ（昭和二年（オ）第三五一号昭和三年一月九日当院判決参照）仮令本件約束手形上ノ権利カ時効ニ因リテ消滅シタリトスルモ上告人カ之ト並存スル民法上ノ債権ヲ行使スルコトヲ得ル以上ハ利得償還ノ請求ヲ為スコトヲ得サルモノト謂ハサルヲ得ス」（大判昭一〇・三・一八新聞三八二七・一六）

【24】「債権ノ弁済ヲ確保スル為メ約束手形ノ振出アリタル場合ニアリテハ基本ノ債権ト手形債権トハ併存シ手形債権カ時効ニ因リ消滅シタル場合ト雖モ債権者ハ基本債権ヲ行使シ得ルモノナルヲ以テ商法第四百四十四条（現手八五）ニ基ク利得償還ノ請求ヲ為シ得サルコトハ夙ニ当院ノ判例トスルトコロニシテ今之レヲ変更スルノ要ヲ見ス而シテ約束手形ノ振出カ従前既ニ成立シタル債権ノ弁済ヲ確保スル為メナサレタルト将来発生スヘキ債権ノ支払確保ノ為メ手形振出ヲ予メ合意シタルニ基ク場合ナルトニ依リ其ノ結果ヲ異ニスルモノニアラス何ントナレハ手形債権カ時効ニ因リ消滅スルモ債権者ハ尚ホ基本債権ニ基キ之レカ請求ヲ為シ得ヘキコト両者ニ於テ毫モ異ル所ナケレハナリ」（大判昭一一・一〇・二一新聞四〇六四・二〇）。

【25】「手形カ既存ノ民法上ノ債権ニ対スル弁済ノ方法トシテ振出サレタル通常ノ場合ニ於テハ其ノ債権ハ手形ノ授受ニ因リ消滅セス仮令其ノ手形上ノ権利カ時効ニ因リ又ハ手続上ノ欠缺ニ因リ消滅スルモ手形所持人ハ民法上ノ債権ヲ行使スルコトヲ得ルモノナルカ故ニ之カ為利得償還ノ請求権ヲ取得スルモノニ非サルコト勿論ナリトス然ルニ原判決ハ本件二通ノ約束手形ハ被上告人カ上告人等ノ先代内芝徳次郎ニ対スル金二千円ノ既存債務支払ノ為振出サレタルモノナレハ被上告人ハ手形振出ノ対価トシテ現実ニ利益ヲ得タルモノト云ヒ難ク従テ該手形債務カ時効ニ因リ消滅シタレハトテ被上告人ニ利得アリト云ヒ得サル旨判示シタリ而テ右原判示ハ措辞簡ニ失スルモ上告人等ハ前示ノ理由ニ依リ既存ノ民法上ノ債権ヲ行使スルコトヲ得ルヲ以テ本件利得償還請求権ヲ有セサルモノトシテ之ヲ排斥シタル趣旨ナルコトヲ看取スルニ足レリ然レトモ原判決ハ右内芝徳次郎

ノ被上告人ニ対スル金二千円ノ既存債権ノ性質殊ニ該債権ハ如何ナル原因ニ基キ発生シタルモノナリヤ其ノ弁済期如何其ノ他其ノ債権ノ存否ヲ判断シ得ヘキ事項ニ付何等判示スルトコロナキヲ以テ上告人等カ手形債権消滅ノ時ニ於テ果シテ既存ノ債権ヲ有シ被上告人ニ対シ之ヲ行使シ得ルモノナリヤ否ヲ判断スルニ由ナシ若シ既存ノ債権ヲ行使シ得サルモノトセハ単ニ被上告人カ手形振出ノ対価トシテ振出ノ当時ニ利益ヲ得タルモノニ非サルコトノミニ因リ直ニ本訴請求ヲ排斥スルコトヲ得ス本訴ノ当否ニ付更ニ考慮ヲ加ヘサルヘカラサル筋合ナリトス従テ原判決ハ審理不尽理由不備ノ違法アルモノニシテ」（大判昭一五・二・一二評論二九民訴八）。

【26】「消費貸借上ノ債権ノ弁済方法トシテ振出サレタル場合ニ於テ手形上ノ権利カ時効等ニ因リ消滅スルモ其ノ当時消費貸借上ノ債権存在スル限リ手形所持人ハ右消費貸借上ノ債権ヲ行使スルコトヲ得ヘク即チ手形外ニ於ケル救済方法ヲ失フモノニ非サルヲ以テ利得償還ノ請求権ヲ発生スル余地ナキコトハ当院屢次ノ判決ノ趣旨トスル所ニシテ（昭和二年（オ）第三五一号昭和三年一月九日言渡判決昭和十三年（オ）第二四号同年五月十日言渡判決）今之ヲ変更スルノ必要ヲ見ス」（大判昭一六・六・二〇民集二〇・九一四、小町谷・判民昭和一六年度五九事件、大浜・民商法一五巻六六頁）。

判例の中には、右の結論の理由を、所持人が他に手形上または民法上何等の救済方法を有しない場合に、手形債務者をして、その受けた利益を領得せしめるのは不公平であるためにこの権利が認められた、という本制度の趣旨に求めるものがある【17】【18】【23】【26】。しかし、所持人が利得償還の請求をしようとする手形債務者に対し、原因関係上の債権をも有する場合は、手形債務者には利得がないということに、利得償還請求権の不成立の理由を求めることもできる【19】【22】【25】。他に引受人に対する手形権利が残存する場合【17】も、振出人には利得がないということで、この者に対する利得償還請求権の成立を否定し得る。けだし引受が引受人の振出人に対して有する債務の弁済に代えてなされたときは、振出人に利得はない。また支払のために引受がなされているときも、振出人が遡求権を免れて受取人より得た対価を確保し得るに至るとともに、振出人の引受人に対する資金関係上の債権は消滅するから、やはり振出人に利得はない。また引受人が振出人より資金の供給を受けず、信用供与の目的で引受をなしたときは、引受人の債務が残存する限り、振出人は資金供給義務を負担する故、振出人に利得はないからである。

従つて、利得償還請求は、所持人が他に救済方法を有しない場合にのみ認められるべきであるとの立場（小町谷・前掲判批、伊沢・二三六頁）と、これに反対の立場（松本・九七頁、田中耕・一九八—九頁、田中誠・一〇四頁）との争も、前掲諸判例に現われた事案の如き場合には、実益を有しない。けだし、それらの事案では、原因関係の当事者が同時に利得償還請求の当事者である故に、債務者に利得の要件が欠けるということで問題は片付くからである。従つて、この論争が実益をもつのは、所持人が利得を得た手形債務者以外の者に対し、手形上、または手形外の権利を有している場合である。たとえば、為替手形の振出人に対する遡求権は消滅したが、引受人に対する権利は残存し、しかも引受人が無資力である場合である。この場合は、振出人が引受人に対して有していた資金関係上の既存債権を失つたとしても、本来無価値な債権を失つたにすぎないから、振出人は受取人から得た対価において利得することになる。あるいはまた、みずからは支払に代えて振出を受けた手形を、自己の既存債務の担保のために裏書譲渡し、所持人が時効によつてその手形を失効せしめた場合である。これらの場合につき、判例は、何れも、利得償還請求権の成立を認める【8】【17】。ことに、昭和六年の大審院判例【8】は、後の場合につき、所持人をして、裏書人に対する原因債権と併立して、振出人に対する利得償還請求権を取得せしめる。そしてこの利得償還請求権は担保として交付した手形債権の代償物と見得るとの理由から、これは担保の目的物であることによる制限を受ける。したがつて、裏書人としては、この権利の譲渡を請求し得る以上、所持人の原因債権に基く請求に対し、所持人が担保手形を失効せしめたことによる損害賠償請求権との相殺を主張し得ないとした。これは明らかに、所持人をして手形外の原因債権と、利得償還請求権との自由な選択的行使を認めたものである。

利得償還請求権の成立するためには、所持人が他に何等の救済方法をも有しないことを要するか否かの問題については、これを要しないと解すべきであろう。なぜならば、もし他に救済方法の存しないことを要するとの立場に立てば、それは一種の循環論に陥るからである。いま原因債権を例にとつて考えれば、所持人が利得償還請求権を取得しうるかは、彼が他に救済方法を有するか否か、すなわち原因債権を行使し得るか否かにかかる。ところが、前掲の判例【8】によつて明らかなように、原因債権を行使し得るか否かは、利得償還請求権が成立するか否かにかかる。このような循環論法に陥らないためには、一方において手形権利が時効または保全手続の欠缺によつて消滅し、他方において手形債務者に利得が存すれば、常に利得償還請求権の成立を認めるべきであろう。次にかかげる判例は、右の循環論の危険をはらむものである【27】。

【27】「又手形カ既存ノ民法上ノ債権ニ対スル弁済ノ方法トシテ振出サレタル場合ニ於テハ其ノ債権ハ手形授受ニ因リ消滅セサルカ故ニ縦令其ノ手形上ノ権利カ時効ニ因リ若クハ手続上ノ欠缺ニ因リ消滅スルモ手形所持人カ既存ノ民法上ノ債権ヲ行使スルコトヲ得ルトキ即チ他ニ民法上ノ救済方法ヲ有スルトキハ利得償還ノ請求権ヲ有セサルモノトス而シテ右ノ場合ニ於テ手形所持人カ民法上ノ債権ヲ行使スルコトヲ得ルヤ否ハ手形ヲ授受シタル当事者ノ意思即チ或ハ当事者カ手形上ノ権利ヲ行使

スルノ方法ニ依リテノミ民法上ノ債権ノ弁済ヲ為スヘキ約旨ヲ以テ手形ヲ授受シ或ハ当事者カ時効若クハ手続欠缺ニヨリ権利ヲ喪失スルニ至ラサル手形ヲ返還スルニ依リテノミ既存ノ債権ヲ行使スルコトヲ得ヘキ約旨ニテ手形ヲ授受スル等ノ事情其ノ他諸般ノ状況ヲ審査シテ之ヲ決スヘキモノトス……弁済方法トシテ手形ヲ授受シタル場合ニ於テモ手形上ノ権利カ時効ニ因リ又ハ手続上ノ欠缺ニ依リ消滅シタルノ一事ニヨリ前示ノ如ク当然既存ノ民法上ノ債権ヲ行使スルコトヲ得ルモノト謂フコトヲ得サルニ拘ラス漫然上告人ハ被上告人ニ対シ既存ノ紙代金ノ債権ヲ行使スルコトヲ得ルカ故ニ利得償還ノ請求権ヲ有セスト判示シ本件ニ於テ何故ニ上告人カ民法上ノ債権ヲ行使スルコトヲ得ルヤヲ説明セサリシハ理由不備ノ不法アルモノト謂ハサルヲ得ス」（大判昭三・一・九民集七・四、小町谷・判民昭和三年度一事件）。

三　手形債務者に利得の存在すること

（一）　約束手形の振出人の利得　　債務者のもとで発生する利得について、まず、約束手形の振出人の利得から述べることにする。けだしほとんどの判例がこれに関しているからである。

利得すなわち法文にいわゆる「受ケタル利益」とは、手形債務者が時効または手続欠缺によって手形上の債務を免れたことではなく、原因関係において受けた利益（対価）のことである【28】。

【28】　「商法第四百四十四条（現手八五）ニ所謂其受ケタル利益ノ限度トハ約束手形ニ在リテハ振出人カ手形ヲ振出スニ当リ其対価トシテ受ケタル利益ノ積極ナルト消極的ナルトハ固ヨリ問フ所ニ非スト雖モ其利益ナルモノハ振出人カ手形ノ基本関係ニ付キ振出ノ対価トシテ受ケタル利益ヲ謂フモノニシテ所論ノ如ク時効又ハ手続ノ欠缺ニヨリテ手形上ノ債務ヲ免カレタル利益ヲ謂フモノニ非ス（大正五年（オ）第五百号同年十月四日判決参照）」（大判大六・七・五民録二三・一二八二）

ただし積極的な金員の交付に限らず、消極的に既存債務の支払を免れた場合をも含む【29】【30】。

【29】　「商法第四百四十四条（現手八五）ニ所謂其受ケタル利益トハ約束手形ニ在リテハ振出人カ手形ノ基本関係ニ付キ振出ノ対価トシテ現実ニ利益ヲ受ケタル場合ヲ指称スルモノニシテ振出人カ手形ヲ振出スニ当リ其対価トシテ積極的ニ金員ノ交

付ヲ受ケタル場合ノミナラス消極的ニ既存債務ノ支払ヲ免レタルトキヲモ包含スルモノトス」（大判大五・一〇・四民録二二・一八四八、竹田・商法判例批評一巻二一三頁、同旨大判大二・四・一四民録一九・二三九、大判大八・二・二六民録二五・三八四）

【30】「商法第四百四十四条（現手八五）ニ受ケタル利益トアルハ約束手形ニ在リテハ振出人カ手形ノ基本関係ニ付振出ノ対価トシテ現実ニ受ケタル利益ヲ指称スルモノニシテ其ノ対価ハ積極的ニ金員ノ交付ヲ受ケタル場合ノミナラス消極的ニ既存債務ノ支払ヲ免レタル場合ヲモ包含スルモノナルコトハ当院ノ判例トスル所ナルヲ以テ（大正五年（オ）第五百号同年十月四日大正七年（オ）第千四十六号大正八年二月廿六日当院判決参照）上告人ハ前示額面二千二百円ノ約束手形ヲ振出スニ際シ同金額ニ相当スル利益ヲ受ケタルモノト謂フヘク（【44】に続く）」（大判昭二・三・三新聞二六六九・一三）

さらに、債権の取得も利得たり得る。例えば、甲が乙に資金を貸与するために小切手を振出し、乙がその小切手を丙によつて割引を受け、丙がその小切手を失効せしめた場合、甲は乙に対し小切手金額相当の貸金債権を取得することによつて利得したものとして、丙の利得償還請求権を認めた下級審判例がある【31】。

【31】「被告主張ノ如ク本件各小切手ハ被告カ久森ニ対シ資金ヲ貸与スル為メ振出シ交付シ久森ニ於テ原告ヨリ其割引ヲ受ケタルモノニシテ原告主張ノ如ク被告カ原告ヨリ本件各小切手ノ割引ヲ受ケ得タル金員ヲ久森ニ貸与シタルモノニアラサルコト及久森カ其後約ニ背キ被告ニ対シ僅少ノ材料品ヲ売渡シタルノミニシテ被告ハ所期ノ如ク同人ヨリ買受ケタル材料代金債務ト右貸金債権トヲ相殺スルコト能ハサリシコトヲ認ムルニ足ル此認定ニ反スル原告本人ノ供述ハ輙ク措信シ難シ然レトモ右ノ如ク被告ハ本件各小切手ヲ振出シ之ヲ久森ニ交付シ以テ同人ニ対シ該小切手金額ニ相当スル貸金債権ヲ取得シタルモノナルニヨリ此時既ニ該金額合計九百円ニ相当スル利益ヲ得タルコト明カニシテ之ヲ原告ニ償還スヘキ義務アルモノト謂ハサルヘカラス」（東京区判昭六・七・二八新聞三二九一・一三）

贈与の目的で手形が振出された場合について、振出人に利得があるかについては、判例はこれを否定する趣旨と解される。すなわち、次の判例は、振出人が受取人に対する贈与契約の履行として手形を振出したのではないが、第三者が受取人に対して負担していた債務を無償で債務引受けしてやって、それによって負担した債務の支払に代えて、手形を振出した場合に関し、利得償還請求権の成立を否定したものである【32】。

【32】「然レトモ商法第四百四十四条（現手八五）ハ手形ノ振出人又ハ引受人カ現実ニ対価ヲ受ケテ振出又ハ引受行為ヲ為シタル場合ニ於テハ其手形債権カ時効若クハ手続ノ欠缺ニ因リテ消滅シタルトキト雖モ尚ホ所持人ヲシテ振出人又ハ引受人ニ対シ其受ケタル利益ノ限度ニ於テ償還請求ヲ為スコトヲ得セシムル規定ナレハ振出人又ハ引受人カ何等ノ対価ヲ受ケサリシ場合ハ同条ニ依リ償還請求ヲ為スコトヲ得サルヤ多言ヲ要セス而シテ本件被上告人ハ訴外田中与太郎ノ上告人外一名ニ対シテ負担セシ金二千五百円ノ債務ヲ引受ケ上告人外一名ニ対シ各金千二百五十円ノ手形ヲ振出シ其後一部ヲ支払ヒ残債務ニ付更ニ本訴ノ金千百八十円ノ約束手形ヲ振出シタルモノニシテ当初ヨリ何等ノ対価ヲ受ケタルモノニ非サルコト原院ニ於テ確定セル事実ナレハ原院カ上告人ニ償還請求ノ権利ナシト判定シタルハ正当ニシテ毫モ不法ニ非ス」（大判大五・一一・三一民録二二・九九、竹田・商法判例批評一巻七三頁）。

しかしまた同様の事案につき、債務の引受が贈与契約の履行としてなされた場合に、利得の成立を認めるのかとも解される（明確でないが）判例もある【33】。

【33】「切替ヘタル約束手形上ノ権利カ時効ニ因リ消滅シタル場合ニ於テ其所持人カ商法第四百四十四条（現手八五）ニ従ヒ振出人ニ対シ償還ヲ請求シ得ヘキ利得ノ有無ハ振出人カ切替前ノ手形ニ因リ現実ニ利得シタル事実ノ有無ニヨリ之ヲ定ムヘキモノニシテ振出人カ対価ヲ得テ前手形ヲ発行シタル場合ノ如キハ勿論振出人ニ於テ利益ヲ受ケタリト謂フコトヲ得ヘキモ本件ノ如ク切替ヘタル手形ノ振出人自身カ前手形ヲ発行シタルモノニ非スシテ他ノ振出人ノ手形債務ヲ引受ケタル場合ノ如キハ仮令切替ニヨリ前手形ノ支払義務カ消滅シタレハトテ振出人ニ於テ常ニ必スシモ利益ヲ受ケタリト謂フコトヲ得ス受益ノ有無ハ振出人カ前手形ノ債務ヲ引受クルニ至リタル事由ノ如何ニ依リ判定セラルヘキ事実問題ナリト謂ハサル可ラス引受人カ引受ヲ為スニ当リ対価ヲ受ケタルコトアラン又贈与契約ノ履行方法トシテ引受ヲ為スコトアルヘク又其引受ノ前手形ノ振出人ニ対ス

ル債務ノ弁済ニ代エ或ハ事務管理トシテ若クハ前振出人ノ委任ニ因リ為サルルコトアルト同時ニ如上積極若クハ消極的利益ヲ受クルコトナク単純ニ引受ヲ為スコトアルヘシ前段数箇ノ事例ニ在リテハ切替手形ノ振出人ハ引受ニ因リ利益ヲ受ケタルモノト謂ヒ得ヘキモ最後ノ場合ニ於テハ振出人ハ何等利得スル所ナカルヘキカ故ニ仮令切替手形ノ債務カ時効ニ因リ消滅シタルコトアリトスルモ所持人ノ償還請求ニ応スヘキ理由アルコトナカルヘシ」（大判大五・九・六民録二二・一六九三、竹田・商法判例批評一巻二〇三頁）

贈与の目的で手形が振出された場合の利得の成否に関しては学説も分れ、あるいは、振出人が贈与義務を免れ（贈与契約あるとき）または贈与の目的を達するが故に（現物贈与）対価を得なくとも利得ありといわねばならないとし（大橋・統一手形法論下七九五頁）、あるいは、振出人の償還すべき利得なるものは、この者が積極的に取得しまたは原因債務を免れたことにより生じたものであり、かつこれを除去しなければ不公平と考えられるものであることを要するとの理由で、利得の存在を否定するものもある（納富「手形の利得償還請求権」法学論双三五巻一一四二二頁）。

また、他の振出人の債務の保証の目的で共同振出人として署名した者には利得がないとする判例がある【34】。

【34】「約束手形ノ所持人カ振出人ニ対シテ利得償還ノ請求ヲ為ス場合其ノ請求ノ理由有ルカ為メニハ振出人ニ於テ手形振出ニ因リテ利得ヲ為シタルコトヲ必要トスルヤ殆ント言説ヲ俟タサル所ニシテ而シテ約束手形ニ共同振出人トシテ署名シタル者アルモ其ノ署名ノ真実ノ目的ハ他ノ振出人ノ手形上ノ債務ヲ保証スルニ在リタリト謂フカ如キ事実関係ナル場合ニ在リテハ此ノ共同振出人ハ右振出人トシテ署名シタルコトニ因リテ何等ノ利益ヲ受ケサルコト通常ノ事例ナリトス」（大判昭一四・一・二七法学八・七八七）。

なお、既存債権が時効によって消滅したとしても、振出人に利得があるとはいえない【35】【36】。

【35】「原審ノ確定シタル事実ハ被上告人ハ 株式会社今出銀行トノ間ニ 金五百円ノ消費貸借ヲ締結スルト同時ニ該消費貸借上ノ債務ノ履行ヲ確保スル為大正十一年六月二十六日本件手形ヲ振出シ且其ノ引受ヲ為シテ之ヲ同銀行ニ交付シタリト云フニ

アリ而シテ手形カ消費貸借上ノ債務ノ履行ヲ確保スル目的ノ上ニ振出サレタルモノナル場合ニ於テハ其ノ手形上ノ権利カ時効完成ニ因リテ消滅スルモ之カ為ニ消費貸借上ノ債務ノ消滅ヲ来スコトナキハ勿論ナルト共ニ此ノ点ニ付キテハ従前存スル債務ノ履行確保ノ為手形ノ振出アリタル場合ナルト債務ノ発生スルト同時ニ其ノ債務ノ履行確保ノ為手形ノ振出アリタル場合ナルトニ依リ結論ヲ異ニスヘキ理由ナシ然レハ本件手形上ノ権利カ時効完成ニ因リ消滅シタルコト原審認定ノ如クナリトスルモ其ノ当時ニ於テハ右銀行ノ被上告人ニ対スル前示金五百円ノ債権ハ依然存セシモノト謂フヘク、従テ同銀行ハ被上告人ニ対シ商法第四百四十四条(現手八五)ノ償還請求権ヲ取得スヘキモノニ非サルコト昭和二年（オ）第三五一号昭和三年一月九日ノ当院判例ニ依リ明カナル所ナリ。所論ハ未タ以テ該判例ヲ変更スルノ必要ヲ認メシムルニ足ラス又本件消費貸借上ノ債務ニシテ上告人主張ノ如ク時効完成ニ因リ消滅シタリトスルモソレハ本件手形上ノ権利ノ消滅シタル後ニ属スルコト上告人ノ主張上自ラ明ニシテ即チ前叙ノ如ク商法第四百四十四条（現手八五）ノ償還請求権ノ発生セサルコトカ確定シタル後ノ事ニ係ルノミナラス当該消費貸借上ノ債務ソノモノノ時効完成ト云フ法律所定ノ原因ニ基クモノナルヲ以テ右償還請求権発生不発生ノ問題ニ影響ヲ及ホスヘキモノニ非サルコト多言ヲ俟タス」（大判昭一〇・六・二二新聞三八六九・一一）。

36】「手形カ消費貸借上ノ債権ノ弁済方法トシテ振出サレタル場合ニ於テ手形上ノ権利ノミナラス基本タル消費貸借上ノ債権モ亦時効等ニ因リ消滅シタリトスルモ其ノ消滅カ手形上ノ権利ノ消滅シタル後ニ属スル以上手形上ノ権利カ消滅シタル当時ニ於テハ基本タル消費貸借上ノ債権存在シ上告人ニ於テ之ヲ行使シ得ヘカリシモノニシテ被上告人ハ右消滅ノ為何等利得ヲ為シタルモノニ非ス而モ其ノ基本タル債権ノ消滅スルニ至リタルハ上告人ニ於テ其ノ行使ヲ怠リタル結果ニ外ナラス然ラハ被上告人等ハ手形上ノ権利ノ消滅ニ因リ利益ヲ受ケタルモノト做スヲ得サルヲ以テ上告人ニ利益償還ノ請求権ヲ生スヘキモノニ非ス」（大判昭一六・六・二〇民集二〇・九一六、小町谷・判民昭和一六年度五九事件、大浜・民商法一五巻六六頁、同旨昭一六・一二・一六法学一一・七二六）。

右二判例では、何れも、手形権利の消滅後に既存債務が時効で消滅した場合である。しかしこの消滅がたとい手形権利の消滅前に生じたとしても、右の結論には変りはない。けだし、この場合において債務者が既存債務の免脱を受けたのは、手形の授受とは無関係な、既存債務の時効完成という法定の原因に基くものであるから（小町谷・大浜各前掲判批、納富一八六―七頁）。

請求当時、利益が現存すると否とを問わず、受けた利益の限度で償還しなければならない。従って、手形振出人が、漁業権の代金を一万円と定めて一万円の金額の手形を振出し、満期において右手形金額の中、九四九〇円の支払をした。しかし手形残額債権は、その後、時効によって失効した。この場合に、漁業権は他に安く転売することによって、多くの損害を被っていたとしても、振出人は一万円と支払済みの九四九〇円の差額たる五一〇円につき、利得償還の義務があることになる【37】。

【37】「振出人タル控訴人カ手形所持人タル被控訴人ニ対シ償還スヘキ利益如何ヲ案スルニ控訴人カ被控訴人先代ヨリ漁業権ヲ代金一万円ト定メ譲受ケタルコトハ控訴人ノ認ムルトコロナルヲ以テ反証ナキ限リハ右漁業権ハ一万円ノ価値アリタルモノト認メサルヘカラス控訴人ハ該漁業権ハ九千四百九十円以下ノ価値アルニ過キスト主張スレトモ確認スルニ足ル証拠ナシ然則控訴人ハ本件手形ノ振出ト九千四百九十円ノ支払トニヨリ一万円ノ価値アル漁業権ヲ取得セルモノニシテ結局一万円ト九千四百九十円トノ差額カ本件手形ノ振出ニ対スル控訴人ノ受ケタル利益ニシテ右差額即チ五百十円カ償還スヘキ利益ナリト謂ハサルヘカラス控訴人ハ漁業権ヲ其後他ニ廉価ニ譲渡シ為ニ多大ノ損失ヲ蒙リ何等現実ノ利益ヲ受ケタルコトナシト主張スレトモ商法第四百四十四条(現手八五)ニ所謂受ケタル利益トハ振出人カ手形ノ振出ニ対シ直接ニ受ケタル利益ヲ指称スルモノニシテ苟クモ一旦此利益ヲ受ケタル以上ハ後日他ノ事情ニヨリテ失フモ之レカ為償還義務ヲ免ルルモノニアラス」(東京控判大三・一一・一四新聞九九二・三〇)。

その他、得た対価を費消しても【38】、またその費消が会社代表者による自己の用途のためになされたものであっても【39】、利得の成立には影響はない。

【38】「金二百円ノ対価ヲ支払ヒテ小切手ヲ受取リタル者ハ後日手続ノ欠缺ニ因リ該小切手ノ失効セルトキハ其ノ相手方ニ対シ右金員相当ノ利益返還ヲ請求シ得ヘク相手方カ其ノ金員ヲ費消セルト否トハ毫モ関係ナキモノトス」(朝鮮高等法院判昭一七・七・商判集八一六頁)。

【39】「然レトモ右手形ノ呈示カ法定ノ期間ヲ経過シタル昭和十年十一月十二日ニ為サレタルコトハ当事者間ニ争ナキトコロナレハ本件手形所持人ナル原告ハ振出人及裏書人ナル被告会社ニ対スル遡求権ヲ喪失シタルモノト謂フヘク従テ原告ノ被告会社ニ対スル本件手形金ノ請求ハ失当ニシテ之ヲ棄却スヘキモノナルコト明ナリトス依テ原告ノ予備的請求タル利得償還ノ点ニ付按スルニ既ニ本件手形ノ裏書並之ニ依ル割引金ノ受領カ被告会社代表者小松才吉ノ心裡留保ニ基ク行為ニシテ原告ニ於テ其ノ真意ヲ知リ又ハ知リ得ヘカラサリシコト前段認定ノ如クナル以上右小松才吉ノ割引金ノ受領ハ其ノ効果ヲ被告会社ニ及ホスヘキコト言ヲ俟タサルヲ以テ被告会社ハ本件手形ノ裏書ニ依リ金四千六百九十円ノ利得ヲ為シタルモノト謂フヘク爾後被告会社代表者ニ於テ擅ニ自己ノ用途ニ費消シタレハトテコレハ被告会社ノ受益ノ事実ニ消長ヲ及ホスモノニアラサルヤ明ナリ」(大阪控判年月日不詳・民集一七・八九九)。

債務者として返還すべきは右の限度における利益であって、債務者が手形債務を支払わないため所持人の支出した督促手続費用等は償還請求し得ない【40】。

【40】「手形ノ所持人カ商法第四百四十四条(現手八五)ノ規定ニ依リ振出人ニ対シ償還請求ヲ為シ得ヘキ場合ハ手形行為ニ依リ振出人ノ現実受ケタル利益ニ限ラルルモノナルニヨリ仮令手形ニ関聯シタルモノナルモ右ニ該当セサルモノニ付テハ手形ノ所持人ニ於テ商法第四百四十四条(現手八五)ニヨル償還請求権アルモノニアラス而シテ本訴請求中控訴人カ本件手形債務ヲ支払ハサリシ為メ被控訴人ノ要シタル督促手続費用金五円七十七銭五厘ハ控訴人カ手形行為ニヨリ得タル利益ニアラスシテ手形債務ノ不履行ニヨリ生シタル被控訴人ノ損害ニ外ナラス随テ右督促手続費用ニ付テハ被控訴人ニ於テ商法第四百四十四条(現手八五)ニ基キ利得償還ノ請求ヲ為シ得ヘキモノニアラサルコト明カナリ」(名古屋地判明四四年月日不詳新聞七三一・二三)。

書替手形と利得償還請求権の問題に関しては、新手形の交付により、旧手形債務が消滅しても、旧手形債務の消滅そのものが利得でなく、旧手形振出の原因関係において受けた対価が利得であるとするのが、一貫した判例の立場である【41】【42】【43】【44】【45】【46】【47】。

【41】「商法第四百四十四条(現手八五)ニ所謂振出人ノ受ケタル利益トハ其現実ニ受ケタル利益ノ謂ニシテ手形債務者カ

支払ニ代ヘテ更ニ手形ヲ振出シタル事実ノ如キハ現実ニ利益ヲ受ケタルモノト云フヲ得ス何トナレハ此ノ如キ場合ニ於テハ手形債務者ハ旧手形ノ債務支払ノ責ヲ免ルルモ新手形ノ債務ヲ負ヒ毫モ現実ノ利益ヲ受クル所ナク且手形債務者ハ手形ノ文言ニ従ヒテ責任ヲ負フモノナレハ其旧手形ノ債務ハ必シモ現実ノ利益ヲ受ケタルニ因リテ之ヲ負ヒタルモノト云フコトヲ得サレハナリ由是之ヲ観レハ原院カ手形ニ代ヘテ他ノ手形ヲ振出シタル事実ノミニテハ未タ以テ相当ノ報償ヲ得タルモノト判断スルヲ得ス云々ト判断シテ上告人ノ請求ヲ排斥シタルハ相当ニシテ……」（大判明四〇・一・二六民録一三・二〇）。

【42】「商法第四百四十四条（現手八五）ニ所謂振出人ノ受ケタル利益トハ其現実ニ受ケタル利益ノ謂ニシテ手形債務者カ支払ニ代ヘテ更ニ手形ヲ振出シタル事実ノ如キハ現実ニ利益ヲ受ケタルモノト云フヲ得ス何トナレハ此ノ如キ場合ニ於テハ手形債務者ハ旧手形ノ債務支払ノ責ヲ免ルルモ新手形ノ債務ヲ負ヒ毫モ現実ノ利益ヲ受クル所ナク且手形債務者ハ手形ノ文字ニ従ヒテ責任ヲ負フモノナレハ其旧手形ノ債務ハ必スシモ現実ノ利益ヲ受ケタルニ因リテ之ヲ負ヒタルモノト云フヲ得サレハナリ」（大判明四〇・六・二六新聞四〇七・九）。

【43】「手形債務者カ其手形ニ代ヘテ満期日ヲ後日ト為シタル新手形ヲ旧手形ノ所持人ニ交付シ所謂手形ノ書換ヲ為スハ手形債務ノ支払ヲ延期スルノ手段トシテ為スヲ常態トス是レ手形取引上ノ実験則ニシテ之ニ関スル原院ノ判示ハ其当ヲ得タルモノトス而シテ其書換ハ満期日ヲ後日ト為スノミニテ其他ヲ変更セサル新手形厳格ナル意義ニ於ケル延期手形ヲ以テスルニ限ラス金額債務者ヲ変更セサルニ於テハ満期日ヲ後日ト為スノ外他ノ要件ヲ変更シタル手形ヲ以テスルモ延期ノ為メノ書換タルヲ失ハス手形債務ヲ他ノ手形債務ニ変更シタル場合ニ更改ノ成立スルコトハ当院判例ノ示ス所ナレトモ手形ヲ支払延期ノ為メ新手形ニ書換ヘタル場合ハ之ニ包含セス何トナレハ当事者ノ意思債務ノ変更ニ存セスシテ其支払ヲ延期スルニ在レハナリ手形ヲ書換ヘタル場合ニ新手形ヲ受取リタル債権者ハ旧手形ニ依リ権利ヲ主張スルヲ得サレトモ是レ旧手形債務ヲ消滅セシメタルカ為メニ非スシテ新手形カ旧手形ニ代ハルノ結果然ルニ過キサレハ手形債務者ハ新手形ノ交付ニ対シ対価ヲ得ルモノニ非ス従テ新手形ノ債権カ時効ニ因リ消滅スルモ利益ヲ受ケタルモノト謂フ可ラス此場合ニ於テハ利益ヲ受ケタルヤ否ヤハ旧手形ノ発行ニ対シ対価ヲ得タル否ヤニ依リ之ヲ決ス可キモノトス」（大判大四・一〇・二六民録二一・一七八二、竹田・商法判例批評一巻四一頁）。

【44】「（【30】に続いて）従テ其ノ後手形金二百円ヲ支払ヒ残額二千円ニ付再度ノ切替ニ依リ本件約束手形ヲ発行スルニ際シテ額面二千円ニ相当スル利益ヲ受ケタルモノト謂ハサルヲ得ス（尚大正五年（オ）第三百三十八号同年九月六日当院判決参照）

故ニ原院カ被上告人ノ本件約束手形ヨリ生シタル債権カ時効ニ因リテ消滅シタル事実ヲ認メ上告人カ株式買入代金ノ立替債務二千円ニ相当スル利益ヲ得タルモノト判断シ上告人ニ対シ商法第四百四十四条（現手八五）ニ依リ之カ償還ヲ為スヘキ旨判示シタルハ不法ニ非ス」（大判昭二・三・三新聞二六六九・一三）。

【45】「原判決ノ確定スル事実ニ依レハ本件手形ハ支払延期ノ為ニ発行セラレタル所謂切替手形ニシテ其ノ切替前ノ手形ノ振出引受ニ付テハ抗告人ニ於テ黒須銀行ヨリ金五千円ノ交付ヲ受ケタルモノト謂フニ在ルヲ以テ振出人ニシテ且引受人タル抗告人ニ利得償還ノ義務アルコト勿論ナリ」（大決昭五・九・一三新聞三一八二・一五）。

【46】「商法第四百四十四条（現手八五）ニ所謂其受ケタル利益トハ手形上ノ債務ヲ免レタル以外ノ利益ヲ指称スルモノナレハ上告人ノ本件手形上ノ債務カ消滅時効ニ罹リタル事由ニ基キ同条ニ依リ被上告人ニ利得返還請求権アリトナスニハ上告人ニ於テ本件手形上ノ債務ヲ免レタル事ニ因リ他ニ利益ヲ受ケタル事実ヲ確定セサルヘカラサルコト勿論ナリ原判決ハ上告人ノ本件手形債務カ消滅時効ニ罹リタル事実ヲ確定シタル外上告人ハ被上告人ニ対シ本件手形書換前ノ約束手形ヲ振出シ被上告人ヨリ金二千円ヲ借受ケタル事実ヲ認定シタルモ其ノ所謂借受ト手形振出トノ法律関係ヲ説明スルニ非サレハ上告人ノ本件手形上ノ債務カ時効ニ因リ消滅シタリトスルモ直ニ以テ上告人カ他ニ利益ヲ得タルモノト断シ得サルモノトス蓋手形ヲ振出シ金員ヲ借受クル場合ニ於ケル両者ノ法律関係ハ一ニシテ止マラス若夫本件手形書換前ノ手形ニシテ消費貸借上ノ債務ノ支払確保ノ為振出サレタルモノナランニハ上告人ハ縦令本件手形上ノ債務ヲ免ルルモ依然貸借上ノ債務ヲ負担スルヲ以テ時効ノ完成ニ因リテハ単ニ手形上ノ債務ヲ免ルルニ止リ他ニ何等利得スルトコロナケレハナリ」（大判昭八・一一・二一法学三・四五六）。

【47】「本件手形ノ中金額五千円ノ分（甲第三号証）ハ所論中村証人ノ証言スルカ如ク三通ノ手形ヲ纏メテ書キ換ヘラレタルモノナリトスルモ上告人ニシテ右書換前ノ三通ノ手形ニ因リ現ニ利得シタル事実アリ且右書換手形ニ付消滅時効完成シタル以上ハ素ヨリ利得償還請求権ノ発生ヲ妨ケサルモノト解スヘキモノトス（大正五年(オ)第三百三十八号同年九月六日言渡当院判決参照）而シテ右書換前ノ三通ノ手形ハ上告人カ被上告人ノ前主中村梧堂ニ対スル代金債務ノ支払ニ代ヘテ振出シ又ハ引受ケタルモノナルコトハ原判決ノ援キタル証拠ニ依リ之ヲ肯定シ得サルニアラスシテ原判決モ亦此趣旨ニ於テ判示シタルモノト解シ得ヘキカ故ニ上告人ハ右三通ノ手形ニ因リ現実受益スルトコロアリシモノト断スヘク従テ書換手形タル本訴五千円ノ手形債権ノ時効ニ因リ消滅ニ帰シタルコト原判示ノ如クナル以上上告人ニ利得償還ノ責アルヤ勿論ナリ」（大判昭一〇・二・一五法学四・九一八）。

書換手形と利得償還請求権の問題についての説明は、本双書商法(3)七四、八五、一〇一頁を参照されたい。

（二）　為替手形の振出人の利得　　引受なき為替手形の振出人の利得については、振出人が手形交付によつて取得した対価のみについて考えればよい。故に右に約束手形の振出人について述べたことが、そのままあてはまる。しかし引受がなされているときは、支払人との資金関係上の事情を加味して振出人の利得の存否あるいはその額を決定しなければならない。すなわち、引受が引受人の振出人に対して有する債務の弁済に代えてなされたときは、振出人に利得はない。また支払のために引受がなされているときも、振出人が遡求権を免れて受取人より得た対価を確保し得るに至るとともに、振出人の引受人に対する資金関係上の債権は消滅するから、やはり振出人に利得はない。前掲判例の場合【17】【18】も、このように見ることによつて、利得償還請求権の成立を否定することができる。所持人が他に救済方法を有するか否かを問題にするまでもない。ただ引受人が無資力のときは、振出人が引受人に対する債権を失うということは、本来無価値の債権を失うにすぎないのであるから、その場合は、振出人は手形交付により得た対価において利得すると見ざるを得ない。また引受人が振出人より資金の供給を受けず、信用供与の目的で引受を与えたときも、引受人の債務が残存する限り、振出人は資金供給義務を負担するから、振出人に利得はない。結局、振出人に利得の存するのは、引受人が債務を免れた結果、現実に供給した資金を返還請求し得るとき、または保証もしくは信用供与の目的で引受を受け、それを他に交付して対価を受け、しかも引受人が手形債務を免れたために、振出人としては資金供給義務を免れた場合である。

(三)　引受人の利得　引受人については、振出人より資金の供与を受けていても、手形債務免脱の結果、これを返還しなければならないから利得がない。しかし振出人に対する既存債務に関して引受がなされた場合についていえば、その支払に代えて引受がなされているときはもちろん、支払のためになされているときも、振出人がその手形を他に譲渡して対価を得、他方遡求義務を免れると、それとともに右既存債務は消滅すると解すべきこと前述のとおりであるから、何れの場合にも、引受人に利得がある。

(四)　裏書人の利得　裏書人については利得の認められる場合はまれである。原因債務の支払のために約束手形の振出を受けそれを自己の債務の支払に代えて譲渡したときでも、遡求義務を免れて対価を確保するに至るとともに、自己の振出人に対する原因債権も消滅するから、やはり裏書人に利得はない。ただ、自己の計算において他人に手形を振出してもらい、それを対価を得て裏書した場合、所持人が手形を失効せしめると裏書人は資金供給義務を免れるから、右に得た対価について利得する。かかる事情の認められない限り、裏書人が利得償還義務を負うことはない【48】。

【48】「しかるところ被控訴人は、右手形は控訴人が被控訴人に対して支払うべき揮発油等の売買代金の支払に代えて裏書譲渡したものであるから、控訴人は右手形償還請求権の時効消滅により右売買代金に相当する金六万四千八百円の利益を得たと主張するので考えてみるのに、およそ、手形法第八十五条による利得償還請求において裏書人が利得したと謂うためには、裏書人が後者たる被裏書人から原因関係上対価を得たのみでは足りず、これに加えて裏書人が手形資金の提供義務者であること、又は少くとも裏書人が前者たる振出人若くは裏書人に対し対価の支払をなしていないことを要すると解するのが相当で

ある。蓋し、裏書人は原因関係上後者から対価を得ていても、資金の提供義務がなく且つ前者に対し対価を供している場合には手形授受の実質関係において現実に何ら利益を得たことにはならないからである。これを本件についてみると本件手形が控訴人の計算において振出されたものであること又は控訴人が右手形の授受につき振出人たる鎌田三郎に対し対価を供していないことについては、被控訴人の全証拠によってもこれを認めるに足りない。してみれば、控訴人は被控訴人主張のように利得をなしたものとは謂い難い」（東京地判昭三三・一一・一三下級民集九・一一・）。

（五）小切手の振出人の利得　小切手の振出人の利得は、引受のない為替手形の振出人のそれと同じく考えればよい。そして、振出人と支払人との間に交互計算契約が存在していても、振出人が小切手の交付に当り対価を得ておれば、右交互計算の請算終了までは、振出人は利得償還の請求には応じない、というような主張はできない【49】。

【49】「小切手ハ資金ナク又ハ信用ヲ得サルトキハ之ヲ振出スコトヲ得サルモノナレハ本件ノ如ク振出人ト支払人トノ間ニ交互計算ノ約アリテ小切手ヲ振出シタル場合ニ於テハ振出ノ当時振出人カ現実ニ資金ヲ有シタルト否トニ拘ラス法律上振出人ハ資金アリテ小切手ヲ振出シタルモノト看做スヘキモノトス故ニ若シ本件当事者間ノ関係ヲシテ単純ナル小切手ノ取引ナラシメハ振出人カ資金ヲ回収シ若クハ回収シタルモノニ準スヘキ事実存セサルトキハ不当利得ヲ為シタルモノト云フヲ得サルヤ勿論ナリ然レトモ若シ振出人即チ被上告人カ上告人ノ為メ送金行為ヲ為ス目的ニテ小切手ヲ振出シタルモノナランカ両者ノ関係ハ単純ナル小切手取引ノ関係ヲ以テ率スヘキモノニ非ス仮令被上告人ト支払人トノ間ニ交互計算ノ約アリトモ上告人ノ相関セサル所ナレハ支払人カ支払ヲ為ササルトキハ被上告人カ当初上告人ヨリ受取リタル金額ハ即チ之ヲ不当ニ利得セシモノト云ハサルヲ得ス原判決ヲ閲スルニ本件当事者間ニ於テ小切手振出ノ際百五十円ト八十円トノ金額授受アリシ事実ヲ確定シタルニ拘ラス其金額ト小切手トハ如何ナル関係アルヤ之ヲ判示スルコト無ク漫然被上告人ト支払人トノ間ニ交互計算ノ関係アリ而シテ支払人ノ清算終了スルニ非サレハ不当利得ノ有無得テ知ルヘカラスト云フヲ理由トシテ上告人ノ請求ヲ排斥シタルハ要スルニ其理由徹底セス即チ裁判ニ理由ヲ付セサル不法アルコトヲ免レス」（大判明三五・七・五民録八・三四）。

四　手形所持人の損害は要件でない

利得償還請求権の成立に、所持人の損害を必要としないことは通説である（伊沢・二四一頁参照）。判例もこれを認める【50】。

【50】「商法第四百四十四（現手八五）ノ請求権ハ純然タル民法上ノ不当利得返還ノ請求権ニ非スシテ手形法ニ規定セル非手形上ノ償還請求権ニ過キサレハ同条ノ請求権ヲ行使スルニハ振出人カ手続ノ欠缺等ニ因リ手形上ノ債権ヲ免レ利益ヲ受ケタルヲ以テ足レリトシ所持人ニ於テ手形取得ニ付キ対価ヲ供シ及ヒ損失ヲ蒙リタルコトヲ必要トセス」（大判大二・四・一四民録一九・二三六）。

四　利得償還請求権の行使

一　立証責任

この権利の発生要件については、すべて、請求者がこれを立証せねばならない。したがつて、手形債務者が手形の交付に当り既存債務免脱の利得を得ているときには、所持人はこの事実を完全に立証しなければならない【51】。

【51】「約束手形ノ所持人カ其手形上ノ権利ヲ喪失シタル場合ニ於テ振出人ニ係リ商法四百四十四条（現手八五）ニ基ク請求権ヲ行使センカ為メニハ振出人カ手形上ノ義務ヲ免カレタルニ因リ利益ヲ受ケタル事実即チ本件ニ在リテ之ヲ言ヘハ振出人タル被上告人カ原債務ノ履行トシテ本訴手形ヲ振出シタル事実ヲ完全ニ立証シ其請求ヲ主張セサルヘカラス」（大判大九・一一・二九民録二六・一七九）。

そして裁判所としては、手形債務者の利得を認定するためには、その手形が既存債務の支払に代えて交付されたことを認定すれば足り、その既存債権につき詳細に説示する必要はない【52】。

【52】「原審ハ上告人カ訴外中村悟堂ヨリタングステン及モリブデンヲ買受ケ本件各手形ノ額面ニ相当スル代金債務ヲ負担スルニ至リタルトコロ同代金ノ支払ニ代ヘテ本訴右手形ノ振出若ハ引受ヲ為シタルモノナル旨認定シタルモノニシテ原判決挙示ノ証拠ニ依レハ斯ル認定ハ之ヲ為シ得サルニ非ス而シテ本件利得償還請求ノ当否ヲ断スルニ当リテハ手形額面ニ相当スル代金債務ノ存在セシコトヲ判示スルヲ以テ足リ必スシモ所論ノ如クニ売買成立ノ日時目的物ノ数量又ハ引渡ノ場所等ヲ巨細ニ説示スルノ要ナキカ故ニ原判決カ此等ノ事項ニ言及セサリシトテ之ヲ目シテ理由不備又ハ審理不尽ノ違法アリト為スハ当ラス」（大判昭一〇・二・一一五法学四・九一八）。

また利得の額についても、所持人がこれを証明すべきであって【53】、手形金額と同額の利益を得たとの推定はなされない【54】【55】。

【53】「而シテ振出人カ如何ナル限度ニ於テ利益ヲ受ケタリヤハ償還ノ請求ヲ為ス原告ニ於テ之レカ証明ヲ為スノ責アルヤ勿論ナリ」（大判大六・七・五民録二三・一二八四）。

【54】「旧商法第七百十二条（現手七七Ⅰ8）規定ノ時効ニ因リ約束手形上ノ請求権ヲ失ヒタルモノハ其為替権利ヲ失ヒタルニ拘ラス振出人カ為替資金ニ因リ不当ニ己ヲ利シタル限度ニ於テ不当利得ノ取戻ヲ請求シ得ヘキハ同第七百十四条（現手八五）ノ規定スル所ナリ然レトモ振出人ハ其手形面ノ為替資金ヲ受取リタルト否ト換言スレハ己ヲ利スル所アルト否トヲ問ハス手形面ノ文言ニ因リテ直接ニ其支払ノ義務ヲ負フモノニ過キスシテ必スシモ手形面ノ金員ヲ受取リタル上ニ非サレハ之ヲ振出スコトヲ得サルモノニアラサレハ時効ニ因リ手形金支払ノ義務ヲ免レタル振出人ハ常ニ手形面ノ金員ヲ利シタル者ト推定シ得ヘカラサルハ当然ナリ」（大判明三三・五・三一民録六・五・一一二）。

【55】「手形振出人ハ手形ノ振出ニ依リ現実己ヲ利シタルコトアルト否トニ拘ハラス手形ノ文言ニ因リ券面記載ノ金額ヲ支払フノ義務アリト雖モ是唯手形債務ノ性質上然ラシムルモノニ過キサルカ故ニ手形金支払ノ債務ヲ免レタル振出人ハ常ニ手形

面記載ノ金員ヲ己ニ利シタルモノト速断スヘキモノニ非サルナリ」（大判明三八・一〇・二八民録一一・一三九二、同旨大九・三・一民録二六・二一六）。

二　権利の行使と履行遅滞

利得償還請求権は手形上の権利ではないから、債務履行の場所については、手形に記載された支払地または支払場所によることはできない。しかし債権者の現時の住所（民四八四）とすることは、債務者として権利者の何人たるやを知り得ないことよりして妥当でなく、やはり取立債務として債務者の営業所または住所と解すべきである。これと同様の理由から、債務者は請求をまつてはじめて遅滞に付せられると解すべきである【56】。

【56】「商法第四百四十四条（現手八五）ニ依ル利得償還請求権ハ民事上ノモノニシテ且義務者ハ請求ヲ俟ツテ始メテ遅滞ニ付セラルヘキモノナルヲ以テ遅延利息ハ控訴人カ始メテ請求ヲ為シタルモノト認ムヘキ本件訴状送達ノ翌日昭和五年十一月八日ヨリ完済迄年五分ノ割合ニ依ル金額ナリトス」（仙台地判昭六・六・四新聞三三〇四・一三）。

その遅延利息の利率については、判例は、利得償還請求権が手形債権でないのはもちろん、商行為による債権でもないことを理由に、年五分（民四〇四）とする【57】【58】。

【57】「利得償還請求権ハ商行為ニ因リ生シタル債権ニ非サルヲ以テ被告ハ原告ニ対シ右九百円及之ニ対スル本件訟状送達ノ翌日タルコト当裁判所ニ顕著ナル昭和五年七月二十二日以降完済ニ至ル迄年五分ノ割合ニ依ル損害金ヲ支払フヲ以テ足リ」（東京区判昭六・六・八新聞三二九一・一三、同旨仙台地判昭六・六・四新聞三三〇四・一三）。

【58】「商法第四百四十四条（現手八五）ノ利得償還請求権ハ衡平ノ理念ヨリシテ同法条ニ依リ特ニ認メラレタル一種特別ノ請求権ニシテ手形行為ニ因リテ生スル手形債権ニアラサルハ勿論其ノ他何等カノ商行為ニ因リテ生スル商事債権ニモアラサルヲ以テ償還義務者ニ之カ不履行アル場合ニ於テモ其ノ損害賠償ノ額ハ民法ノ規定ニ依リテ之ヲ定ムヘキモノト解スルヲ相当トス」（東京地判昭一〇・一・三一評論二四・五九〇）。

三　権利の行使と抗弁

手形債務者は、手形所持人に対抗し得た抗弁は、この者が利得償還請求権を行使するに際しても、これを主張することができる。しかし、その手形所持人のもとで、いつたん抗弁が切断されていた場合には、この者が利得償還請求権を行使するに当つても、右抗弁を主張できないことはいうまでもない【59】。

【59】「商法第四百四十四条（現手八五）ノ請求権ハ手形債権ノ消滅シタル後ニ発生スルモノニシテ之ニ手形ノ法理ヲ適施ス可カラサルハ論ヲ俟タサルモ其請求権ハ手続ノ欠缺等ニ因リテ手形上ノ権利ヲ喪失シタル所持人ノ為メ利益ヲ受ケタル振出人等ニ対シテ特別ニ付与セル権利ニシテ所持人カ前主ノ権利ヲ承継スルモノニ非サルヲ以テ原院カ被上告人ノ前主ト上告人トノ間ニ相殺スヘキモノアルモ被上告人ニ対シテ相殺ヲ主張スルコトヲ得サル旨ヲ判示シタルハ相当ニシテ」（大判大二・四・一四民録一九・二四〇）。

四　権利の行使と時効の援用

手形債権の消滅時効を理由に本権を主張する場合には、請求者において時効完成を証明すれば足り、手形債務者が時効を援用したことは必要でない【60】。

【60】「同条（民一四五）ニ所謂当事者ハ時効ニ因リ義務ヲ免カルル者ヲ指称シ時効ニ因リ間接ニ利益ヲ受クヘキ者ノ如キハ之ヲ包含セサルコト本院判例（明治四十二年（オ）第三七九号明治四十三年一月二十五日言渡）ニ示ス所ナリ然レトモ時効ハ時ノ経過ニ因リテ効力ヲ発生スルモノニシテ消滅時効ニ罹リタル権利ハ時効成就ノ時ニ於テ業既ニ消滅セルモノナルヲ以テ（明治三十八年（オ）第三五五号同年十一月二五日言渡判例参照）債権者ニ於テ其事実ヲ主張スルコトハ前示法条ノ規定ト全然没交渉ナルノミナラス他ニモ之ヲ妨クヘキ法律上ノ理由アルコトナシ故ニ若シ本訴カ手形金ノ支払ヲ請求スル為メノモノナランニハ仮令其手形カ消滅時効ニ罹リタルニセヨ債務者タル被告ニ於テ時効ヲ援用スルニ非サレハ裁判所ハ該手形債権ヲ時効ニ因リ消滅シタルモノトシ債務者ノ為メ勝訴ノ裁判ヲ為スコトヲ得サランモ被上告人ハ甲第一号証手形債権カ時効ニ因リ消滅

シタルカ故ニ同手形所持人トシテ振出人タル上告人ニ対シ償還ノ請求ヲ為スモノナレハ其請求ノ事由トシテ手形債権ノ消滅時効ニ罹リタル事実ヲ主張スルコトヲ得ヘクシテ此場合ニ民法第百四十五条ノ適用アルヘキニ非ス」（大判大八・六・一九民録二五・一〇六一、竹田・論双四巻二五〇頁、同旨大判昭一二・九・二一新聞四一八八・一四）。

五　権利の行使と手形の要否

前述のように（二三四頁参照）利得償還請求権は、手形または小切手上の権利が消滅する際に、実質的に権利者であつた者がこれを取得すべく、その者が、その当時において手形小切手を喪失していても、このことには変りがない、そして最近の判例も同趣旨であることは前述した【13】。このように、喪失者であつても、手形または小切手の権利消滅当時において、なお実質的権利を有した者に利得償還請求権を取得せしめることと、こうして取得された権利を行使するのに、手形小切手を取戻すことあるいはそれに代る除権判決を入手せねばならないか、ということは別問題である。前掲の最高裁判所の判例【13】も、まだこの点については判示していない。もつとも【65】の判例は、利得償還請求権の譲渡方法に関する事案に対する判決の中で、ついでにではあるが、本権の行使には手形の所持を必要としないことをのべている。この点については学説も分れ、ドイツの通説は、むしろ、利得償還請求権の行使には手形小切手またはそれに代る除権判決の入手を必要とし、わが国でもこれに賛成する説がある（田中・松元・手形研究二五号）。これは、喪失手形小切手につき、それが有効な間に善意取得した者があるかも知れないから、その者の利益を保護しようとするわけである。しかし反対説といえども、無条件に権利行使を許すわけでなく、相当の証明に基いて権利を行使せしめるのであるから、善意取得者の権利を不当に害することにはならない(伊沢・二四五頁、河本・商事法務研究一五八号)。

五　利得償還請求権の消滅

利得償還請求権も一般債権の消滅原因と同じ原因によって消滅するが、ここでは、時効消滅について考察するにとどめる。

利得償還請求権の時効期間については、それが手形行為その他の商行為によって生じたものでないことを理由に、一般債権の時効(民一六七I)を適用して、一〇年とみるのが判例である【61】62】【63】。

【61】　「商法第四百四十四条(現手八五)ノ償還請求権ハ手形ヨリ生シタル債権カ時効又ハ手続ノ欠缺ニ因リテ消滅シタルトキ発生スルモノナレハ其債権ハ手形行為ニ因リテ生スルモノニ非サルハ勿論其他何等ノ商行為ニ因リテ生スル債権ニモ非サルヤ明ナリ抑モ債権カ商行為特ニ手形行為ニ因リテ生シタルトキハ商法第二百八十五条(現商五二二)第四百四十三条(現手七〇I)ノ規定ニ依リ一般ノ商行為ニ付テハ五年ノ時効ニ因リテ消滅シ手形行為ニ付テハ三年等ノ時効ニ因リテ消滅シ引受人又ハ約束手形ノ振出人ニ対スル債権ニ付テハ満期日ヨリ起算スヘキモノナリト雖モ如上ノ償還請求権ハ手形債権カ既ニ其特別時効又ハ手続ノ欠缺ニ因リ消滅シタル後始メテ発生スルモノナル以上ハ一般ノ商事時効ヲ適用スヘキモノニ非スシテ普通債権ニ対スル時効ヲ適用シ其権利ヲ行使シ得ヘキ時ヨリ十年ヲ経過スルニ因リテ消滅スルモノト謂ハサル可カラス蓋シ手形ヨリ生シタル債権カ時効又ハ手続ノ欠缺ニ因リテ消滅シタルトキハ振出人又ハ引受人ハ手形行為ニ因リテ負担セシ債務ヲ免カレ為メニ利益ヲ受クルモノナレハ民法第七百三条ノ如ク法律上ノ原因ナクシテ利益ヲ受ケタルモノト謂フ能ハサルハ勿論ナルモ一種ノ不当利得トシテ所持人ヲシテ振出人又ハ引受人カ受ケタル利益ノ限度ニ於テ償還ノ請求ヲ為スコトヲ得セシメタルニ外ナラス即チ純然タル民法上ノ不当利得ノ返還請求ニアラス手形法ノ認ムル非手形上ノ償還請求権ナリトス然レハ原院カ本院ノ請求

権ハ手形債権カ三年ノ時効ニ因リテ消滅スルト同時ニ発生スルモノニシテ其時ヨリ起算シテ十年ノ時効ニ因リテ消滅スヘキモノトナシ商法第四百四十四条（現手八五）ニ依ル被上告人ノ請求ヲ認容シタルハ適当ニシテ」（大判明四五・四・一七、民録一八・四〇〇）。

【62】「商法第四百四十四条（現手八五）ノ償還請求権ハ手形行為ニ因リテ生スルモノニ非サルハ勿論其他何等ノ商行為ニ因リテ生スルモノニ非サルヲ以テ普通債権ニ対スル時効ヲ適用シ其権利ヲ行使シ得ヘキ時ヨリ十年ヲ経過スルニ因リテ消滅スルモノナルコトハ当院判例ノ存スル所ナリ（明治四十五年四月十七日第二民事部判決）本件ニ於テ手形授受ノ基本関係カ商行為ナルコトハ原院ニ於テ論争セラレサル所ナルノミナラス其関係カ商行為ニ基クト否トヲ問ハス同条ヲ適用スヘキモノニシテ」（大判大八・二・二六民録二五・三八九、竹田・論双二巻七〇〇頁）。

【63】「商法第四百四十四条（現手八五）ノ償還請求権ハ手形行為ニ因リテ生スルモノニ非サルハ勿論其他何等ノ商行為ニ因リテ生スルモノニモ非サルヲ以テ普通債権ニ対スル時効ヲ適用シ其権利ヲ行使シ得ル時ヨリ十年ヲ経過スルニ依リテ消滅スルモノナルコトハ当院ノ判例トスル所（明治四十五年四月十七日第二民事部判決）ニシテ今之ヲ変更スルノ要ナシ蓋シ約束手形ノ振出人ニ対スル債権カ同第四百四十三条（現手七〇）ニ依リ三年ノ時効ニ依リテ消滅スルハ一般商行為ニ因リテ生シタル債権カ同第二百八十五条ニ依リ五年ノ時効ニ依リテ消滅スルニ対シテ特別規定ヲ成スモノナレハ其手形行為ニ因リテ生シタル債権ニシテ既ニ特別時効ノ成熟ニ依リテ消滅シタル以上ハ手形債務者トシテ時効ノ利益ヲ享受シタルモノト謂フ可ク而シテ因リテ生シタル同四百四十四条ノ利得償還請求権ハ銀行営業者ノ金銭貸付又ハ手形割引ナル推定的商行為ニ基因スルモノニ非サルヲ以テ一般ノ商行為ニ通スル五年ノ時効ヲ適用スヘキモノニ非サルノミナラス之ヲ適用セスシテ普通ノ十年時効ヲ適用スヘキモノト為スモ債務者ニ於テ完全ニ時効ノ利益ヲ享受セサルモノト謂ハサルヲ以テナリ」（大判大一〇・二・一六民録二七・三二八、竹田・論双一〇巻八五頁）。

この点に関しては、学説は分れ、あるいは判例の立場を支持するもの（竹田・前掲判批）、あるいは商行為に基く債権に準ずるものとして五年とみるもの（田中耕・一九五頁、伊沢・二三三頁、鈴木・三一一頁）とがある。

六　利得償還請求権の譲渡

この権利の指名債権としての性質より、判例は、その譲渡は指名債権譲渡の方法によるべきであるとする【64】【65】。

【64】「此請求権ハ別段譲渡ニ適セサル性質ヲ有スルコトナク譲渡ヲ許ササル法律ノ規定モ亦存スルコトナキヲ以テ之ヲ譲渡スルハ妨ケナシ然レトモ手形ヨリ生シタル債権カ時効又ハ手続ノ欠缺ニ因リテ消滅スルトキハ手形ハ茲ニ手形タルノ効力ヲ失ヒ爾後手形トシテノ法律上ノ存在ヲ失フヘク従テ利益償還請求権ハ手形上ノ請求権ニ非サルカ故ニ此請求権ノ譲渡ハ通常ノ債権譲渡ノ手続ニ依ルノ外ナク手形裏書ノ規定ニ従ヒ裏書ニ依リテ之ヲ為スハ法律上不可能ナリト謂ハサルヘカラス而カモ此請求権タルヤ法律ノ直接規定ニ依リテ手形ノ効力消滅当時ノ所持人ニ付与セラレタル指名債権ニ属スルヲ以テ通常ノ方法ニ依リ其譲渡ヲ為シタル場合ト雖モ民法四百六十七条ノ手続ヲ履ムニアラサレハ其譲渡ヲ以テ債務者タル振出人又ハ引受人ニ対抗スルコトヲ得サルモノトス」（大判大四・一〇・一三民録二一・一六八二、竹田・商法判例批評一巻三五頁）。

【65】「利益償還請求権ハ法律ノ直接規定ニ依リ付与セラレタル指名債権ニシテ手形上ノ請求権ニ非サルカ故ニ手形ノ所持人カ一度前記償還請求権ヲ取得シタル以上其ノ後該手形ノ所持ヲ失フモ之ニ因リ当然右請求権ヲ喪失スル謂ナキハ勿論右請求権ノ行使又ハ譲渡ニ当リ手形ノ所持ヲ伴フコトヲ要スヘキニ非サルカ故ニ之ニ反スル所論ノ失当ナルハ言ヲ俟タス而シテ右請求権ノ譲渡ハ指名債権ノ譲渡トシテ当事者ノ合意ノミニ因リ成立スヘキモノナルカ故ニ苟モ当事者間合意ノ存スルニ於テハ本件手形ノ時効完成後右隆造ヨリ被上告人ニ対スル本件手形ノ白地裏書ノ有効ナルト否ニ拘ラス右請求権ノ譲渡ハ其ノ効力ヲ生スルニ妨ナク……然リ而シテ債権者ニ於テ債務者ニ対シ債権ヲ他人ニ譲渡シタル旨ノ通知ヲ為シタル場合ニ於テハ反証ナキ限リ該債権譲渡ノ事実ヲ肯認スヘキ筋合ナレハ原審カ昭和二年十一月十六日右隆造ヨリ上告人ニ対シ右償還請求権ヲ被上告人ニ譲渡シタル旨ノ通知アリタルコト当事者間争ナキ事実ニ基キ右譲渡ヲ是認シ上告人ニ対シ敗訴ノ言渡ヲ為シタルハ毫モ違法ニ非ス」（大判昭五・七・四新聞三一六三・六）。

右二事案においては、何れも手形権利消滅後に裏書がなされているが、それらは本来の裏書の効力を生じないで、債権譲渡の意思表示としての意味しか有せず、民法四七八条の定める対抗要件を要することは、判例のいうとおりである（竹田・前掲判批）。

高等裁判所判例

地方裁判所判例

区裁判所判例

最高裁判所判例

控訴院判例

判 例 索 引

大審院判例

著者紹介

河本一郎(かわもといちろう)　神戸大学助教授

総合判例研究叢書　商法(6)

昭和35年1月30日　初版第1刷発行
昭和36年10月30日　初版第3刷発行

著作者　河本一郎
発行者　江草四郎

東京都千代田区神田神保町2の17
発行所　株式会社　有斐閣
電話九段(331)0323・0344
振替口座東京370番

印刷・明石印刷株式会社　製本・稲村製本所

総合判例研究叢書 商法(6)
(オンデマンド版)

2013年1月15日 発行

著 者 河本 一郎
発行者 江草 貞治
発行所 株式会社 有斐閣
〒101-0051 東京都千代田区神田神保町2-17
TEL 03(3264)1314(編集) 03(3265)6811(営業)
URL http://www.yuhikaku.co.jp/

印刷・製本 株式会社 デジタルパブリッシングサービス
URL http://www.d-pub.co.jp/

AG487

ISBN4-641-91013-8
Printed in Japan